MW00489756

Liberar
la imaginación

Liberar la imaginación

Ensayos sobre educación, arte y cambio social

Maxine Greene

 GRAÓ

MICRO-MACRO
REFERENCIAS **5**

Título original: *Releasing the Imagination. Essays on Education, the Arts, and Social Change*

© Maxine Greene

All Rights Reserved.

Authorized translation from the English language edition published by John Wiley & Sons, Inc.

Colección Micro-Macro Referencias
Serie Filosofía de la educación
Directora de la colección: Pilar Quera

© de la traducción: Albino Santos

© de esta edición: Editorial GRAÓ, de IRIF, S.L.
  C/ Francesc Tàrrega, 32-34. 08027 Barcelona
  www.grao.com

1.ª edición: enero 2005

ISBN: 84-7827-358-1

D.L.: B-50.230-2004

Diseño: Maria Tortajada Carenys

Impresión: Imprimeix

Impreso en España

Quedan rigurosamente prohibidas, bajo las sanciones establecidas en las leyes, la reproducción o almacenamiento total o parcial de la presente publicación, incluyendo el diseño de la portada, así como la transmisión de la misma por cualquiera de sus medios tanto si es eléctrico, como químico, mecánico, óptico, de grabación o bien de fotocopia, sin la autorización escrita de los titulares del *copyright*.

Índice

Nota a la edición castellana

Eulàlia Bosch

De paso por Nueva York, me acerqué al Teachers College para visitar a Maxine Greene. La encontré preparando sus papeles para la clase que debía dar esa misma tarde. En poco más de un cuarto de hora amontonó en su escritorio libros y artículos sueltos hasta crear una verdadera barrera entre las dos. Conviene tener a mano ciertos poemas, me dijo, a veces se me olvidan líneas. Los libros de Sartre, obviamente, los estudiantes están leyendo *Les mains sales*. Tal vez *A portrait of a man as a young artist* y algunos trabajos de Virginia Woolf nos vendrán bien. *Metaphor and Memory* de Cynthia Ozick seguro que resultará pertinente, le oí musitar en el último momento. Salimos de su despacho con dos grandes bolsas de libros, un cuaderno de notas del que sobresalían diversas páginas fotocopiadas y una botella de agua. El largo camino hasta el aula, pasillos, escaleras e incluso un viaje en ascensor, lo recorrimos en silencio. Ella parecía acompasar de tal modo el ritmo de sus ideas –contenidas de alguna forma entre las páginas de esos libros– con el bastón sobre el que se apoyaba, que yo llegué a preguntarme si ese bastón no sería más bien una batuta encubierta. Una vez en el aula, su primera pregunta a los estudiantes fue: ¿Qué diferencia hay entre el infierno y un hotel malo?

¿Cuántos textos de poetas, filósofos y literatos serían necesarios para entender la pregunta? ¿Y para intentar responderla? En un momento la biblioteca ambulante que acabábamos de trasladar se reveló claramente escasa.

Liberar la imaginación es un libro sobre cómo las artes albergan la mayoría de los tesoros que una generación puede y debe pasar a la siguiente. Imaginar es atreverse a pensar que las cosas pueden ser de otro modo. Ahí empieza no sólo el intrincado mundo de la *libertad* sino también el del *conocimiento* y el del *compromiso,* los tres conceptos que Maxine Greene teje en sus obras hasta hacerlos confluir armónicamente en el centro mismo de su idea de educación.

¿Qué diferencia hay entre el infierno y un hotel malo? preguntó aquel día Maxine Greene a las jóvenes estudiantes de magisterio. La clase concluyó con el comentario contundente, aunque un tanto críptico, de una de ellas: «Realmente, las referencias a la literatura son necesarias para poder atrapar el pensamiento abstracto». «No lo olvides cuando estés frente a una clase de niños en un barrio marginal de alguna ciudad», le respondió ella.

Liberar la imaginación, el primer libro de Maxine Greene que se traduce a la lengua castellana, es un ejemplo excepcional de esa idea que formuló su alumna de Nueva York. Las historias contenidas en las obras de arte –sean novelas, poemas, películas, partituras musicales u obras de teatro– constituyen el patrimonio cultural humano y son los auténticos viveros de la vida intelectual, porque nos permiten reconocer el mundo en que vivimos y, al mismo tiempo, imaginar cómo podría transformarse. Y es también el trasfondo de la respuesta de la profesora para quien los estudiantes más desamparados son el grupo de referencia obligado.

Liberar la imaginación aporta una sutil llave de entrada a un entramado artístico capaz de hacer visible a la comunidad educativa que la educación tiene múltiples registros y se extiende más allá de los muros de la escuela.

Para Greene, el mundo es un misterio y el ir descubriéndolo lentamente un placer incomparable. La vitalidad de sus clases así como la lectura de sus libros no deja lugar a la indiferencia, esa actitud que John Berger califica de «exclusivamente humana» y que acecha constantemente a nuestro mundo, saturado de datos pero muy falto de comprensión y de compromiso.

La autora

Maxine Greene es profesora de filosofía y educación y cate-
drática (emérita) de Fundamentos de la Educación en el
Teachers College de la Universidad de Columbia, donde continúa impartiendo asignaturas de filosofía educativa, teoría
social y estética. Se licenció en el Barnard College en 1938.
Tras haberse dedicado durante una década a trabajos diversos
y a la labor de madre, obtuvo un máster en la Universidad de
Nueva York (1949) y se doctoró por esa misma universidad
(1955). Tiene doctorados honoríficos en Humanidades por
diversas universidades (Lehigh, Hofstra, Colorado en Denver,
Indiana, Goddard College, Bank Street College, Nazareth College, Misericordia College, McGill y Binghamton). Antes de
entrar a formar parte del Teachers College, Greene impartió
docencia en Brooklyn College, Montclair State College y la
Universidad de Nueva York, y también enseñó durante los ve-
ranos en las universidades de Hawai, Illinois y Lehigh. En
1990, dedicó tres semanas a presentar en Nueva Zelanda parte
de su trabajo gracias a una beca Fulbright de docencia.

Liberar la imaginación es un reflejo de las principales
áreas de interés investigador de Greene: las filosofías contemporáneas de la educación y del pensamiento social, la estética
y la enseñanza de las artes, la literatura como arte y el multiculturalismo. Ha escrito más de cien artículos en esos campos,
así como unos cuarenta capítulos para diversas recopilaciones
y antologías. El más reciente de sus cinco libros es *The dialectic of freedom* (1988). Ha ocupado las presidencias de la
Philosophy of Education Society, de la American Educational
Studies Association y de la American Educational Research
Association. También ha formado parte de comisiones curriculares y evaluadoras de diversos estados y municipios. La
tarea primordial que la ocupa actualmente es la creación del

Center for the Arts, Social Imagination, and Education del Teachers College. Su interés por dicho centro deriva, en gran medida, de su ejercicio continuado durante dos décadas como «filósofa residente» en el Lincoln Center Institute for the Arts in Education.

Introducción
Narrativa en construcción

Se ha dicho que para que nosotros, como individuos, podamos determinar cuál es nuestra relación con un determinado concepto del bien, «debemos ineludiblemente entender nuestras vidas de una forma narrativa, como si consistieran en una "búsqueda"» (Taylor, 1989, p. 52). A mí, además, y a pesar de la fragmentación y el relativismo de nuestros días (o, quizás, precisamente por ellos), me parece que debemos buscar concepciones del bien que afecten al rumbo de nuestras vidas. De ahí que los ensayos incluidos en *Liberar la imaginación* puedan ser leídos como una narración en construcción. Los profesores nos conformaríamos con vivir como meros empleados administrativos o funcionarios si no tuviéramos en mente esa búsqueda, ese afán por mejorar la situación de aquéllos y aquéllas a quienes enseñamos y del mundo que todos compartimos. No podemos conformarnos con reproducir el estado actual de las cosas. Yo misma, desde la perspectiva de mi propia vida, contemplo mi obra escrita como una búsqueda: como «estadios», parafraseando a Søren Kierkegaard, «en el camino de la vida» (1940). Dicha búsqueda me implica a mí como mujer, como profesora, como madre, como ciudadana, como neoyorquina, como amante del arte, como activista, como filósofa, como estadounidense blanca de clase media. Ni mi «yo» ni mi narración pueden tener, por tanto, un único hilo. Me hallo en la encrucijada de un sinfín de fuerzas sociales y culturales, y, en cualquier caso, nunca dejo de estar de camino a alguna parte. Mi identidad ha de ser percibida, pues, como múltiple, aun cuando yo continúe esforzándome por alcanzar una noción coherente de lo que es humano, digno y justo. Al mismo tiempo, entre tanta multiplicidad, mi proyecto de vida ha consistido en lograr comprender la enseñanza, el aprendizaje y los muchos modelos de educación existentes; he creado y continúo creando un yo por medio de ese proyecto, de ese modo de orientarme al mundo. Y ese proyecto, precisamente, ha determinado de una forma crucial el impulso que ha dado como resultado este *Liberar la imaginación*.

La dimensión de la educación que más me ha interesado siempre ha sido la formación del profesorado. Se trata de un interés que me viene de mi educación previa, marcada tanto por la fascinación por las humanidades como por la acción social. Mi búsqueda continúa impregnada de los valores y las visiones del movimiento de defensa de los derechos civiles de los años sesenta y del movimiento pacifista de esa misma década. Sin pretender atribuirme el heroísmo de un combatiente de la Resistencia durante la Segunda Guerra Mundial, cito, no obstante, al poeta francés René Char cuando opinaba que los luchadores de la Resistencia (de los que él mismo era ejemplo) «perdieron su tesoro» al regresar a la «triste "opacidad" de la vida privada, no centrada en otra cosa que en sí misma» (Arendt, 1961, p. 4). Char no sentía una pérdida porque añorara la guerra o la violencia, sino porque recordaba tiempos en los que las personas tomaban la iniciativa, se atrevían a lanzar desafíos y emprendían nuevos inicios. Del mismo modo, aunque nuestro mundo haya cambiado y se haya hecho más complejo con los años, creo que lo que hallaron tantas personas de nuestro país en los años sesenta y principios de los setenta fue un tesoro comparable, y estoy convencida de que, en los actuales ambientes educativos, las personas tienen la opción de resistirse a la irreflexión, la banalidad, la racionalidad técnica, la desatención y las «salvajes desigualdades» (Kozol, 1991) que continuamente erosionan la educación pública.

Con *Liberar la imaginación* espero conectar mi propia búsqueda con los esfuerzos de otros profesores y formadores de profesorado que están ya cansados de ser meros funcionarios o tecnócratas y de sentir esa triste opacidad de una vida privada no centrada en otra cosa que en ella misma. Espero estimular una especie de conversación silenciosa que pueda inducir a los lectores a descubrir qué tienen que decir a propósito de sus propias situaciones, de las realidades de sus vidas. Pretendo, para ello, ser consciente de la diversidad de orígenes y perspectivas. Quiero tener en cuenta y respetar tanto la diferencia como lo que concebimos como común. Quiero reconocer hasta qué punto lo que nos rodea se asemeja a una especie de «museo en el que todo está revuelto» (Smithson, 1979, p. 67). Pero no me convence en absoluto eso que los pensadores posmodernos describen como «bricolaje» o «*collage*»: ese estilo de comunicación que con tanta frecuencia se considera adecuado para nuestro momento actual de derrocamiento de viejos mitos, contraposiciones y jerarquías (Schrift, 1990, p. 110). Y, por ello, he buscado una forma de hablar sobre la que se pudiera empezar a constituir un mundo común para los profesores y, en realidad, para muchas otras personas. No pretendo construir un mundo ideal deseado que yo designe como tal para luego pedir a los lectores que lo hagan suyo también. En vez de ello, me he propuesto la tarea de despertar las imaginaciones de los lectores para que todos podamos dejar atrás las «torres de Babel ilusorias, [...] las intersecciones insólitas de significado, los extraños pasillos de la historia, los ecos inesperados, los humores desconocidos» (Smithson, 1979, p. 67), y alcancemos un cierto acuerdo sobre los nombres y el sentido de las cosas: un acuerdo que nos reúna en comunidad.

A menos que hagamos ese esfuerzo, será muy difícil para nosotros decidir qué queremos decir con la palabra *educación*. En el pasado la hemos asociado con la simple transmisión, con la comunicación, con la iniciación, con la preparación de los jóvenes «para la tarea de renovar un mundo común»

(Arendt, 1961, p. 196). Ahora que son tantas las narrativas tradicionales rechazadas o trastocadas y abundan las versiones nuevas y confrontadas sobre cómo debería ser nuestro mundo común, ya no podemos asumir la existencia de un consenso en torno a lo que se considera valioso y útil y a lo que debería enseñarse, a pesar de todas las definiciones oficiales de resultados necesarios y objetivos deseados.

Uno de los motivos por los que me he centrado en la imaginación como medio a través del cual podemos organizar un mundo coherente es que es precisamente la imaginación, por encima de todo lo demás, la que hace posible la empatía. Es lo que nos permite cruzar los espacios vacíos existentes entre nosotros mismos y esos «otros» a los que los profesores nos hemos referido lo largo de los años. Si esos «otros» están dispuestos a proporcionarnos pistas, siempre podemos hallar el modo de mirar a través de los ojos de esos extraños y de oír con sus mismos oídos. Eso es posible porque, de todas nuestras capacidades cognitivas, la imaginación es precisamente la que nos permite dar crédito a las realidades alternativas. Nos capacita para romper con lo que damos por asumido, para dejar a un lado las distinciones y las definiciones con las que estamos familiarizados.

Recordemos que, durante generaciones, se creyó, por ejemplo, que los niños pequeños eran incapaces de construir mundos significativos por sí mismos y que tampoco estaban facultados para atribuir significados, ni siquiera durante su período de aprendizaje del habla. Como mucho, los niños eran considerados unos adultos incompletos que hurgaban y rebuscaban en un mundo que no «tenía sentido» para ellos. Hoy en día, leemos los poemas y los diarios de los niños; escuchamos sus historias; nos damos cuenta de que, en efecto, somos nosotros los que nos introducimos en su realidad por medio no sólo de nuestra capacidad de raciocinio, sino de nuestra imaginación. De manera parecida, aunque más ignominiosa, las personas blancas de los países occidentales eran incapaces de reconocer en aquéllos a quienes llamaban «negros» o «africanos» la existencia de una inteligencia normal o la capacidad de leer y escribir (Gates, 1992, pp. 52-62). También las mujeres fueron consideradas por los hombres, en una mayoría de casos, estúpidas y relativamente infantiles, e incapaces de pensar teórica o rigurosamente. Uno de los avances de nuestro tiempo ha sido el reconocimiento por parte de muchos de nosotros (aun a regañadientes, en ocasiones) de que aquéllos y aquéllas a quienes hemos caracterizado durante tanto tiempo como «otros» por el motivo que fuese (etnia, género, religión, educación, cultura, costumbres, ubicación geográfica, condición física) comparten con nosotros una misma condición humana. Cada uno de nosotros o nosotras habita un mundo humanamente fabricado, es mortal y puede reconocer esa mortalidad, y puede relatar lo que le ocurre en la vida. Conscientes a cierto nivel, pues, de la existencia de mundos integrales y coherentes en cualquiera de esas «otras» personas (mundos que podrían parecernos, en principio, totalmente ajenos), nos vemos obligados a utilizar nuestras imaginaciones para penetrar en ellos, para descubrir qué aspecto tienen y qué sensación producen desde el ángulo de observación de las personas a las que pertenecen. Eso no significa que aprobemos esos mundos ni tampoco, necesariamente, que los entendamos. Significa que extendemos nuestra experiencia lo suficiente como para captar dichos mundos como posibilidades humanas.

A menudo, aunque no siempre, la medida en la que llegamos a captar el mundo de otra persona depende de nuestra capacidad preexistente para hacer un uso poético de nuestra imaginación, para hacer presentes los mundos hipotéticos («como si») creados por los escritores, los pintores, los escultores, los cineastas, los coreógrafos y los compositores, y para ser, de algún modo, partícipes de mundos (los de esos artis-

tas) que pueden remontarse o adelantarse extraordinariamente en el tiempo. La imaginación poética es la que nos permite introducirnos en el tejido social y los hechos narrados en
Middlemarch, de George Eliot (ambientada en los Midlands
ingleses), viajar (dentro ya de nuestro propio país) del Sur
rural a las luces y los sonidos del Harlem neoyorquino en *Jazz*,
de Toni Morrison, vivir una boda en plena frontera de la
expansión hacia el Oeste a través del movimiento corporal de
Appalachian Spring, de Martha Graham, trasladarnos de un
autorretrato marcado por el dolor de la vibrante Frida Kahlo
a una joven Virgen contemplativa de Murillo, o sentirnos agran-
dados con las inmensas estructuras melódicas del *Réquiem* de
Verdi. Diré muchas cosas acerca de ese tipo de encuentros en
los diversos estadios de esta búsqueda y lo haré conectando el
arte con el descubrimiento de la diversidad cultural, con la
construcción de comunidad, con el despertarse al mundo.
Para mí (como para tantas otras personas), las artes aportan
nuevas perspectivas del mundo vivido. Según yo misma los veo
y los siento, los encuentros instructivos con las obras de arte se
traducen a menudo en una sorprendente desfamiliarización
de lo normal y corriente. Aquello que yo misma he asumido
inconscientemente –sobre el potencial humano, por ejemplo,
o sobre las diferencias de género, sobre la ecología, sobre lo
que ahora llamamos «identidad étnica» o sobre el plan de estudios común– sale frecuentemente a relucir de un modo inesperado al ver una obra de teatro, al contemplar un cuadro o al
escuchar a un quinteto de viento. Y, de vez en cuando, cuando
me hallo en presencia de una obra de la «frontera» (de un
lugar que estaba fuera del alcance de mi experiencia hasta mi
entrada en contacto con dicha obra), me sumerjo en toda
clase de reconceptualizaciones y revisualizaciones. Me descubro a mí misma yendo de descubrimiento en descubrimiento;
me doy cuenta de que estoy revisando (y, de vez en cuando,
renovando) los términos de mi propia vida.

Pero ni siquiera eso es todo. También tenemos nuestra imaginación social: la capacidad de inventar visiones de cómo debería y podría ser nuestra deficiente sociedad, de cómo deberían y podrían ser las calles en las que vivimos o nuestras escuelas. Al hablar de imaginación social, recuerdo toda una declaración de Jean-Paul Sartre: «El día que somos capaces de concebir un estado de cosas diferente se proyecta una nueva luz sobre nuestros problemas y nuestro sufrimiento y, entonces, *decidimos* que son insoportables» (1956, pp. 434-435). Por decirlo de otro modo, nos damos cuenta de la dureza de una situación sólo cuando tenemos en mente otro estado de cosas mejor. Asimismo, puede que sólo cuando concibamos aulas humanas y liberadoras, en las que se reconozca y se sostenga el esfuerzo de todo alumno o alumna por aprender a aprender, seamos capaces de percibir lo insuficientes que resultan las escuelas burocratizadas y descuidadas. Y puede que sólo entonces nos sintamos movidos a decidir entre repararlas o renovarlas.

Lo que estoy describiendo aquí es una especie de pensamiento utópico: una forma de pensar que rechaza la mera conformidad, que mira hacia caminos no recorridos todavía, conducentes a los contornos de un orden social más pleno y satisfactorio, a formas más vibrantes de estar en el mundo. Esta especie de imaginación reformadora puede ser liberada a través de muchas clases de diálogo: diálogo entre jóvenes que proceden de culturas y modos de vida diferentes, diálogo entre personas que se han reunido para solucionar problemas que todas ellas parecen considerar que vale la pena solucionar, diálogo entre personas que llevan a cabo tareas compartidas, que protestan contra las injusticias, que evitan o superan dependencias o enfermedades. Cuando se activa esa clase de diálogo en las aulas, hasta los más jóvenes se sienten incitados a perseguir sus propias iniciativas. La apatía y la indiferencia tienden a ceder cuando surgen imágenes de lo que podría ser.

A medida que mi narrativa en construcción vaya tomando paulatinamente su forma diversificada característica, se hará evidente mi interés por el aprendizaje activo en las escuelas que se hallan actualmente en proceso de reforma. Deseo ayudar a que pensemos más allá de la escolarización y nos fijemos en los terrenos más amplios de la educación en general, donde hay y debe haber toda clase de oportunidades y posibilidades. Para fomentar esa forma de pensar, he recurrido en diversas ocasiones a ciertas historias humanas. Me he interesado especialmente por aquéllas que, como la de Virginia Woolf, testimonian el paso de una situación en la que una persona se siente envuelta en los «algodones de la vida cotidiana» a otra en la que vive «momentos de ser» (1976, p. 72), momentos de lucidez e intensificada conciencia. He expuesto memorias y visiones reveladoras de la infancia, como el despertar rememorado por la «dama de marrón» del coreopoema de Ntozake Shange, en el que el salto de una niña (contraviniendo las normas) de la Sala de Lectura Infantil a la Sala de Lectura para Adultos la llevó a descubrir la historia de Toussaint L'Ouverture, todo un auténtico «comienzo de la realidad» para ella (1977, p. 26). He presentado reiterados recordatorios de lo que significa pasar de la cadena mecánica de los comportamientos rutinarios a momentos en los que, como escribió Albert Camus, «el "¿por qué?" surge y todo empieza en ese hastío teñido de asombro. "Empieza" y eso es importante. El hastío llega al final de los actos de una vida mecánica, pero, al mismo tiempo, inaugura el impulso de la conciencia» (1955, pp. 12-13). Todo depende de un liberarse de algo, de un salto y, luego, de una pregunta. Pretendo afirmar que así es como se produce el aprendizaje y que la tarea educativa consiste en crear situaciones en las que los jóvenes son impulsados a *empezar* a preguntar –en todos los tonos de voz existentes– «¿por qué?».

Moviéndose entre una historia de reestructuración escolar y una interpretación de los contornos del alfabetismo, esta narrativa en construcción examina y reexamina procesos de cuestionamiento humano, respuestas a los espacios vacíos de la experiencia, resistencias a los sinsentidos. Contextualizo de modos diversos esa liberación de la imaginación que tanto me interesa al tiempo que analizo el currículo emergente, la vida moral y la justicia en el espacio público. Dado que muchos de nosotros somos unos recién llegados y unos extraños para los demás, pongo un énfasis muy particular en el pluralismo y la heterogeneidad: en lo que hoy en día se conoce habitualmente como multiculturalismo. Y decido hacerlo en relación con las artes y con una comunidad siempre en construcción: la comunidad que puede que algún día sea llamada *democracia*.

Primera parte
Crear posibilidades

I
Buscar contextos

Estándares, evaluación, resultados y *rendimiento*: éstos son los conceptos sobre los que está establecido el debate educativo actual. ¿Qué deberíamos esperar que sepan los alumnos de dieciséis años, sean quienes sean y estén donde estén? ¿Cómo puede aumentarse el rendimiento escolar de este país hasta alcanzar niveles de primera línea mundial? ¿Cómo se alcanza la primacía nacional en un momento postindustrial como el actual? ¿Cómo podemos socializar a jóvenes diversos en un «alfabetismo cultural» (Hirsch, 1987) que contrarreste el relativismo y la ignorancia al mismo tiempo? ¿Qué clase de currículo puede frenar la que se ha dado en llamar «desunión de América» (Schlesinger, 1992) provocada por las demandas multiculturales?

El discurso en torno a estas cuestiones ha dado lugar a lo que se concibe generalmente como la realidad educativa contemporánea. En las frecuencias más bajas de nuestras conversaciones se continúa hablando de «salvajes desigualdades» (Kozol, 1991), deterioro familiar, declive de los barrios y oportunidades cada vez más escasas. Se mencionan el racismo, el desempleo, las adicciones y el desarraigo. Pero en lo que a las escuelas se refiere, las voces dominantes son todavía las de las autoridades que asumen el valor objetivo de ciertos tipos de saber y que dan por descontado que la misión principal de los centros educativos es la de satisfacer las necesidades económicas y técnicas nacionales. Las nociones tradicionales de eficiencia alimentan la creencia de que las escuelas pueden ser manipuladas desde fuera para que cumplan ciertos objetivos predeterminados. La implicación de todo ello suele ser que, por su propio interés, los profesores y sus estudiantes deben seguir las instrucciones y hacer lo que se supone que les corresponde. Entonces, ¿cómo pueden intervenir los profesores para decir cómo creen *ellos* que deberían ser las cosas? ¿Qué pueden hacer para influir en la reestructuración? ¿Qué pueden hacer para transformar sus aulas?

Interesada por los cambios de perspectiva y de forma de ver las cosas, recurro a *Confesiones del estafador Félix Krull* (1955), una novela de Thomas Mann. En el inicio del libro, el joven Félix se pregunta si es mejor ver el mundo pequeño o verlo grande. Por una parte, se dice, los grandes hombres, los líderes y los generales, tienen que ver las cosas pequeñas y desde cierta distancia, porque, si no, no serían nunca capaces de ocuparse como lo hacen de las vidas y las muertes de tantos seres vivos. Por otra parte, ver las cosas grandes es «considerar el mundo y la humanidad como algo grandioso, glorioso y significativo, algo que justifica todo esfuerzo por conseguir el más mínimo atisbo de estima y fama» (pp. 12-13). Ver pequeñas las cosas o a las personas significa optar por un punto de vista distanciado, observar las conductas desde la perspectiva de un sistema, interesarse por las pautas y tendencias en lugar de por la intencionalidad y lo concreto de la vida cotidiana. Para ver grandes las cosas o a las personas, uno o una debe resistirse a contemplar a los demás seres humanos como meros objetos o piezas de ajedrez y verlos en toda su integridad y particularidad. Para conocer los planes de las personas, las iniciativas que emprenden, las incertidumbres a las que se enfrentan, hay que mirarlo todo desde el punto de vista del participante que se halla inmerso en lo que ocurre.

Aplicada al medio escolar, esa manera de ver grandes las cosas nos pone en un contacto más próximo con detalles y particularidades que no pueden reducirse a estadísticas o siquiera a algo medible. Ahí están entonces las aulas deterioradas y masificadas de los centros urbanos y su contrapunto en los espacios impolutos de los barrios residenciales de las afueras. Ahí están los tablones de anuncios atiborrados de anuncios e instrucciones, en los que aparecen intercalados algunos dibujos de los niños o algún poema de extrema franqueza. Ahí están las pintadas, los recortables de papel, las figuras uniformadas de las escuelas municipales; la resonancia atronadora de las voces de los administradores; el destello repentino de la visita ocasional de algún artista; los grupos de jóvenes que escriben revistas, siempre atentos a cualquier noticia. Ahí están los grupos de familias que se explican unas a otras lo que ocurrió la noche anterior, que se relatan pérdidas y desapariciones, que se cogen de' la mano. Esos ruidosos pasillos son como los barrios pobres de las ciudades antiguas, llenos de gente que habla una multitud de lenguas, que se conduce con distinción, que busca aliados y amigos. Se oyen gritos, saludos, amenazas, el machaqueo de la música *rap*; se ven cadenas de oro, leotardos floreados, peinados multicolor. De vez en cuando se pueden apreciar las miradas absortas de los jóvenes, fijadas en las pantallas de los ordenadores, o el tintineo del vidrio y el metal de los laboratorios escolares, contemplado por unos ojos llenos de perplejidad y asombro. Ahí están los libros de texto con todos sus defectos, las filas de pupitres, alguna que otra mesa redonda y los libros de edición de bolsillo, puestos a disposición de los estudiantes para que escojan los que quieran. Para quien ve grandes las cosas, allí hay también profesores que perciben en todo acto «un nuevo comienzo, un ataque a lo inarticulado / valiéndose de un material desfasado y en continuo deterioro, / erigidos, en medio del desorden general de la imprecisión de los sentimientos, en auténticos escuadrones indisciplinados de emoción» (Eliot, [1943] 1958, p. 128). Pero también hay otras clases de profesores: los que no son conscientes de su propia capacidad de acción, los que imponen la inexpresión a estudiantes que les resultan extraños y cuyas voces prefieren no oír. De todos modos, siempre aparecen enseñantes entusiastas: profesores que incitan a sus alumnos a plantear sus propias preguntas, a enseñarse a sí mismos, a ir a su propio ritmo, a poner nombres a sus mundos. Ahora nos damos cuenta de que no se puede ignorar a los estudiantes jóvenes: han de ser consultados, tienen que preguntarse por qué.

Cuando se ven las cosas pequeñas se mira la educación con las lentes de un sistema –es decir, desde la posición ventajosa del poder o de las ideologías existentes– y se adopta un punto de vista eminentemente técnico. Hoy en día, de hecho, lo más habitual es que el cristal concreto con el que esto se mire sea el de la decisión política benevolente que parte de la convicción subyacente de que los cambios en los centros escolares pueden provocar un cambio social progresista. Como ya he dicho, ese tipo de decisión puede ser luego vinculada a los intereses económicos nacionales, cuando no utilizada, incluso, para ocultarlos. Sea cual sea el ángulo desde el que se observe, cuando la educación se ve pequeña lo que preocupan son las puntuaciones de las evaluaciones, el «*time on task*» (o tiempo dedicado a cada tarea), los procedimientos de gestión, los porcentajes étnicos y raciales, y las medidas de responsabilidad (o de rendimiento de cuentas), pero no los rostros y los gestos de los individuos (de las personas reales), que no tienen cabida en ese cuadro. Ocurre, incluso, que a muchos de quienes adoptan una perspectiva general de las cosas les parece más equitativo llevar a cabo sus estudios y sus mediciones sin conocer nombres ni historias personales y asumir que su tarea se corresponde automáticamente con los intereses sociales existentes.

¿Cómo ha de afrontar el profesor o la profesora algo así? ¿Cómo puede evitar sentirse como un peón de ajedrez o como una mera pieza del engranaje o, incluso, como una especie de cómplice de algo? Puede que el auténtico reto consista en aprender a moverse hacia atrás y hacia delante: abarcar los dominios de la política y la planificación a largo plazo y, al mismo tiempo, prestar atención a niñas y niños concretos, a tareas específicas según las situaciones, a lo inmensurable y a lo singular. Ni que decir tiene que parte (al menos) del reto consiste también en renunciar a separaciones artificiales entre la escuela y su entorno circundante, es decir, en rechazar esas descontextualizaciones que tanto falsifican. Como parte de ese rechazo, se puede inducir a los profesores a que tomen en consideración conexiones y continuidades que no siempre pueden ser definidas con precisión. Eso significa prestar atención al impacto de la vida de la calle, con toda su multiplicidad, peligro y misterio. También implica conocer, hasta cierto punto, la vida familiar de los estudiantes, tanto en lo que ésta tiene de tranquilidad como de desasosiego para ellos. Significa hacerse conscientes de los dramas que se representan en los parques y en los porches de entrada de las casas, en las urgencias y los consultorios de los hospitales, y en las oficinas de asistencia social y en los refugios y agencias benéficas que influyen en las vidas de los jóvenes. Las comisarías, las iglesias, las esquinas de los traficantes de drogas, los lugares a la sombra en los parques cercanos, las bibliotecas y el siempre parpadeante resplandor de las pantallas de televisión: todo ello forma parte de la realidad educativa cuando ésta se ve «grande».

Los profesores que sean suficientemente imaginativos como para tener presentes la heterogeneidad de la vida social y la llamada «heteroglosia» (o multiplicidad de discursos) de lo cotidiano (Bajtín, 1981) pueden también sentir un fuerte impulso a abrir caminos que conduzcan a mejores formas de enseñanza y de vida. Puede que también ellos, como hiciera John Dewey, se esfuercen por precisar unos fines que den un rumbo a sus actividades y por saber más claramente cuál es su misión (Dewey, 1916, p. 119). Hoy en día existe ya un importante movimiento reestructurador que no obliga a los enseñantes a elegir entre ver las cosas grandes o pequeñas;

tampoco les fuerza a identificarse a sí mismos como personas
interesadas exclusivamente por el comportamiento condicionado o preocupadas sólo por la acción consciente que implica un nuevo comienzo. Una vez reconocida su capacidad para
reflexionar sobre su propia práctica dentro de un contexto
complejo, es de esperar que sean los propios profesores los
que decidan a partir de sus propias situaciones y los que se
muestren abiertos a descripciones de conjunto.

Estos movimientos emergentes dejan espacios a la colaboración mutua entre profesores, y a la de éstos con los
padres y con las diversas clases de escuelas de formación de
profesorado. Están apareciendo, así, redes de escuelas democráticas, escuelas progresistas resurgentes, Coalition Schools y
escuelas imán, comprometidas todas ellas con la renovación
(Darling-Hammond, 1992; Elmore, 1990; Sizer, 1992; Wigginton,
1972). Entre los educadores implicados existe una coinciden-
cia general en considerar que, aun a pesar de la importancia
de estas *caring communities* (o comunidades «que se preocupan»), aún hay más por crear. En propuestas como las que están
haciendo Howard Gardner con el Project Zero de Harvard,
Theodore Sizer y otros, «se aprecian muestras de un interés muy
real por que los planes de estudios estén basados en el conocimiento y sean interdisciplinarios y capaces de conectar con los
estudiantes» (Beyer y Liston, 1992, p. 391). Incrementar el
interés, acabar con las vejaciones, aumentar la conexión y el compromiso moral: también de todo esto se habla cada vez con
mayor profundidad (Noddings, 1992; Martin, 1992).

En este aspecto de las nuevas iniciativas de reforma, se
aprecia una considerable sensibilidad ante la necesidad de captar una imagen de totalidad. Se reconoce claramente que los
jóvenes necesitarán una amplia gama de hábitos mentales y
un gran número de habilidades complejas si quieren tener
oportunidades de empleo mínimamente significativas en
tiempos de cierre de empresas. Se han de cultivar las capaci-

dades necesarias para reaccionar ante las catástrofes. Es posible que los jóvenes tengan que afrontar en algún momento desastres ecológicos, inundaciones, contaminación y tormentas sin precedentes; es posible que tengan que enfrentarse algún día a la quimioterapia y a decisiones que afecten a la continuidad de su propia vida. Necesitarán estar alfabetizados en más de un medio para enfrentarse crítica e inteligentemente a los demagogos, a los programas de entrevistas y llamadas de oyentes o telespectadores, a la publicidad engañosa y a los nuevos programas que funden comunicación con grados diversos de espectáculo. También resultará necesaria la capacidad de desarrollar una planificación adecuada y para ello hace falta mucho pensamiento organizativo y saber ver pequeñas las cosas.

Ahora bien, otra parte del panorama total es que a los profesores también se les pide que traten a sus estudiantes como sujetos de aprendizaje activo que, como tales, aprenden mejor si abordan tareas reales y descubren modelos de destreza y honestidad en el trabajo. Sólo cuando los profesores pueden implicarse con sus estudiantes entendiéndolos como personas diferenciadas y críticas –personas en proceso de definirse a sí mismas– pueden desarrollar las llamadas medidas de «evaluación auténtica» (Darling-Hammond y Ancess, 1993), medidas que se traducen en la construcción de nuevos currículos. Rechazando las pruebas de tipo test de procedencia externa y mostrándose dispuestos a ver grandes las cosas cuando se encuentran con los estudiantes, los profesores pueden diseñar las formas de enseñanza que resultan apropiadas para esas personas en concreto y que pueden impulsarlas de maneras diversas a lo que hoy entendemos como búsqueda de conocimiento. Como bien ha dicho Donald Schön, un profesor reflexivo escucha a cada uno de sus estudiantes. «Se pregunta, por ejemplo, ¿Cómo está pensando esto? ¿Qué significado tiene su confusión? ¿Qué es lo que ya sabe hacer?

Si realmente escucha a un estudiante, tiene ideas para la acción que trascienden el esquema de la clase» (1983, p. 332). Schön escribe acerca de los nuevos significados que el profesorado «dispuesto a hacer, de manera independiente, juicios cualitativos y relatos narrativos de la experiencia y del rendimiento del aprendizaje y de la docencia» (pp. 333-334) da a palabras como responsabilidad, evaluación y supervisión. A estos profesores se les pide ahora que evalúen a sus alumnos por medio de portafolios y exposiciones y a través de las explicaciones que esos mismos alumnos dan de lo que dicen y piensan en un momento en el que tratan de hacerse diferentes e ir más allá de donde se encuentran.

Todo encuentro con seres humanos reales que tratan de aprender a aprender requiere de la imaginación de los docentes (y de la de aquéllos y aquéllas a quienes enseñan). Cuando me paro a reflexionar sobre los estudiantes que he conocido en escuelas y universidades, se me ocurren diversas búsquedas. Una es, por ejemplo, «la búsqueda» que aparece en la novela de Walker Percy El cinéfilo: la búsqueda que «toda persona emprendería de no hallarse sumida en la cotidianeidad de su propia vida. [...] Adquirir conciencia de la posibilidad de tal búsqueda es haber encontrado algo. No encontrar algo es estar desesperado» (1979, p. 13). También en nuestro caso se necesita imaginación para darse cuenta de que es posible la búsqueda y, de hecho, se aprecian analogías con la clase de aprendizaje que queremos estimular. Hace falta imaginación para romper con las clasificaciones habituales y entrar en contacto con los jóvenes reales en sus situaciones diversamente vividas. Los jóvenes precisan también de imaginación para percibir oportunidades, brechas abiertas, por las que puedan moverse.

En muchos aspectos, enseñar y aprender significan avanzar atravesando barreras de diversos tipos (de expectativas, de aburrimiento, de predefinición). Enseñar, al menos en una determinada dimensión, es proporcionar a las personas los trucos y el conocimiento y experiencia que necesitan para enseñarse a sí mismas. Ningún profesor o profesora, por ejemplo, puede dar a los jóvenes una clase de baloncesto, o de poesía, o de experimentación con metales en un laboratorio de química y esperar que cumplan los requisitos o los niveles mínimos que tenía pensados para dicha actividad. Los profesores deben comunicar maneras de proceder, modos de observar reglas y normas, así como una serie de las denominadas «capacidades abiertas» (Passmore, 1980, p. 42), para que sus estudiantes puedan poner en práctica a su modo lo que necesitan para participar en un partido, para dar forma a un soneto o para diseñar un test químico. Según Passmore, esto hace que el alumno o la alumna dé pasos que no le habían sido enseñados explícitamente, «lo cual no deja de sorprender a su instructor, y no porque ningún otro alumno haya hecho algo así antes [...], sino en el sentido de que el profesor no ha enseñado a su alumno a dar ese paso preciso y el hecho de que lo dé no se deriva necesariamente como aplicación de un principio en el que el profesor lo haya instruido. Por así decirlo, el alumno (con respecto a cierto ejercicio de una determinada capacidad) ha pasado a tener inventiva» (p. 42). Eso me recuerda a Mary Warnock y su mención de las formas en que la imaginación hace posible que nos demos cuenta de que en la experiencia siempre hay más que lo que podemos prever (1978, p. 202). Recuerdo su explicación de cómo los niños, cuando empiezan a sentir la trascendencia de lo que perciben, «intentan interpretar por su cuenta esa trascendencia». Y de cómo es «la sensación emocional de infinitud o inagotabilidad de las cosas la que da sentido a su experiencia, y no el conjunto de doctrinas que posiblemente extraerían de ella si estuvieran predispuestos a la doctrina» (p. 206). Me viene a la mente también el «Hombre de la guitarra azul» de Wallace Stevens: una guitarra que simboliza la imaginación. El guitarrista hace referencia a la acción de despojarse de «las luces y las definiciones», y reta a su audiencia a «decir lo que ven en la oscuridad» (Stevens [1937], 1964, p. 183). Los miembros de esa audiencia le han estado pidiendo que «toque las cosas como son», porque consideran perjudicial ver las cosas como si pudieran ser de otro modo. Hay tensión en esa mirada; se produce una resistencia firme durante un tiempo. Pero luego la resistencia, la imaginación, las capacidades abiertas, la inventiva y la sorpresa se nos muestran unidas en cierto sentido.

Abordar la enseñanza y el aprendizaje de ese modo es interesarse por la acción, no por la conducta. La acción implica emprender iniciativas; significa moverse hacia un futuro contemplado desde el punto de vista del actor o el agente. A eso es a lo que se refieren quienes participan hoy en día en la reestructuración escolar cuando hablan de aprendizaje activo. Están interesados en los comienzos, no en los finales. Están en desacuerdo con las sistematizaciones, prescripciones y evaluaciones impuestas desde la distancia. Recordemos a Dewey cuando describía un objetivo como una forma de ser inteligente, de dar un rumbo a nuestros esfuerzos. Él sabía bien que no hay garantías; él hablaba –como también yo trato de hacerlo– de oportunidades abiertas, de posibilidades, de moverse en una búsqueda en pos de algo.

Es muy posible que Dewey se sintiera arrastrado (como yo me siento arrastrada) por el reclamo de lo incompleto que todavía está por explorar (la promesa inherente a toda búsqueda). En *Moby Dick*, Ismael (escéptico ante todos los sistemas y clasificaciones) dice: «No prometo nada completo, porque cualquier cosa humana que se suponga completa debe ser, por esa misma razón, indefectiblemente imperfecta» (Melville, [1851] 1981, p. 135). Siempre hay espacios vacantes: siempre hay caminos que no se han tomado nunca, perspectivas de las que uno no se ha percatado. La búsqueda ha de ser continua; su final nunca nos puede ser completamente conocido.

Los capítulos siguientes tienen que ver con varios tipos de búsqueda relacionada con la enseñanza y el aprendizaje y con los descubrimientos inesperados que los profesores pueden llegar a realizar a lo largo de ese camino. Todavía hay que vencer los silencios de las mujeres y de los marginados en nuestras aulas. Hay que romper con la invisibilidad de tantos estudiantes. Hay geografías y paisajes que quienes esperamos que no todos tengamos que ser unos extraños para los demás en nuestras escuelas (y confiamos en poder luchar por interpretar nuestro nuevo y polifacético mundo) todavía no hemos explorado. Hay unos versos de Rainer Maria Rilke ([1905] 1977, p. 3) que captan nuestra capacidad de conocimiento de las demás personas dependiendo de cómo decidamos ver las cosas, una capacidad que me dedicaré a explorar más en detalle:

> *No hay nada tan pequeño pero lo amo y decido*
> *pintarlo de color oro terroso y grande*
> *y tenerlo por lo más preciado y no saber*
> *el alma de quién puede liberar. [...]*

Mis interpretaciones son provisionales. He querido ser partícipe del rechazo posmoderno a los marcos racionales inclusivos, dentro de los cuales todos los problemas e incertidumbres tienen supuestamente solución. En mi opinión, todo lo que podemos hacer es cultivar modos múltiples de ver y diálogos múltiples en un mundo en el que nada se mantiene igual. Todo lo que puedo hacer es tratar de inducir a quien me lea a abrir senderos con sus estudiantes a través de ese mundo y a ir dejando sus huellas por el camino. Nuestra «ansiedad fundamental», según un autor (Schutz, 1967, p. 247), es la provocada por la posibilidad de que transitemos por el mundo sin dejar marca alguna; esa ansiedad es la que nos induce a diseñar proyectos para nosotros mismos, a vivir entre nuestros congéneres y acercarnos a ellos, a interpretar la vida desde nuestros ángulos de situación, a intentar empezar una y otra vez. En cierto sentido, he escrito *Liberar la imaginación* para poner remedio a tal ansiedad. El libro atribuye cierta utilidad al desapego de ver pequeñas las cosas y, al mismo tiempo, está abierto (y da validez) a la pasión de ver las cosas de cerca y grandes. Porque esa pasión es la puerta de entrada a la imaginación; ahí radica la posibilidad de mirar las cosas como si pudieran ser de otro modo. Para mí, esa posibilidad es el significado probable del verbo *reestructurar*. Ver grandes las cosas es lo que puede inducirnos a reformar.

2
Imaginación, avances e imprevistos

Transformaciones, oportunidades que se abren, posibilidades: los profesores y sus formadores deben hacer que esos temas se mantengan muy presentes durante el debate de la *Goals 2000: The Educate America Act* (la Ley Objetivos 2000: Educar a Estados Unidos) y mientras estudiamos la factibilidad de los objetivos en él recogidos. Este proyecto de ley ha sido ya aprobado e incorporado a la legislación federal. Fija metas nacionales en materia educativa a alcanzar en cinco años. Los cinco primeros objetivos son generales e incontestables: todos los niños y niñas deben estar ya preparados cuando se incorporen a las escuelas de educación primaria, los índices de finalización de los estudios de secundaria serán del 90%, todos los estadounidenses estarán alfabetizados, los docentes deben estar bien formados y los padres deben implicarse en el aprendizaje de sus hijos. Pero hay otros dos objetivos más problemáticos: todos los estudiantes de disciplinas académicas deberían alcanzar niveles de talla mundial y ser los «primeros del mundo en ciencias y matemáticas», y, además, se debería crear un sistema de evaluación nacional para que los estudiantes demuestren su dominio de «contenidos con un mínimo de dificultad». Todo esto es presentado como una nueva agenda nacional en materia de educación y se basa en el supuesto de que es realizable, a pesar de la pobreza y la desigualdad existentes. Uno de los problemas que lleva asociados, sin embargo, es el supuesto que de ella se desprende y según el cual los estándares y los tests pueden ser impuestos sin más. Se enfrenta también a la diversidad (todavía sin explotar) de la actual juventud estadounidense: con sus talentos y energías todavía por definir, con sus modos de expresión diferenciados. Por lo que parece, se sigue recurriendo a los paradigmas ya conocidos; se reprime o ignora la necesidad de posibilidades alternativas ante los actuales cambios económicos y demográficos.

Este capítulo se ocupa de cómo nosotros y nuestros estudiantes podemos llegar a utilizar nuestra imaginación en una búsqueda de oportunidades (sin las que nuestras vidas se estrechan y nuestros caminos se convierten en callejones sin salida). En él también exploro inicialmente vías mediante las que el arte, en particular, puede liberar la imaginación para destapar nuevas perspectivas y descubrir alternativas. Los panoramas que se pueden abrir de ese modo, las conexiones que se pueden establecer, son fenómenos experienciales; nuestros encuentros con el mundo son así reconfigurados de nuevo. Y con ello, ofrecen nuevos cristales con los que mirar hacia fuera e interpretar los actos educativos que mantienen vivos a los seres humanos y sus culturas.

Reestructuración escolar significa, en muchos sentidos, romper con los viejos modelos cuantitativos; pero como reacción a esa ruptura se produce una ansiedad que lleva a la gente a lo que John Dewey llamó «la búsqueda de certeza» (1929). La incertidumbre económica de nuestros días tiene mucho que ver con dicha ansiedad, al igual que el cuestionamiento actual de las autoridades tradicionales. En respuesta a los cambios en las escuelas, muchos padres añoran no sólo lo predecible, sino también la seguridad que solía asociarse al hecho de que los niños dominaran los contenidos básicos. Cuando se habla de aprovechar posibilidades que todavía estaban por explotar o de explorar alternativas inexploradas se intensifica la intranquilidad de quienes seguramente desean, más que nada, recuperar el mundo más simple de una época que ya pasó hace tiempo. Por otra parte, los padres y los educadores son cada vez más conscientes de los cambios en tecnología y comunicación y de las exigencias sin precedentes que comportan en lo que a formación y educación se refiere. Se les dice, desde las instancias oficiales, que el éxito material sólo podrá estar garantizado para quienes sean capaces de dominar toda una gama de habilidades novedosas y desconocidas hasta hace muy poco. Se da a entender que se ha alcanzado un punto desde el que no es posible retornar a los tiempos en los que la alfabetización verbal elemental constituía, por sí sola, un objetivo básico, como tampoco es ya posible regresar al mundo inventado del manual elemental de lectura de *Dick and Jane*. Las contradicciones entre lo que se dice que las escuelas deben hacer y lo que los padres entienden que debe ser la educación no dejan de multiplicarse (especialmente en los casos de las familias que se sienten directamente más impotentes ante la creciente incidencia de la pobreza y del cambio en sus vidas).

No hay duda alguna de que, en este país, algunos estudiantes se enfrentan a obstáculos tremendos provocados por las desigualdades. La realidad de datos como la raza, la clase y la afiliación étnica ha de ser también tomada en consideración cuando se habla de la necesidad de una amplia reestructuración social y económica. Como la mayoría de nosotras y nosotros ya habremos podido apreciar, existen realidades tanto objetivas como subjetivas a considerar; no podemos soñar simplemente con la desaparición del desempleo, la falta de vivienda, la orfandad o la enfermedad. También puede ocurrir, no obstante, que la incapacidad general de concebir un orden de cosas mejor pueda dar lugar a una resignación que paralice a las personas y les impida actuar para provocar el cambio. La remisión de la sensación de eficacia personal y comunal que ello podría comportar podría sumir a las personas en lo que ya les viene dado y les es conocido, en lo que parece inmune a la protesta y el descontento. Invocar una capacidad imaginativa es trabajar en aras de la capacidad de ver las cosas como si pudieran ser distintas. Pedir una con-

cienciación más intensa es ver que la realidad de cada persona debe ser entendida como experiencia interpretada y que el
modo de interpretación depende de la situación y ubicación
de esa persona en el mundo. Depende, además, del número de
ángulos de observación que una persona pueda (o tenga permitido) adoptar: el número de perspectivas que le revelen
los múltiples aspectos de un mundo contingente (no dotado
de existencia propia independiente). Aprovechar la imaginación es ser capaces de romper con lo que está supuestamente
fijado y terminado, con lo objetivo y autónomamente real.
Es ver más allá de lo que quien imagina ha llamado hasta
entonces normal o «de sentido común» y forjarse nuevos
órdenes de experiencia. Al hacerlo, una persona puede liberarse hasta tal punto que acierte a vislumbrar lo que pudiera
ser, a formarse nociones de lo que debería ser y todavía no es.
Y esa misma persona puede, al mismo tiempo, permanecer en
contacto con lo que presumiblemente *es*.

Recordemos de nuevo al «Hombre de la guitarra azul» de
Wallace Stevens.

> *Ellos dijeron: «tienes una guitarra azul*
> *y no tocas las cosas como son».*
> *El hombre respondió: «las cosas "tal como son"*
> *son transformadas por la guitarra azul».*
> *Entonces le dijeron: «pero lo que tú debes tocar*
> *en esa guitarra azul*
> *es una melodía que nos transcienda (a nosotros mismos,*
> *incluso),*
> *una melodía de las cosas tal y como son exactamente».*
> ([1937] 1964, p. 165)

Tocar con la guitarra azul es tocar con la imaginación y el sonido evoca la ambivalencia de quienes lo oyen. Muchos quieren (y no quieren) una canción que celebre lo habitual y lo

cómodo. Tras un largo diálogo poético sobre si el guitarrista debe tocar o no «la rapsodia de las cosas como son», éste dice a su público:

> *Despojaos de las luces y las definiciones,*
> *y decid lo que veis en la oscuridad,*
> *que si es esto que si es lo otro,*
> *pero no empleéis los malditos nombres.*
> *Los emplaza a mirar con sus propios ojos, a hallar sus pro-*
> *pias voces, a evitar las formulaciones diseñadas por otros,*
> *amparados en su oficialidad. «¿Veis?», pregunta a sus es-*
> *pectadores,*
> *¿cómo sois? Tú eres tú mismo.*
> *La guitarra azul te sorprende.* (p. 183)

Otros determinan «exactamente» lo que «sois» y usan nombres ya fijados. Ser uno mismo significa hallarse en pleno proceso de creación de un yo, de una identidad. Si no fuera un proceso, no cabría la sorpresa. La sorpresa está asociada al hecho de hacerse diferente (conscientemente diferente a medida que uno busca formas de actuar guiado por una posibilidad que uno mismo ha concebido previamente). Está asociada al hecho de oír música y palabras distintas, de mirar desde ángulos inhabituales, de darse cuenta de que el mundo que se percibe desde un lugar concreto no es *el* mundo por antonomasia.

Además, tanto para aprender como para enseñar, se ha de tener conciencia de dejar algo atrás y, al mismo tiempo, de perseguir algo nuevo, y esa clase de conciencia deber ir ligada a la imaginación. Según John Dewey, por ejemplo, la imaginación es la «puerta de entrada» a través de la que los significados derivados de experiencias pasadas llegan hasta el presente; es «el ajuste consciente entre lo nuevo y lo viejo» (1934, p. 272). La comprensión reflexiva de nuestras historias vitales y de nuestras búsquedas en curso (una comprensión que se extiende más allá de donde hemos estado hasta ese momento) depende de nuestra capacidad para recordar cosas pasadas. Gracias al telón de fondo de esas cosas recordadas y de los significados a los que éstas dan lugar, captamos y entendemos lo que ocurre actualmente a nuestro alrededor. No hay duda, por ejemplo, de que una mujer interpreta el contexto profesional o político de un modo distinto a como lo hace un hombre, especialmente si creció en una época en la que la participación en la esfera pública era considerada poco femenina o impropia hasta cierto punto de su sexo. El concepto de una vida dedicada al ballet que pueda tener una persona joven que trata de convertirse en bailarín está afectado por cómo las personas más allegadas durante su infancia hablaban o consideraban tal opción de vida: si valía la pena o era poco práctica, si era romántica o, por el contrario, sospechosa. Pero siempre hay una brecha entre lo que vivimos en nuestro presente y lo que sobrevive de nuestro pasado: «Debido a esa brecha toda percepción consciente implica un riesgo; es una aventura hacia lo desconocido, puesto que al asimilar el presente al pasado también se produce cierta reconstrucción de ese pasado» (Dewey, 1934, p. 272). La mayoría de nosotros podemos recordar aquella mentalidad de enclave cerrado que tuvimos durante la primera época de nuestra vida y su peculiar provincianismo. Probablemente, estábamos convencidos de que las personas normales, «la buena gente», vivían exactamente como nosotros, observaban los mismos rituales y reaccionaban ante los acontecimientos del mismo modo. Tardamos algún tiempo en familiarizarnos con (y ser capaces de aceptar) la inmensa variedad de las vidas humanas, la multiplicidad de religiones y creencias y la asombrosa diversidad de costumbres que hay en el mundo. Aceptar todas esas realidades adicionales supone un riesgo que muchas personas adultas no están aún dispuestas a asumir para sí ni quieren que asuman sus hijos. Si esos niños y niñas tienen imaginación para ajustarse a lo que van descubriendo paulatinamente acerca del mundo intersubjetivo a medida que progresan cada vez más lejos de los puntos de vista de su hogar original, reinterpretarán sus experiencias anteriores y llegarán seguramente a ver su propia trayectoria vital como una realización de algo posible (entre numerosas posibilidades) más que de algo necesario.

La comprensión de todo ello, según Dewey, es lo que convierte la experiencia en lúcida y consciente de sí misma. Sin esa comprensión, «sólo existe la repetición, la uniformidad completa; la experiencia resultante es rutinaria y mecánica». La conciencia siempre tiene una fase imaginativa, y la imaginación, más que ninguna otra capacidad, rompe con la «inercia del hábito» (1934, p. 272).

Si nada interviene para vencer esa inercia, ésta, unida a la sensación de repetitividad y uniformidad, desalienta el aprendizaje activo. Los nuevos comienzos se tornan entonces improbables. Pero sólo mediante la experiencia de un comienzo pueden las personas sentirse iniciadoras, autoras, de lo que hacen o tienen intención de hacer. Hannah Arendt dejó escrito que, «por su propia naturaleza, un comienzo implica el inicio de algo nuevo que no puede ser previsto a partir de nada que haya ocurrido antes. Ese carácter de imprevisto súbito es inherente a todo comienzo» (1961, p. 169). Sus palabras evocan lo que Stevens llama sorpresa y Dewey califica de aventura hacia lo desconocido. Ella dice además que lo nuevo siempre se produce «contra toda probabilidad estadística (equivalente, a efectos prácticos y cotidianos, a una certeza absoluta); lo nuevo, pues, siempre adopta la apariencia de un milagro», de algo que no podía ser previsto. Y, de hecho, si lo miramos desde el punto de vista de nuestro antiguo marco de referencia, lo nuevo siempre se nos antoja improbable. Ello se debe a que la perspectiva que se tiene desde la distancia (ya sea administrativa o de cualquier otro tipo) nos hace ver las cosas en términos de pautas, tendencias y acontecimientos teóricamente predecibles. Esto resulta evidente cuando nos muestran un informe o una descripción estadística de lo que ocurre en un distrito escolar o en el sistema en su conjunto. Es como si se pusieran en marcha una serie de procesos automáticos; parece imposible ver las cosas como si pudieran ser de otro modo.

Sin embargo, cuando una persona opta por verse a sí misma en medio de las cosas, como principiante, aprendiz o exploradora, y tiene imaginación para concebir las cosas nuevas que surgen, el reino de lo aparentemente posible se amplía inusitadamente. En palabras de Emily Dickinson, «la lenta mecha de lo Posible es encendida / por la Imaginación» ([1914] 1960, pp. 688-689). Ella (como Dewey, Stevens y Arendt) también sabía que el simple hecho de que imaginemos que las cosas sean de otro modo puede ser el primer paso para que actuemos guiados por la creencia de que pueden cambiarse. Y de ello se deduce la necesidad de una capacidad imaginativa similar para que el «hacerse diferente» que supone el aprendizaje tenga realmente lugar. Un espacio de libertad se abre ante la persona inducida a elegir por la presencia misma de la posibilidad: siente lo que significa ser una iniciadora y una agente, que existe entre otras personas, pero que tiene el poder de elegir por sí misma.

Mary Warnock, como ya he mencionado, se expresa en un tono análogo al enfatizar la importancia de que creamos que nuestra experiencia del mundo no se reduce a «lo que puede abarcar el ojo irreflexivo» y que «nuestra experiencia es importante para nosotros y merece el esfuerzo de entenderla» (1978, p. 202). Yo relaciono esto, por ejemplo, con las mujeres que, después de años de haber visto desestimadas sus ideas, afirman ahora que su experiencia es tan significativa como la de los hombres. Sin dejar de centrarse en cómo la imaginación infunde vida a la experiencia, Warnock habla también de cómo nuestra imaginación intuye que «siempre hay *más* por experimentar y *más en* lo que experimentamos de lo que podemos esperar. Sin una mínima sensación de algo así, incluso dentro de un horizonte tan humano como el que se plantea cuando algo absorbe por completo nuestro interés, la vida humana, aun no siéndolo realmente, nos resulta vana y fútil porque es así como la experimentamos. Es decir, se vuelve aburrida». Para Warnock, una de las finalidades primordiales de la educación es evitar a las personas la oportunidad de que se sientan aburridas o de que «sucumban a una sensación de futilidad o a la creencia de que han llegado al final de lo que vale la pena tener» (pp. 202-203). Warnock también apunta que la imaginación –y la capacidad que ésta tiene de poner orden en el caos y de abrir la experiencia a lo misterioso y a lo extraño– es la que nos induce a buscar, a viajar adonde nunca antes hemos estado.

En mi opinión, la situación que más puede provocar la reflexión y la conciencia crítica en un aula es aquélla en la que profesores y alumnos realizan una especie de búsqueda en colaboración, partiendo cada uno de ellos de su propia situación vivida. La búsqueda puede iniciarse con un intento deliberado de perforar «los algodones» de la «anodina» vida cotidiana que Virginia Woolf consideraba caracterizada por la repetición y la banalidad. Cada uno de nosotros caracteriza la vida cotidiana de un modo distintivo; el de Woolf consistía en resaltar las actividades «no vividas conscientemente»: «una pasea, come, ve cosas, hace lo que hay que hacer; la aspiradora estropeada; encargar la comida; escribir instrucciones para Mabel; la colada; hacer la comida; encuadernar libros» (1976, p. 70). Ella asociaba todas estas actividades con el «no ser». Otra persona puede que las asocie con lo habitual, lo que se da por descontado, lo que no se cuestiona. Puede que los jóvenes describan su rutina diaria hablando de dormitorios mal ventilados y atestados de gente, de sonidos metálicos por los pasillos, de las colas de espera en los organismos públicos o las clínicas, de piscinas abarrotadas y bibliotecas cerradas antes de que anochezca. O puede que una jornada no cuestionada sea la que se percibe a la luz de la cultura de los centros comerciales: establecimientos de comida rápida, tiendas de ropa, plantas artificiales, pistas de patinaje, video-juegos y MTV. No se trata de atribuir un carácter inmoral al no ser ni de decir que vivir inconscientemente está mal. Lo que yo sostengo simplemente es que tratar el mundo como algo pre-definido y dado, como algo que está *ahí* y punto, es algo com-pletamente distinto y separado de lo que sería aplicar una mentalidad o una conciencia iniciadora y constructora a ese mundo. Cuando el hábito lo envuelve todo, los días se suceden idénticos uno tras otro y lo previsible engulle toda posible apertura. Sólo cuando se somete a cuestionamiento lo que viene ya dado o lo que se da por sentado, sólo cuando adopta-mos perspectivas variadas (desconocidas, a veces) desde las que mirarlo, se nos presenta como lo que es: como algo con-tingente según sus múltiples interpretaciones, según los múlti-ples ángulos desde los que observarlo, unificados (si es que lo están) por la conformidad o el sentido común no cuestiona-do. En cuanto pasamos a ver las cosas que creemos que nos vienen dadas como meras contingencias, se nos abre la opor-tunidad de formular modos alternativos de vivir, valorar y elegir.

Albert Camus tenía seguramente esa misma oportunidad en mente cuando escribió acerca de lo que significaba que «los escenarios se desmoronen» y todo aquello que hemos dado por descontado de nuestras rutinas se vuelva de pronto cuestionable: «Un día el "¿por qué?" surge y todo empieza en ese hastío teñido de asombro. "Empieza" y eso es importante. El hastío llega al final de los actos de una vida mecánica, pero, al mismo tiempo, inaugura el impulso de la conciencia» (1955, p. 13). Si ha de haber un comienzo a partir del hastío –y, por consiguiente, un aprendizaje activo iniciado por quienes deciden aprender–, tiene que haber una interrogación. Tiene que haber un «¿por qué?» y, me atrevería a añadir, para investigar ese porqué, tiene que existir también la capacidad de imaginar lo que no es todavía.

De un modo similar se expresa Walker Percy en su libro *El cinéfilo*. El narrador se siente desesperadamente aburrido y sumergido en lo cotidiano hasta que se le ocurre la idea de la búsqueda que «toda persona emprendería de no hallarse hundida en la cotidianeidad de su propia vida». Como ya he mencionado, la describe como la sensación «de haberme encontrado a mí mismo en una isla desierta. ¿Y qué hace un náufrago como ése? Pues se dedica a fisgonear a su alrededor sin perderse un detalle. Adquirir conciencia de la posibilidad de tal búsqueda es haber encontrado algo. No encontrar algo es estar desesperado» (1979, p. 13). Verse a uno mismo en una isla desierta supone, claramente, imaginarse a uno mismo en un espacio diferente, observando un mundo desconocido. Husmear en torno nuestro es investigar ese mundo, prestarle atención, pensar en él.

La tarea difícil para el profesor es idear situaciones en las que los más jóvenes salgan de lo habitual y corriente y emprendan conscientemente una búsqueda.

Actualmente estamos conociendo historias de personas tan discapacitadas por el analfabetismo que apenas pueden trazar sus senderos por el mundo. El material de la vida parece informe e indiferenciado a quienes se encuentran «oprimidos» (1970) en el sentido que Paulo Freire dio al término, es decir, a aquellas personas en quienes ha de despertar la conciencia de cómo se construye lo real y a quienes se ha de retar a que «nombren» sus mundos vividos y (por ese mismo proceso de «nombramiento» de las cosas) a que transformen esos mundos (p. 78). Freire menciona también el carácter incompleto de los individuos: un rasgo «del que huyen en una búsqueda constante, una búsqueda que sólo puede ser llevada a cabo en comunión con otras personas». Él se da cuenta de que «la desesperanza es una forma de silencio, de negación y huida del mundo. [...] La esperanza, sin embargo, no consiste en cruzarse de brazos y esperar. Mientras luche, estaré movido por la esperanza, y si lucho esperanzado, entonces puedo esperar» (p. 80). El diálogo, pues, no puede proseguir en un clima de desesperanza. Las personas que tratan de ser más plenamente humanas no sólo deben proceder con un modo de pensar crítico, sino que deben ser capaces de imaginar algo que resulte de sus esperanzas: su búsqueda debe vencer su silencio.

Hay, por supuesto, muchas clases de alfabetismo. Pero como objeto de esperanza y deseo, todo alfabetismo está asociado a un ansia de comprensión del mundo y de dejar en él esa huella de la que hablaba Schutz. La imaginación entra siempre en juego desde el momento en que alfabetizarse implica una apertura de espacios, un fin a la sumersión, una toma de conciencia del derecho a preguntar por qué. Pienso en la novela de Alice Walker, *El color púrpura*, y en las cartas entrecortadas y desesperadas que la señorita Celie escribía a Dios: «Tengo catorce años. Siempre he sido una buena chica. Quizás tú puedas darme una señal, algo que me permita saber qué me está ocurriendo» (1982, p. 11). En su súplica de comprensión se lee el patetismo; en su incapacidad para decir «yo soy» se aprecia una dimensión trágica. Al ir viviendo y al encontrar una hermana-maestra en la cantante de *blues* Shug Avery, Celie empieza finalmente a descubrir un lenguaje que puede utilizar (quizás su propia «señal»). Puede interpretar lo que ve; puede interrogar; puede imaginar. Cuando Shug le dice que todo –los árboles, las flores, las personas– desea ser amado, Celie responde: «Bueno, nosotros hablamos y hablamos de Dios, pero yo sigo perdida, tratando de quitarme a ese viejo blanco de la cabeza. He dedicado tanto tiempo a pensar en él que nunca aprecié realmente nada de lo que Dios hace.

Ni una planta de maíz (¿cómo lo hace?) ni el color púrpura (¿de dónde viene?), ni las florecillas silvestres. Nada. Ahora
que mis ojos empiezan a abrirse, me siento como una tonta»
(p. 179). Mientras Celie se da cuenta de aquello que *no* sabía
y por lo que ni siquiera se preguntaba, Shug le aconseja que
imagine, que «evoque las flores, el viento, el agua, una gran
roca». Esa evocación es una lucha, no sólo en sí misma, sino
también porque lo que es imaginado continúa estando en
parte influido por la opresión pasada, y Celie lo reconoce:
«cada vez que traigo una roca a la memoria, la lanzo». Pero
al encontrarse con su imaginación, ha descubierto una salida
a la opresión. Está empezando a mirar con sus propios ojos, a
nombrar (con su propia voz) su mundo vivido.

El sentido de la adquisición de habilidades de aprendizaje y de rudimentos de las disciplinas académicas –los trucos del oficio educativo– estriba en que tanto las unas como
los otros pueden contribuir a nuestra visión y a nuestra tarea de
poner nombres. Al sentir la conexión humana, los profesores
pueden abocarse a la conciencia reflexiva, valorativa y, sí, imaginativa de sus estudiantes. La *conciencia* de una persona es la
vía mediante la que se abre camino al mundo. No se trata de
ninguna interioridad, de un terreno reservado al entendimiento dentro del cerebro, sino que ha de ser concebida
como una forma de extenderse hacia fuera, como un algo
intencionado, como una comprensión de las apariencias de
las cosas. Hay implicados actos de diversos tipos: perceptivos,
cognitivos, intuitivos, emocionales y (sí, también) imaginativos.
Los actos perceptivos, por ejemplo, son los que hacen posible
que una persona adopte una perspectiva de los diferentes
aspectos de las cosas en el mundo sonoro o visible. Atendiendo,
escuchando o mirando, la persona que percibe estructura
aquello que se le presenta. Según Maurice Merleau-Ponty,
percibir implica un regreso al «ahí está» que subyace a la concepción abstracta, al «objeto-en-general» o «al sitio, al terreno

del mundo perceptible y abierto tal y como es en nuestra vida y para nuestro cuerpo» (1964, p. 160). El modo en el que las cosas son para nuestra vida y nuestro cuerpo nos permite únicamente una visión parcial de las cosas, no la clase de visión total que adquiriríamos si tuviéramos características divinas y lo contempláramos todo desde el cielo. Pero nosotros sólo podemos conocer como seres ubicados en una situación determinada. Vemos aspectos de los objetos y las personas que nos rodean; todos vivimos bajo esa condición de lo incompleto de la que hablaba Freire y siempre nos queda más por ver.

Aquí, una vez más, es donde entra la imaginación como posibilidad sentida de mirar más allá del límite donde termina el jardín de detrás de la casa o donde la carretera se estrecha hasta perderse de vista. Para hallar un paralelo, pensemos en cómo los senderos y las calzadas de los paisajes de Constable o Chardin evocan saltos imaginativos en quienes los contemplan. Aquellos caminos constituyen para nosotros imágenes prometedoras de adónde podríamos llegar si nos lo propusiéramos, si continuáramos (por ejemplo) deslizando nuestros lápices por el papel o tecleando en nuestro procesador de textos. Lo que sugiero es que la conciencia está definida en parte por el modo en que siempre busca más allá de sí misma, hacia una plenitud y una totalidad que nunca pueden ser alcanzadas. Si lo fueran, se produciría una suspensión, una petrificación. No habría necesidad de búsqueda.

Si la enseñanza puede ser concebida como una forma de dirigirse a la conciencia de otros individuos, puede constituir entonces una especie de llamamiento de parte de una persona incompleta a otras personas incompletas para salir en búsqueda de la plenitud. Puede ser un desafío a que se planteen preguntas, a que se busquen explicaciones, a que se pidan motivos, a que se construyan significados. Puede ser una incitación a los diálogos dentro del espacio del aula: ¿Qué hay que hacer para averiguar por qué Haití ha estado sometida a un control totalitario durante tanto tiempo? ¿Qué se puede hacer para documentar las fases de la luna a medida que van transcurriendo? ¿Qué clase de estudios se necesitan para interpretar la diferencia entre la crisis inmigratoria actual y la crisis de 1900? ¿Cómo podemos determinar la validez de los relatos en primera persona? ¿Qué se puede hacer para captar un significado personal al leer una novela como *La letra escarlata* y para hacerla significativa en términos contemporáneos? ¿Cómo podemos aprender a escuchar música en serie o contemplar un cuadro de pintura abstracta si nos educaron en la veneración por las formas tradicionales de la música y la pintura?

Virginia Woolf escribió acerca de su sensación de impotencia en aquellos momentos en que se veía incapaz de hallar explicaciones a fenómenos espantosos o conmovedores de su vida. Cuando descubría el motivo de algo «y, como consecuencia, me sentía capaz de afrontar la sensación, ya no me encontraba impotente. En ese momento, era consciente, aunque fuera sólo vagamente, de que llegado el momento lo explicaría» (1976, p. 72). Además, según Woolf, «al ir haciéndonos mayores, más grande se vuelve también nuestra capacidad de aportar explicaciones por medio de la razón, y [...] estas explicaciones atemperan la contundencia» de los golpes que inevitablemente recibimos en el transcurso de nuestra vida. Pero la autora también valora estas «conmociones súbitas», porque, «en mi caso, la conmoción viene rápidamente seguida del deseo de explicarla. Siento que he recibido un golpe; pero no se trata simplemente, como creía cuando era niña, de un golpe propinado por un enemigo oculto entre los algodones de la vida cotidiana; [...] es una muestra de algo real detrás de todas esas apariencias y yo lo materializo al traducirlo en palabras. Sólo al verterlo en palabras logro hacerlo entero y esa integridad significa que ha perdido el poder de hacerme daño; [...] gozo enormemente juntando los pedazos fragmentados». Sin imaginación, habría sido muy improbable que Woolf se hubiera entregado al deleite de hacer reales las cosas ocultas detrás de los golpes; posiblemente, se habría sometido, como muchas personas hacen, a la fuerza de los golpes que le sobrevinieran.

Aun reconociendo la dificultad de inducir a los jóvenes a crear sus propios proyectos o a descubrir sus propias voces, yo creo que (tal y como argumento más en profundidad más adelante) debemos hacer que las artes ocupen un lugar central en los planes de estudio porque los encuentros con el arte tienen un poder único para liberar la imaginación. Los cuentos, los poemas, las actuaciones de danza, los conciertos, los cuadros, las películas o las obras de teatro tienen el potencial de proporcionar un considerable placer a quienes están dispuestos a hacer el esfuerzo de acercarse y entrar en ellas. Pero esa vertiente placentera no significa que el arte haya de ser utilizado simplemente para «equilibrar» lo que se tiene por cognitivamente riguroso: lo analítico, lo racional, lo serio. Tampoco debe ser utilizado como una mera motivación. Y es que, por una parte, los encuentros participativos con obras concretas pueden requerir de tanto rigor cognitivo y análisis como respuesta afectiva. Y, por otra, no se puede confiar en que las obras de arte tengan efectos únicamente benéficos, reconfortantes o esclarecedores. Existen múltiples ejemplos de efectos escalofriantes: todos podemos recordar *Oedipus Rex*, la película japonesa *Ran*, el *Beloved* de Toni Morrison, la obra de teatro *Marat/Sade*. Cuando evocamos pinturas de Zurbarán, Velázquez, Goya, Géricault o Picasso, surgen muchas veces imágenes de horror y distorsión. Desde los ejemplos de violencia despiadada de la *Ilíada* al asesinato de la pequeña princesa de *Ricardo III*, pasando por las energías transgresoras del desafío que Blake lanzó a Locke y Newton (y, por extensión, a todo lo medible y «moral») o las elegantes obscenidades de la novelista contemporánea Kathy Acker, las artes no se han ceñido a retratar sólo lo bueno o lo correcto. Al despertar la imaginación, han hecho que nuestros cuerpos entren también en juego, han despertado nuestros sentimientos, han abierto las que se han dado en llamar puertas de la percepción. Sí, han existido esos momentos encantadores señalados por los narcisos florecientes, la risa de los niños o el resplandor del agua, y, sí, también ha habido y habrá esa sensación de asombro en momentos de consumación, en momentos en que el último acorde tiene una feliz resolución. Pero el papel de la imaginación no es resolver, no es indicar el camino, no es mejorar. Es despertar, revelar lo que habitualmente no se ve, no se oye o no se espera. El arte, como bien dice Denis Donoghue, está en el margen, «y el margen es el lugar de aquellos sentimientos e intuiciones para los que la vida diaria no sólo no tiene sitio, sino que, muy al contrario, parece reprimir. [...] Con el arte, las personas pueden hacerse un espacio para sí mismas y llenarlo con presentimientos de libertad y presencia» (1983, p. 129).

Lo cierto es que las artes se sitúan al margen de lo conformista, lo respetable, lo moralista y lo constreñido, y la posibilidad de afirmar tal marginalidad confiere una forma distinta a los problemas planteados por el multiculturalismo. Hasta los formatos artísticos más convencionales pueden ser vistos entonces como algo distinto y no como meros transmisores de los mensajes de los hombres que están en el poder y de las normas de la mayoría; para ello basta con que miremos por debajo de su superficie y actuemos por nuestra cuenta a partir de los presentimientos de libertad y presencia que descubramos. El arte de otras culturas –la danza del sur de la India, los mitos mayas de la creación, los tejidos de los chipewas, las marionetas balinesas– puede acceder a lugares de honor dentro de ese margen a medida que a los individuos se les permite revivir dicho arte en sus propias experiencias, a medida que van siendo paulatinamente liberados para que pueda trabajar su imaginación. Con el tiempo, como muchos de nosotros sabemos, esas obras de arte pueden llegar a irradiarse a través de nuestros mundos diversamente vividos, dejando expuestas las luces y las sombras, las heridas y las cicatrices y las zonas ya curadas, los recipientes vacíos y los rebosantes, los rostros que normalmente se pierden entre las multitudes.

La imaginación nos permite particularizar, ver y oír las cosas en su carácter concreto. Son tantos los ejemplos que cada persona tendrá sus preferidos. Éste es uno de los míos: el poema de Denise Levertov titulado «La mirada rinde homenaje a Lyonel Feininger mientras cruza los campos baldíos de Nueva Jersey» (1984, p. 8). Feininger fue un artista que, entre otras cosas, pintó extraordinarios cuadros de los puentes de la ciudad de Nueva York, anclados como están simultáneamente en la ciudad y (en la otra orilla) en grandes trechos de terreno sin edificar en Nueva Jersey, que fueron durante mucho tiempo meras extensiones pantanosas, vertederos de basura y de chatarra abandonada. En su poema, la visión que Levertov transmite del puente y de los terrenos reales es aderezada por sus conocimientos de la pintura de Feininger:

Una cierta delicadeza en la desolación:
de verde oliva las contaminadas
extensiones de hierba y maleza; oscuras
las pequeñas lagunas y los cenagales como oscuro es
el vidrio ahumado;
gris el aire, atravesado a intervalos por
postes, grúas o torres de perforación
enrojecidas por el óxido;
y sobre la línea del horizonte,
por lo demás indeterminada,
una telaraña de viaductos y
puentes arqueados,
pálidos pero diáfanos al trazo de la punta de plata.

Los terrenos baldíos siguen siendo un erial; no han sido redimidos de su condición salvo en el lenguaje y las metáforas ocasionales que utiliza la autora. No obstante, al leer el poema, sea cual sea nuestra situación, vemos (y muy probablemente sentimos) algo nuevo acerca de la desolación, de la naturaleza y de la creación humana. Las palabras de Levertov evocan otros cuadros de la ciudad, como los de Joseph Stella, Edward Hopper o incluso (remontándonos en el tiempo) George Bellow, John Sloan y Georgia O'Keeffe. Nosotros mismos podemos mirar ahora esa línea del horizonte desde ángulos diferentes; podemos ver esos postes, viaductos y puentes emergiendo de las extensiones de terreno contaminado, del verde y del gris, y la imagen puede convertirse en una especie de música o en una especie de espectáculo dramático de color y líneas. Es la imaginación la que nos espolea, la que nos permite establecer nuevas conexiones entre partes de nuestra experiencia, la que sugiere la contingencia de la realidad que estamos concibiendo. Sí, Levertov es una poetisa occidental contemporánea y una mujer; aquí escribe también como una poetisa urbana que contempla la ciudad desde la distancia, pero que, aun así, la posee. Entre los lectores del poema habrá neoyorquinos que nunca han visto su ciudad desde la orilla de Nueva Jersey; otros serán trabajadores que, al regresar exhaustos a sus casas, se adentran en el aire gris y ven las formas que tienen ante sí como meros indicadores de ese camino de vuelta; habrá otros que serán habitantes de otras ciudades (éstas quizás sin río ni puentes); otros leerán a través de los ojos derrotados de la desolación.

Cuando se enseña y se responde a la conciencia abarcadora de un joven (o de una joven) estudiante en toda su diferenciación, no podemos más que combatir continuamente los anestésicos de la vida induciendo a los individuos a buscar esa línea del horizonte. El poema de Levertov, si se hace accesible para los jóvenes, puede muy bien funcionar como Herbert

Marcuse decía que el arte funciona a menudo: «abre una dimensión inaccesible al resto de la experiencia, una dimensión en la que los seres humanos, la naturaleza y las cosas ya no se hallan sometidos a la ley del principio de la realidad establecida. [...] El encuentro con la verdad del arte tiene lugar en el lenguaje y las imágenes distanciadoras que hacen perceptible, visible y audible lo que ya no es (o no ha sido todavía) percibido, dicho ni oído en la vida cotidiana» (1977, p. 72). Al contradecir lo establecido o lo conocido, el arte llega más allá de lo fijado y lleva a que quienes están dispuestos a arriesgarse a transformaciones conformen una visión social.

Ni que decir tiene que esto no sucede automáticamente (ni siquiera de forma natural). Dewey, en *El arte como experiencia*, habla de lo importante que para las personas resulta zambullirse en el contenido para empaparse de él, y eso es probablemente más cierto en el caso de las obras de arte que en el de otros tipos de contenido. Si queremos percibir lo que se nos hace presente, debe existir una actividad de búsqueda de respuestas; debemos acercarnos al objeto o al texto o a la representación a través de un acto de conciencia que capte aquello que se presenta ante nosotros. También en nuestras aproximaciones a los textos históricos, a los problemas matemáticos, a las investigaciones científicas y (de manera nada casual) a las realidades políticas y sociales que hemos construido junto a quienes nos rodean, no basta nunca simplemente con etiquetar, categorizar o reconocer ciertos fenómenos o acontecimientos. Tiene que haber una transacción viva, consciente y reflexiva, para que se pueda materializar aquello que se hace presente a la conciencia.

Dewey reclamaba un abandono de «la obediencia a las normas de admiración convencional» para aproximarse al arte; pedía que tratáramos de evitar «el entusiasmo emocional confuso, aunque fuese auténtico» (1934, p. 54). El observador, la persona que percibe, quien aprende, debería entonces aproximarse desde el ángulo de observación de su propia situación vivida, es decir, con acuerdo a un punto de vista y un interés diferenciados. Yo, sin embargo, sugeriría de nuevo la importancia de la capacidad imaginativa, que es, muy posiblemente, la que nos permite también experimentar una empatía con puntos de vista diferentes, incluso con aquellos intereses aparentemente incompatibles con los nuestros. La imaginación puede ser un nuevo modo de des-centrarnos, de romper con un confinamiento excesivo en lo privado y en la autoestima personal para salir a un espacio en el que podamos contactar cara a cara con otras personas y decir bien alto: «aquí estamos nosotros».

3
Imaginación, comunidad y escuela

Quienes nos interesamos hoy en día por los jóvenes y las escuelas públicas tenemos más conciencia que nunca de la dificultad de reconciliar las demandas socioeconómicas que se formulan a esas mismas escuelas con las necesidades de los niños y niñas que luchan por sobrevivir en (y dar sentido a) un mundo no siempre acogedor. Oímos constantemente que, en el terreno educativo, no alcanzamos «niveles de primera línea mundial» (una ficción utilizada frecuentemente pero vagamente entendida). No enseñamos, se nos recuerda, del modo requerido para asegurar la primacía tecnológica y militar del país. ¿Qué puede ser más importante (se nos insiste implícitamente) que ser los «números uno» del mundo? (Desde luego, no la felicidad y la salud de unos niños liberados para que encuentren sus propios modos de ser niños y de existir en el mundo.) ¿Y quién se atreve a negar que una revisión de las modalidades de evaluación, un mayor rigor y una modificación de las estructuras de autoridad son una garantía de éxito para todos nosotros? Si ésa es la preocupación dominante, no es de extrañar que algunos niños sean considerados más como recursos humanos que como personas. Durante buena parte del tiempo se habla de ellos como si fueran materias primas a las que conviene dar una forma definitiva en función de la demanda del mercado. Pertenecen, por así decirlo, a una categoría construida: la de los seres a los que hay que moldear (de un modo benevolente y eficiente) en función de unos usos definidos por terceras personas. El problema es que, junto a ésta, también existen otras categorías en las que se incluyen a niños a los que se cataloga como «pobres», «en situación de riesgo» o carentes de elementos necesarios para la mayoría de la sociedad. Y si no se pueden usar, se los deja a un lado: se los hace invisibles. En palabras de Valerie Polakow, «las referencias a la pobreza se hacen siempre en el contexto de un discurso sobre otras personas (de las que se habla siempre como "ellos"). [...] Cuando nos damos la vuelta y miramos a "sus" hijos (los de "ellos"), nos mostramos preocupados por esa futura ciudadanía, por esa creciente población joven "de riesgo" a la que llamamos así no tanto por la indignación y la compasión que despierta en nosotros como por el hecho de que su condición amenaza nuestra seguridad y comodidad, así como a nuestros hijos, nuestras escuelas, nuestros barrios y los valores de nuestras propiedades» (1993, p. 43). Nada serviría para caracterizar mejor la erosión de lo que Robert Reich llama la «comunidad benevolente» en Estados Unidos. Los «instrumentos de benevolencia», según escribe, «los programas que ponemos en marcha y financiamos han pasado a tener menos que ver con la ayuda a los pobres que con la redistribución entre la mayoría relativamente acomodada de estadounidenses» (1987, p. 55).

¿Cuál es la consecuencia de esto para esa imaginativa creación llamada «el sueño americano»? En *El gran Gatsby*, la versión que Jay Gatsby tiene de ese sueño es individualista y grandiosa a la vez: «Era hijo de Dios –una frase que, de significar algo, significa exactamente eso–, y debía estar al tanto del negocio de Su Padre, al servicio de una belleza vasta, vulgar y prostituida» (Fitzgerald, [1925] 1991, p. 104). Cualquiera que fuera merecedor de un padre así se sentiría devoto exclusivo de la idea según la cual la riqueza material determina la valía de una persona. Poseería la lastimosa credulidad de un Gatsby: creería que el dinero le aseguraría un puesto como miembro de la clase alta, confiaría en que la «luz verde» del final del muelle es realmente alcanzable (pp. 167-168). En el extremo opuesto, puede haber otra caracterización de ese sueño: la de Tom Joad cuando, en *Las uvas de la ira,* dice a su madre que cuando se haya ido, estará «por todas partes, allá hacia donde mires. Donde haya una lucha para que la gente hambrienta pueda comer, allí estaré. [...] Estaré en el grito de los hombres cuando están enfadados y... y en la risa de los chiquillos cuando tienen hambre y saben que la cena está lista» (Steinbeck, 1939, p. 572). En el caso de Gatsby, el soñador es el solitario romántico, inmoral en todos los sentidos normales del término, salvo en ese único momento de dignidad en su vida, cuando decide cargar con las culpas del fatal accidente de coche de Daisy. En el caso de Joad, el soñador es alguien que «no tiene un alma propia, sino sólo un pedazo de otra mucho más grande» (p. 572).

Imaginarse una comunidad democrática accesible para los jóvenes equivale a evocar la visión de la «experiencia conjunta», los significados compartidos, los intereses y esfuerzos comunes descritos por John Dewey ([1927] 1954, p. 153). Son la interconexión y la comunión, en contraste con la imagen autosuficiente que Gatsby tiene de sí mismo, las que caracterizan dicha comunidad. Y es la búsqueda continuada de libertad intelectual y libertad de expresión, en contraste con la inmersión de Tom Joad en la masa, la que da vitalidad y energía a la comunidad *posible*. Si se imaginan esa posibilidad, los educadores no pueden sino trabajar para que los jóvenes adquieran una serie de habilidades y se impliquen en diversos aprendizajes, a fin de que se eduquen en la participación en la comunidad democrática. La comunidad escolar pone actualmente el énfasis en los resultados de rendimiento, no en las capacidades concretas; se tiene la expectativa de que todos los jóvenes y las jóvenes desarrollarán con el tiempo los hábitos mentales que los capaciten para tomar iniciativas en el proceso de aprendizaje, para convertirse en aprendices y (en última instancia) en profesionales críticos y autorreflexivos. Se les anima a ser sujetos de aprendizaje activo y no simples receptores pasivos de información predigerida. Se les pide, cada vez más a menudo, que expliquen sus propias historias, que planteen sus propias preguntas, que estén presentes –desde sus propias perspectivas– en el mundo común.

Muchas veces hace falta la acción imaginativa de los profesores para que se den cuenta de que los jóvenes que ven de manera diferente (aquéllos que se han visto relegados por la pobreza o que vienen de lugares lejanos) tienen también algo que decir acerca de cómo podrían ser las cosas si fueran de otro modo. Hoy nos vemos confrontados nuevamente con declaraciones de determinismo genético, referidas a la supuesta inferioridad inherente de ciertos grupos. Las polémicas levantadas por *The Bell Curve*, de Charles Murray y Richard J. Herrnstein (1994), han servido para reiterar lo inapropiado de utilizar la ciencia social para sostener puntos de vista políticos. Pero al reflexionar sobre el fatalismo aterrador sugerido por el libro –las fatídicas perspectivas que presenta para las personas pobres, necesitadas o excluidas–, se nos revela la gran importancia que tiene el pensamiento imaginativo cuando se aplica a posibles formas de organización social alternativas y a la posibilidad de que las cosas sean de otra manera.

Puede que el recuerdo de ciertas metáforas del hombre-máquina, como las incluidas en la obra teatral de Elmer Rice, *La máquina de sumar*, o en la película de Charlie Chaplin, *Tiempos modernos*, nos induzca a buscar imágenes que puedan resultar más o menos igual de adecuadas para el momento actual en concreto y para el futuro inmediato. Hal, el ordenador de *2001, una odisea del espacio*, evoca en nosotros el peligro continuo de que perdamos el control del mundo cibernético en nuestra superautopista de la información. *Robocop* y *Terminator* o, incluso, los *Power Rangers*, sugieren unas imágenes automatizadas de seres humanos, que, enclaustrados en sus armaduras, se defienden frente a un mundo ambiguo. El futuro nos depara enormes diferencias con respecto a la situación a la que hemos estado acostumbrados; nos aguardan tiempos también inestables (aunque hay quien prefiere calificarlos de efímeros). Se hará especial hincapié en los procesos, en los giros y cambios que se produzcan en las vidas individuales. Seremos cada vez menos capaces de recurrir a normas y presencias estables. Sin embargo, paradójicamente, será cada vez mayor el número de personas destinadas a terminales de trabajo que precisarán de reacciones automáticas y en las que se suprimirá la conciencia de la acción. Los relativamente escasos individuos que prevén cambios en las diversas profesiones reconocen que algunos de ellos ya se están produciendo y están adoptando formas sin precedentes. La única generalización segura es que ninguna de las mujeres y de los hombres que surjan de nuestras escuelas durante la próxima década deberían aspirar solamente a llevar unas vidas mecánicas, conformistas, robóticas. Si quieren abrirse camino a través de las marañas de maleza, de los pantanos y de las selvas de nuestros días, no deben resignarse a la irreflexión, la pasividad o la lasitud. Tampoco se pueden abandonar al ámbito de lo separado o lo privado que tanto dificulta la construcción de una comunidad y que distancia a los afortunados de quienes siguen hallándose trágicamente necesitados.

También la recuperación de la imaginación puede en este caso aminorar la parálisis social de la que somos testigos en nuestro entorno y restablecer la sensación de que se puede hacer algo en nombre de la dignidad humana. Me refiero concretamente a una concepción de la imaginación que saque a relucir un interés ético, una preocupación relacionada una vez más con esa comunidad que debería estar construyéndose y con los valores que le dan color y trascendencia. Pongo de nuevo mi atención en la importancia de estar despiertos, de ser conscientes de lo que significa estar en el mundo. Y ello me lleva a recordar la experiencia existencial y el ansia (compartidas por tantas personas) por vencer la somnolencia y la apatía para poder elegir, para ir más allá. Mary Warnock, entre otros autores y autoras, habla de la función moral de la imaginación en ese sentido. Refiriéndose a Wordsworth y a Mill, Warnock escribe acerca de la importancia de enseñar a los jóvenes a mirar y a escuchar de forma que «la emoción imaginativa acabe resultando la consecuencia lógica» (1978, p. 207). Si somos conscientes, los significados surgen a nuestro alrededor, por todas partes, y, por tanto, los profesores tienen el deber de hacer más aguda la conciencia de todo aquél a quien enseñan instándolo a leer y a mirar y a extraer sus propias interpretaciones de lo que ve. Debemos utilizar nuestra imaginación, escribe Warnock, para aplicar conceptos a las cosas. «De ese modo, hacemos que el mundo nos resulte familiar y, por consiguiente, manejable. A un nivel diferente y de manera esporádica, podemos también utilizarla para hacer que nuestra experiencia no nos resulte familiar, sino misteriosa. Si, por debajo del nivel de la conciencia, nuestra imaginación opera ordenando el caos de la experiencia sensorial, puede que a un nivel diferente la desordene de nuevo, por así decirlo. Esto podría sugerir que existen amplísimas áreas inexploradas, espacios inmensos de los que sólo alcanzamos a tener sobrecogedoras visiones ocasionales, interrogantes planteados por la experiencia sobre cuyas respuestas sólo podemos especular entre dudas» (pp. 207-208).

Más adelante, dedicaré una mayor atención a lo prometedoras que resultan las experiencias artísticas a la hora de abrir perspectivas y de inducir a los jóvenes a mirar y a escuchar, a superar lo que se da ya por sentado y lo rutinario. Pero pensemos ahora, sólo por un momento, en lo que la poesía y la danza pueden hacer y en la magia que se consigue pintando o escribiendo versos. Me viene a la cabeza, por poner un caso, John Cage y su capacidad para hacer posible que oigamos sonidos silenciados por lo habitual y excluidos de lo que normalmente llamamos música, es decir, para ofrecernos un ejemplo de lo que significa abrir todo un mundo. Y también pienso en la poquísima frecuencia con la que los niños pobres o en situación de riesgo tienen oportunidad de presenciar actuaciones de danza en directo o de visitar exposiciones en los museos. Pienso en lo habitual que resulta, incluso en una época como la actual de «lenguaje integral» y «currículo transversal», que esos niños y niñas se vean condenados a leer libros de lectura y realizar ejercicios fónicos elementales en vez de ponerse delante de obras literarias de verdad.

No debemos dejar que el entusiasmo y la publicidad que despiertan los métodos modificados de instrucción lectora eclipsen las realidades de exclusión y abandono existentes. Casi nunca tenemos en mente a los niños pobres cuando pensamos en cómo la imaginación amplía la experiencia. Al centrarnos en cómo compensar las carencias de estos niños, pasamos por alto hasta qué punto puede la imaginación abrir ventanas en lo real, revelar nuevas perspectivas, arrojar una cierta luz. Las mismas «conmociones súbitas» de conciencia que, según Virginia Woolf, la liberaban del «no ser» pueden perfectamente despertar destellos de posibilidad en los niños preocupados o infelices. Woolf, como ya vimos, se dio cuenta de que tras cualquier conmoción venía luego su propio «deseo de explicarla» y que cuando era consciente de que, «llegado el momento», sería precisamente capaz de explicarla, sentía que perdía la impotencia que le producía la no comprensión inicial de cosas como que su hermano la golpeara sin motivo o como el suicidio de un amigo (1976, pp. 70-72). ¿Y qué puede tener más importancia para nosotros que el ayudar a quienes se encuentran en una situación llamada «de riesgo» a superar su impotencia?

La imaginación es tan importante en las vidas de los profesores como en las de sus estudiantes, en parte, porque los profesores incapaces de pensar imaginativamente o de liberar a sus alumnos para que vayan al encuentro de las obras literarias o de otras formas de arte son también incapaces de comunicar a los jóvenes lo que significa emplear la imaginación. Es posible, además, que, si la imaginación alimenta la capacidad de la persona para intuir el camino hacia la perspectiva o el ángulo de observación de otra persona, esos profesores estén también faltos de empatía. Cynthia Ozick se refiere, por ejemplo, a una especie de concentración metafórica mediante la cual «los [médicos] que no sienten dolor pueden imaginar el de quienes sufren. Los que están en el centro pueden imaginar cómo es estar afuera. Los fuertes pueden imaginarse a los débiles. Las vidas iluminadas pueden imaginarse las oscuras. Los poetas, en su crepúsculo, pueden imaginar los bordes del fuego estelar. Los extraños podemos imaginarnos el corazón familiar de los extraños» (1989, p. 283). ¿Acaso no es la imaginación la que hace posible que nos encontremos al «otro» revelado a través de la imagen del rostro de ese otro? ¿Y acaso esa cara es no sólo la del superviviente de un huracán o la del niño somalí o la de la mujer sin techo sentada en una esquina, sino también la de la chica o el chico callado, inquieto o a quien se da por un caso perdido en clase?

La imaginación puede cruzar muchas líneas, incluidas las de género. El clamor popular («¡ellos no lo entienden!») tras la comparecencia de Anita Hill en las sesiones de ratificación en el Senado de Clarence Thomas para el cargo de juez del Tribunal Supremo de los Estados Unidos daba a entender que la incapacidad de los senadores varones para entender lo que estaba ocurriendo se debía no sólo a su socarrona indiferencia, sino también a su falta de imaginación; esa carencia debería resultar instructiva para los profesores. Sin la capacidad de imaginar aquello por lo que estaba pasando Anita Hill (o cualquier persona que para aquellos hombres pudiera constituir un «otro»), los senadores evidenciaron cómo la falta de imaginación puede incapacitar a alguien para crear o siquiera participar en lo que podría llamarse una comunidad. Esto puede ser así tanto en el caso del oprimido como en el del opresor, especialmente cuando quienes padecen privaciones colocan a todos los que parecen ser miembros de la mayoría dentro de una misma categoría. Más penosa, por supuesto, es la situación de la persona de una cultura diferente: esa persona a la que la mayoría ha tenido siempre el impulso de sumergir en una categoría con la etiqueta de «minoría». El narrador de Ralph Ellison en *El hombre invisible* tiene toda la razón al afirmar que su invisibilidad «ocurre debido a la peculiar disposición de los ojos de aquellas personas con las que entro en contacto. Es una cuestión relacionada con la construcción de sus ojos *interiores,* los ojos con los que miran la realidad a través de sus ojos físicos» (1952, p. 7). Cierto es que esos ojos interiores en concreto han sido construidos a partir de una serie de factores, económicos y sociales algunos, simplemente racistas otros. Pero, en el fondo, han sido construidos por la ausencia de imaginación: la ausencia de una capacidad para ver al narrador como un ser humano vivo, un hombre como todos los demás hombres: el «ideal de los animales» y la «quintaesencia de polvo» de que nos habla Hamlet (II.ii, pp. 307-308). No sólo están afectados quienes ven al trasluz de individuos como el narrador de Ellison (como si fueran transparentes); los propios individuos, como el narrador descubre, llegan a dudar de su propia existencia como tales:

> *Te preguntas si no eres simplemente un fantasma en las mentes de otras personas. Digamos que una figura en una pesadilla que quien duerme trata con todas sus fuerzas de destruir. Cuando te sientes así, por resentimiento empiezas a quitarte a la gente de en medio. Y, si te digo la verdad, así es como te sientes la mayor parte del tiempo. Suspiras por convencerte a ti mismo de que existes en el mundo real, de que eres una parte de todo ese sonido y angustia, y propinas puñetazos, maldices y juras que te reconocerán. Por desgracia, casi nunca funciona.* (pp. 7-8)

Pensemos en lo que supondría en nuestras aulas (cada vez más multiculturales) que todo el profesorado se viese capacitado, gracias al arte de Ellison, para imaginar lo que significa ser invisible y para darse cuenta de que también la persona invisible es un congénere suyo. Pensemos lo que significaría que recordasen el esfuerzo que uno de los personajes del *Beloved* de Toni Morrison hace para describir lo que sentía acerca de una mujer en particular: «Ella es amiga de mi mente. Me recoge, ¿sabes? Los pedazos que soy, los recoge y me los devuelve ordenados. Está bien, ¿sabes?, cuando tienes una mujer que es amiga de tu mente» (1987, pp. 272-273). Ésa es otra forma de imaginarse el hecho de imaginar: hacerse amigo de la mente de otra persona con el maravilloso poder de restaurar en aquella persona una sensación de plenitud. Muchas veces, la imaginación *puede* juntar las partes cercenadas, puede integrar dentro de un orden correcto, puede crear totalidades enteras.

Si podemos relacionar la imaginación con nuestra conciencia de posibilidad y con nuestra capacidad para responder a otros seres humanos, ¿podemos relacionarla también con la construcción de la comunidad? ¿Podemos potenciar la capacidad de las personas jóvenes para interpretar sus experiencias en un mundo al que, juntas, ponen nombre? G.B. Madison, al escribir acerca del lugar central que ocupa la imaginación, ha comentado que «gracias a la imaginación, al terreno de la posibilidad pura que tenemos de hacer que seamos quienes o lo que somos, llegamos creativa e imaginativamente a serlo, preservando a lo largo del proceso la libertad y la posibilidad de ser distintos de aquello en lo que nos hemos convertido y que meramente somos» (1988, p. 191). En mi opinión, ese llegar a ser que describe Madison depende en gran parte de la pertenencia a una comunidad de respeto. Quienes son tildados de deficientes y han quedado atrapados en esa categoría como las moscas en el ámbar tienen escasas posibilidades de sentir que pueden ser distintos de aquello que han llegado a ser. Marginados, lo único que les queda es su experiencia de impotencia, a menos que (gracias normalmente al apoyo de alguien) adquieran la capacidad de explicar sus «conmociones» y de ir más allá.

¿Cómo hemos de concebir una comunidad que ofrezca la oportunidad de ser de otro modo? Somos conscientes de que la democracia supone una comunidad que está siempre en construcción. Caracterizada por una solidaridad emergente, una serie de creencias compartidas y un diálogo acerca de los demás, debe permanecer abierta a los recién llegados, a aquéllos a quienes se ha dejado de lado durante demasiado tiempo. Esto puede ocurrir incluso en espacios locales como las aulas escolares, especialmente cuando se anima a los estudiantes a buscar sus propias voces e imágenes. Hannah Arendt escribió una vez sobre la importancia de que las personas diversas se hablen las unas a las otras refiriéndose a «quiénes» y no a «qué» son, y de que, al hacerlo, creen un «espacio intermedio» entre ellas mismas (1958, p. 182). La creación de un ámbito intermedio entre personas diferentes es un concepto que ampliaré en un capítulo posterior, pero muchos de nosotros hemos visto crecer un espacio así cuando los niños inscriben ideas y sentimientos en diarios que pueden ser luego leídos por los demás niños de su entorno o cuando dibujan o pintan el placer o el dolor en hojas de papel y las cuelgan para que otros las vean.

Cuando pensamos en la comunidad, necesitamos enfatizar las palabras que hacen referencia a procesos: construir, crear, trenzar, decir, etc. No se construye comunidad simplemente porque se formule racionalmente ni por decreto. Como la libertad, han de lograrla personas a las que se ofrezca el espacio necesario para descubrir lo que reconocen juntas y aprecian en común; han de hallar vías de creación de sentido intersubjetivo. También en este caso debería ser un espacio imbuido de la conciencia imaginativa que hace posible que quienes participan se figuren posibilidades alternativas de lo que ellos (individualmente) y su grupo pueden llegar a ser. La comunidad no se reduce a determinar cuáles son los contratos sociales más razonables que se pueden establecer entre los individuos. Lo que realmente importa es saber qué puede contribuir mejor a la consecución de unos bienes compartidos: qué vías permitirán la convivencia, la reciprocidad, la búsqueda de un mundo común.

Como explicaba en el capítulo 2, las personas necesitan de una conciencia continua de nuevos comienzos para evitar la sensación de hallarse ancladas en la categorización (o fijadas por el ojo interior) de otras personas, para huir de la impresión de hallarse atrapadas en pautas y tendencias, o de estar comportándose, que no actuando (pues actuar implica la toma de iniciativas). Pensemos en el reverendo Martin Luther King, Jr., dirigiéndose a unos individuos congregados en una iglesia, induciéndolos en toda su diversidad a concebir una posibilidad: una posibilidad renovada para ellos como individuos, pero también como participantes en un acto de defensa de los derechos civiles. Al ir despertando a una dimensión de vida vivida que apenas podían haber previsto por sí mismos, aquellos individuos empezaron a sentir una trascendencia que nacía del hecho de estar juntos de un modo particular. La trascendencia era en muchos casos profundamente personal, pero al experimentarla, se unían en una comunidad revitalizada. En ese sentido, eran una comunidad de *principiantes* inducidos a imaginar cómo *podrían* ser las cosas si actuaran juntos. Muchos de ellos eran niños, despreciados por otros muchos en aquel mundo blanco que los rodeaba. Respeto, responsabilidad, imaginación, sí, y amor para todos ellos como seres humanos dignos: aquello fue lo que los indujo a ir más allá de sí mismos y lo que cambió sus vidas.

Momentos como ése en el movimiento de los derechos civiles (y, posteriormente, en movimientos de apoyo a los homosexuales o de ayuda a las personas sin techo) parecen indicar la necesidad de que exista una reciprocidad activa entre personas diferentes antes de que pueda surgir la comunidad. Hay ejemplos de estudiantes de secundaria que deciden restaurar edificios viejos y acondicionarlos para sus compañeros de clase sin techo, ejemplos de asistencia a personas con SIDA, ejemplos de labores de jardinería y de enseñanza de dichas labores: todos ellos «interrumpen», según escribió Arendt, los «procesos automáticos» de la normalidad aparentemente banal, intrascendente y ávida de sensaciones de las vidas de los jóvenes (1961, p. 169). A pesar de hallarse encarcelado por sus opiniones políticas y de experimentar, debido a ello, el terrible aburrimiento y el abatimiento de la vida en prisión, Vaclav Hável continuaba expresando en las cartas que dirigía a su mujer su esperanza en la «comunalidad» humana. Las perspectivas de tal comunalidad, según le escribió, no mejoran necesariamente con la aprobación de nuevas políticas o proyectos, sino con «un renacimiento de las relaciones humanas elementales. [...] El amor, la caridad, la compasión, la tolerancia, el autocontrol, la solidaridad, la amistad, la sensación de pertenencia, la aceptación de una responsabilidad concreta con respecto a aquéllos que nos son próximos: todas éstas son, creo, expresiones de una nueva "interexistencialidad" que, por sí sola, puede infundir un nuevo significado en las formaciones sociales [...] que determinan la suerte del mundo» (1983, p. 372). Hável reconocía lo necesarios que eran la reflexión y el diálogo para erradicar la artificialidad o el utilitarismo y para que se tomaran decisiones a favor de la vida. Él se mantuvo (a pesar de todo) abierto a la esperanza y vivo gracias a su participación imaginativa «en los movimientos de revuelta juvenil, en los movimientos pacifistas auténticos, en las diversas actividades de defensa de los derechos humanos, [...] en definitiva, en todos los intentos recurrentes de crear comunidades auténticas y significativas que se rebelan contra un mundo en crisis, no sólo para escapar de él, sino dedicando además todos sus esfuerzos –con la deliberación clarividente y la humildad que siempre acompañan a la auténtica fe– a asumir responsabilidades por el estado del mundo» (p. 372).

Y responsabilidades por el estado de los niños, deberíamos añadir, dado que sus identidades están supeditadas a la existencia de comunidades humanas. La identidad individual toma forma en los contextos de la relación y el diálogo; nuestro interés debe centrarse en crear los contextos que alienten –en todos los niños– una sensación de valía y de capacidad de acción (o *agencia*). El estigma que pesa sobre los «discapacitados» o los de «bajo coeficiente intelectual» o los de «clase socioeconómica baja» obliga frecuentemente a personas jóvenes a convertirse en receptoras de «tratamiento» o «formación», a veces con la más benevolente de las intenciones de quienes con ello esperan «ayudar». Son demasiado pocas las personas jóvenes a las que se considera capaces de imaginar, de elegir y de actuar desde sus propios ángulos de percepción de posibilidades. Lo normal es que la mayoría estén sometidas a presiones, manipulaciones y predicciones externas. Las estructuras de apoyo existentes no se emplean para sustentar una conciencia de sujetos agentes entre aquellas personas a quienes protege; en realidad, legitiman las nociones de tratamiento, compensación o control (pero nunca la diferencia o la liberación).

Ése es uno de los motivos por los que deberíamos abogar enérgicamente por la presencia de las artes en las aulas. Actualmente, estamos descubriendo cómo ayudan la narración de historias o el dibujo, pero necesitamos ir más lejos y crear situaciones en las que se pueda añadir algo nuevo cada día en la vida de un alumno. El pensamiento posmoderno no concibe al sujeto humano como predeterminado o fijado de forma definitiva. Las personas son entendidas como seres en proceso, en busca de sí mismos y, a ser posible, de posibilidades para sí mismos. Hay quien ha empezado a hablar de ejercer una resistencia limitada a los mecanismos del poder en los espacios locales en lugar de tratar de luchar contra él en escenarios a gran escala. Hoy seguramente nos resulta posible entender como nunca antes lo que podría significar romper el dominio ejercido por ciertas fijaciones y categorías construidas y, de ese modo, dejar libres a ciertos niños. La atención concreta a la diferencia de esos niños y a su conexión con el entorno, o el hecho de sentirse llamados a prestar atención (a leer las palabras del niño, a mirar el dibujo del niño), pueden obligar a los profesores a responder imaginativamente y, en último término, éticamente a esos niños. Reaccionar ante aquéllos y aquéllas de quienes se había dicho que padecían una situación de riesgo, aquéllos y aquéllas a quienes se había marginado sin la debida atención, para tratarlos ahora como seres vivos capaces de elegir por sí mismos es, desde mi punto de vista, actuar por principios. Por ese camino, puede que tengamos más probabilidades de fundar comunidades normativas, guiadas por principios y conformadas por la responsabilidad y la atención.

Al prestar sus vidas para tal empeño, los lectores jóvenes expanden y profundizan su experiencia, ordenada en esas ocasiones de acuerdo con patrones poco familiares. Mediante esa expansión, los lectores descubren dimensiones de sus propias experiencias habitualmente ocultas o desconocidas. Puede que ese tipo de lectores no sólo encuentren ahí una fuerza que les impulse hacia nuevas relaciones, hacia una comunidad, sino que se sientan también impulsados hacia nuevos modos de autodefinición, nuevos comienzos que surjan de la conciencia emergente de la diferencia y la posibilidad. Es posible que descubran vínculos entre sus ya conocidas personalidades individuales propias y las de Pecola o el empleado del ferrocarril o el músico de mambo; a medida que se va dejando libre la imaginación, se van abriendo ventanas en lo real y se van clarificando toda clase de alternativas de vida.

Resulta obviamente difícil afirmar los valores de la pluralidad y la diferencia al mismo tiempo que se intenta construir una comunidad de personas dotadas de un sentido de agencia, preparadas para hablar por sí mismas. Pero desde el momento en que se presta atención a la diferenciación de las múltiples voces presentes en un aula, aumenta la importancia de que se reconozcan creencias compartidas. Tales creencias sólo pueden surgir del diálogo y el respeto hacia los demás y hacia su libertad y su posibilidad. Cuando ofrecen a sus alumnos la oportunidad de experimentar el arte y la narración, los profesores pueden continuar buscando puntos de conexión entre sus historias personales y las de aquéllos y aquéllas a quienes enseñan. Pueden dejar a sus estudiantes un tiempo cada vez mayor para explicar sus historias, o para bailarlas o cantarlas. Pueden incitar a sus estudiantes a transmutar imaginativamente algunos de sus relatos y transmitirlos a través de medios que puedan ser compartidos, de modo que sus amigos puedan empezar a mirar y a moverse juntos en un espacio en continua expansión dentro de su pequeño mundo. Dado el carácter expansivo de su sensación de diversidad, sus narraciones y sus encuentros conjuntos pueden verse también moldeados de vez en cuando por la indignación: indignación ante las injusticias, las cosificaciones y las vejaciones. Los profesores y los alumnos necesitan no sólo explicar y elegir, sino también apuntar hacia posibilidades todavía por explotar: prender la mecha, explorar lo que podría significar la transformación de esa posibilidad.

Como profesores, no podemos predecir el mundo común que se pueda estar construyendo; tampoco podemos justificar de antemano un tipo de comunidad más que otro. Lo que sí podemos es llevar calor a los lugares donde se juntan las personas jóvenes; podemos aportar los diálogos y la risa: los peores enemigos de los monólogos y la rigidez. Y podemos, sin duda, afirmar y reafirmar los principios relacionados con la creencia en la justicia, la libertad y el respeto por los derechos humanos, puesto que sin ellos, no podemos tener siquiera la dignidad de exigir la acogida y la inclusión de todos y todas, por muy de riesgo que sea la situación en que se encuentren. Sólo si son cada vez más las personas que, al juntarse, aprenden a encarnar tales principios y a optar por vivir y hablar de acuerdo con ellos, tendremos probabilidades de materializar una comunidad. Todo lo que hemos de hacer es hablar con otras personas tan apasionada y elocuentemente como podamos; no tenemos más que mirarnos a los ojos y animarnos a emprender nuevos comienzos. Nuestras aulas deberían ser educativas y reflexivas al mismo tiempo; deberían latir con múltiples concepciones de lo que es ser humanos y estar vivos. Deberían resonar en ellas las voces de personas jóvenes, capaces de expresarse, que participan en diálogos siempre incompletos. Debemos aspirar a que nuestros estudiantes logren la amistad al tiempo que en cada uno de ellos se avivan la conciencia, la acción imaginativa y una renovada sensación de posibilidad.

4
Descubrir una pedagogía

Los actuales son, como Hannah Arendt (parafraseando a Brecht) los llamó en su momento, «tiempos oscuros». Con ello se refería a tiempos en los que la luz que debería irradiar la esfera pública queda «apagada por los "vacíos de credibilidad" y la "invisibilidad del gobierno", por un discurso que no revela la verdad, sino que la oculta bajo la alfombra, por exhortaciones (morales y de otros tipos) que, so pretexto de mantener viejas verdades, degradan toda la verdad en su conjunto hasta convertirla en una trivialidad sin sentido» (1968, p. 8). Las mismas condiciones, dijo, aparecían descritas en *La náusea* de Sartre, donde todo lo que hay «existe en un "ser ahí" impenetrable y carente de sentido». Y apuntaba signos de experiencias similares en *El ser y el tiempo* de Heidegger, especialmente cuando el autor describía el poder del «mero hablar», un mero hablar que comportaba un ataque a lo auténtico y lo real (1962). ¿Qué significado tiene esa visión de los tiempos oscuros para la pedagogía del momento presente? ¿Cómo se puede garantizar lo auténtico? ¿Cómo se puede restaurar el sentido? ¿Cómo se puede volver a encender esa luz apagada para que profesores y alumnos puedan aparecer los unos ante los otros y mostrar, de palabra y obra, quiénes son y qué pueden hacer?

En este capítulo inicio una búsqueda de respuestas con imágenes, con nociones de lo que es posible y con alguna que otra palabra de advertencia. Las imágenes están extraídas de obras literarias imaginativas, más que nada porque la literatura, a diferencia del material de carácter documental, está dotada de resonancias. Es decir, que sus palabras significan más de lo que denotan y evocan en quienes están dispuestos a prestarles atención otras imágenes, memorias y cosas deseadas, perdidas o nunca captadas o entendidas del todo. A través de esas imágenes, quiero evocar aspectos de un mundo intersubjetivo, un mundo peligroso y en peligro a la vez, que necesitamos decidirnos a enseñar. Tenemos que entender de un modo u otro ese mundo e inducir a otros a entenderlo si queremos transformarlo de alguna manera. La primera imagen que ofrezco es la de una «nube nociva» e invisible que aparece en la novela de Don DeLillo *Ruido de fondo* (1985). Se trata de una nube generada por el escape de un producto químico letal de un vagón de ferrocarril en una ciudad universitaria normal y corriente del Medio Oeste, inmersa en su vida normal de cada día. Respecto a esa «nube», un adolescente, Heinrich, comenta lo siguiente: «El problema real es la radiación que nos rodea a diario. Tu radio, tu televisor, tu horno microondas, los cables del tendido eléctrico que pasan por delante de tu puerta, los aparatos de control de la velocidad por radar en las autopistas. Llevan años diciéndonos que esas bajas dosis no son peligrosas» (p. 174). ¿Qué hacen las personas ante eso (ante algo que no tiene nombre ni olor y está por todas partes)? ¿Qué hacen cuando se hallan bajo un peso que no pueden interpretar ni comprender? Según lo imagina DeLillo, se dedican a hacer la compra en el supermercado, buscan desesperadamente pastillas que conjuren el miedo a la muerte o se refugian en los estudios sobre Hitler, preocupadas por la tecnificación, la informatización y la despersonalización. Al final de la novela, podemos leer lo siguiente: «Y ahí esperamos todos juntos, gentes de todas las edades, con los carros de la compra repletos de productos de colores llamativos, en una cola que apenas avanza, satisfechos, con tiempo para echar una ojeada a los tabloides sensacionalistas de las estanterías, con sus relatos sobrenaturales y de extraterrestres, sus vitaminas maravillosas, su cura contra el cáncer, sus remedios contra la obesidad, su culto a los famosos y a los muertos» (p. 326).

Sí, algunas personas tratan de dar sentido a la nube –ya sea un sentido literal, técnico o, incluso, semiótico– al menos con respecto a la cultura popular. Pero ¿cómo se puede aprehender una nube tóxica que la radio describe como una «ligera pluma»? ¿Cómo ha de entender uno de los personajes de la novela la explicación que le da un técnico a partir de un «colosal recuento de toda una base de datos» y según la cual (entendiendo que cada persona no es más que «la suma total» de sus propios datos) ese personaje está ya muerto, si bien eso no significa necesariamente que vaya a ocurrirle nada «a usted [al personaje en cuestión] como tal, al menos no hoy ni mañana»? ¿Cómo integra uno la constante presencia de hombres vestidos con trajes de Mylex y acompañados de pastores alemanes adiestrados para detectar residuos tóxicos ocultos en las grietas? Los hombres llevan máscaras con tubos acoplados; es imposible ver sus rostros o interpretar sus expresiones o saber qué saben.

La idea del saber ocultado de formas diversas evoca otra imagen: la de la biblioteca laberíntica de *El nombre de la rosa* (1983), una biblioteca que forma parte de un monasterio medieval en el que varios monjes han sido asesinados para que no digan ni una palabra, en el que vidrieras, manuscritos, criptogramas, esculturas, espejos y objetos domésticos cotidianos componen una realidad cambiante de signos y símbolos que sólo pueden ser descifrados por una mente liberada. Los libros de la biblioteca y el conocimiento que encierran son una posesión privada, controlada y mantenida en secreto. El «tesoro de aprendizaje» (p. 195) allí guardado no puede ser puesto a disposición de nadie. Guillermo, un monje inglés enviado al lugar con el pretexto de resolver diversos crímenes, descubre que los guardianes de los laberintos de la biblioteca están poseídos por una «sed de conocimiento» (p. 395), un ansia lujuriosa que él asocia con el onanismo (p. 396) dado que buscan ese saber por el mero placer de buscarlo. Sin embargo, podemos ver también en el ejercicio de custodia egoísta de los monjes una metáfora de las mistificaciones actuales. Lo más probable es que en los organismos oficiales de nuestros días no haya habitaciones hexagonales, ni puertas excavadas en la roca, ni representaciones en forma de vidriera de los contenidos de libros precintados o de monstruos mitológicos. Pero dadas las que Jürgen Habermas llama «distorsiones» de la comunicación carente de contexto (1971, p. 164), el lenguaje de los costes y los beneficios, y el lenguaje de la razón instrumental con el que se «explican» los fenómenos, existe en muchos proveedores de información una realidad engañosa (cuando no puramente indescifrable) de signos y símbolos. El conocimiento que ofrecen no es saber por el saber en sí, pero es, de todos modos, un conocimiento secreto y de implicaciones a menudo peligrosas. Quienes lo custodian y poseen están sedientos a su modo y no hay posibilidad alguna de desafiarlos a menos que no sepamos leer plenamente conscientes.

¿Y quiénes son «ellos», esos personajes anónimos que se han instituido a sí mismos en esa posición de control? Esa pregunta sugiere otra imagen que ya he mencionado con anterioridad. Cuando Marlow, el narrador de *El corazón de las tinieblas* de Joseph Conrad ([1902] 1967), habla con los tres funcionarios sin nombre propio (el director de las compañías, el abogado y el contable), acerca de «los lugares oscuros» de la tierra, acerca de lo que se siente al enfrentarse a lo inexplorado, al vivir en medio de lo incomprensible donde, «por fortuna, la verdad está oculta», trata en realidad de explicar cómo son los conquistadores, intenta decir algo inteligible acerca de la fascinación que despiertan la codicia y la fuerza bruta, «la impotente repugnancia, la rendición, el odio». Pero también se da cuenta de lo poco probable que resulta que le entiendan y les dice (con ironía y amargura), «tened en cuenta que ninguno de nosotros podría conocer esa experiencia.

Lo que a nosotros nos salva es la eficiencia... el culto por la eficiencia» (p. 214). Inmersos en sus propios papeles dentro de la estructura de poder, inmóviles en sus actitudes naturales, los tres oyentes son incapaces de comprender lo que dice; de hecho, tratan de interrumpir en varias ocasiones su relato de su búsqueda de Kurtz, de alguien que conquistó pero luego se quedó en su lugar oscuro. «Nunca lo entenderéis», les recrimina Marlow. «¿Cómo podríais entenderlo, teniendo como tenéis los pies sobre un pavimento sólido, rodeados de vecinos amables siempre dispuestos a agasajaros o auxiliaros, caminando delicadamente entre el carnicero y el policía». Hay personas, según Marlow, que son demasiado torpes como para notar el asalto de los «poderes de las tinieblas» o que están tan «tempestuosamente exaltadas» que son sordas y ciegas «para todo lo demás, menos para las visiones y los sonidos celestiales». Pero para la mayoría de nosotros, sentencia, «la tierra es un lugar donde vivir, donde debemos llenarnos de visiones, sonidos, olores también, donde debemos respirar un aire viciado por la carne podrida de un hipopótamo, pongamos por caso, y no contaminarnos» (p. 261).

Marlow llama la atención sobre el mundo vivo que queda oculto, oscurecido, tanto por la actitud de sus oyentes como por la de los «torpes» y los «exaltados», pero conviene aclarar que ese mundo no es explicable en términos de relaciones de causa-efecto; ninguna medición cuantitativa puede explicar lo que sucede. Como mucho, puede tener significados diversos y provisionales desde las perspectivas de quienes lo habitan. El mundo vivo de Marlow está habitado por cazadores de marfil, por administradores, por pilotos de embarcaciones fluviales, por timoneles negros, por mujeres «nativas», por una muchacha que cree eternamente en la «grandeza» y la «mente generosa» de Kurtz, y por el propio Kurtz, quien grita «¡ah, el horror, el horror!» antes de morir (p. 289). No hay duda de que «la verdad está oculta», pero continúa existiendo la posibilidad de significado y nuestra elección no tiene por qué contaminarse al ir descendiendo por los ríos de nuestros mundos vividos.

Permítanme hacer una aplicación aún más extensa de las anteriores imágenes –la nube, el saber secreto y el deseo de no conocer la realidad– a nuestra situación actual. Cuando «hacemos» ciencias humanas –fenomenología de la infancia, hermenéutica, semiótica, crítica literaria–, tenemos que relacionarnos de un modo u otro con un mundo social que está contaminado por algo invisible e inodoro y sobre el que pende una especie de nube inmóvil. Es la nube de lo ya conocido, de lo considerado «natural» por quienes se encuentran atrapados en eso que se da por descontado, en la cotidianeidad de las cosas. También creo que deberíamos tener presente que el mundo moderno es un mundo administrado, estructurado por toda clase de lenguajes oficiales que son, habitualmente, los lenguajes de la dominación, del derecho sobre las cosas y del poder. Y allí donde el habla humana debería hacerse audible se producen silencios terribles que nuestra pedagogía debería reparar de algún modo. El mundo moderno es, además, un mundo en el que la que concebimos como nuestra tradición se halla petrificada, localizada en enclaves privados o rodeada de aureolas que la distancian de la experiencia vivida, de los paisajes de nuestras vidas.

Son demasiado pocos los individuos a los que se permite descifrar los códigos, descubrir aquello en lo que se hallan ellos mismos arraigados, apropiarse de visiones y perspectivas legítimamente suyas. Estoy segura de que todos y todas creemos que nuestros esfuerzos para entender a los jóvenes y recuperar nuestros propios paisajes deben ir unidos a nociones de praxis pedagógica y que las pedagogías que diseñemos deberían provocar un acentuado sentido de *agencia* en aquéllos y aquéllas a quienes enseñamos, y deberían, al mismo tiempo, habilitarlos para perseguir su propia libertad y, quizás, para transformar hasta cierto punto sus mundos vividos. Puede que tengamos que reflexionar en mayor profundidad que hasta ahora acerca de cómo mantener la integridad de los significados creados por los propios niños y de las intuiciones que comparten, y, al mismo tiempo, educarlos intencionadamente –o aprender junto a ellos– para que interpreten y afronten el mundo en toda su perplejidad y peligro. Tenemos que tomarnos muy en serio las críticas de quienes adoptan determinados enfoques sociales y políticos radicales, incluso cuando tratamos de traspasar aquellos marcos que falsifican las vidas de los niños. Todos queremos explorar y recuperar los llamados lugares secretos, pero deberíamos ligar también dichos lugares secretos a espacios públicos y actuar así en nombre de lo que Paulo Freire llamó «humanización» (1970, pp. 27 y siguientes) y de lo que Hannah Arendt denominó «mundo común» (1961, p. 196).

¿Podemos decidir actuar de un modo determinado, elegir un mejor orden de las cosas y, como consecuencia, crear valores, como sugería Sartre? ¿Cuál es esa *posibilidad*, ese «estado de cosas distinto», que podemos llegar a concebir para que una «una nueva luz descienda sobre nuestros problemas y nuestro sufrimiento» y nos ayude a «decidir que son insoportables»? ¿Qué podemos empezar a imaginar para nuestras pedagogías si empleamos «la educación y la reflexión» necesarias para que nos movamos hacia lo que todavía no es (Sartre, 1956, p. 435)?

No existen planos o mapas específicos que nos guíen hacia una sociedad mejor o, siquiera, hacia un mejor sistema escolar. Pero haríamos bien si comenzáramos a dar forma a nuestro proceso imaginativo explorando más imágenes extraídas de la literatura. Ofreciendo estas imágenes, pretendo que los lectores busquen por sí mismos más allá de lo real y jueguen con posibilidades todavía por explotar.

La imagen que acude inicialmente a mi mente es una en la que hombres, mujeres y niños se hallan juntos en un jardín soleado; es una estampa que aparece hacia el final de *El color púrpura* (1982) de Alice Walker: «¿Por qué celebramos siempre una reunión familiar el 4 de julio?, dice Henrietta. [...] Los blancos están ocupados celebrando su independencia de Inglaterra con su 4 julio, dice Harpo, así que la mayoría de los negros no tenemos que trabajar. Podemos pasar el día celebrándolo entre nosotros» (p. 250). Otra imagen que ya he mencionado anteriormente procede de *For Colored Girls Who Have Considered Suicide, When the Rainbow Is Enuf* (1977), de Ntozake Shange. Se trata de aquel recuerdo de la dama de marrón, el de cuando entró en la Sala de Lectura para Adultos a pesar de que se suponía que aún no tenía edad para ello y «descubrió» a Toussaint L'Ouverture, el «comienzo de la realidad para mí» (p. 26). La primera de estas dos imágenes representa un cuadro de vinculación y amor familiar; la segunda es una imagen de trascendencia, de salto hacia delante de una jovencita que sabía que «las niñas pioneras y los conejitos mágicos y los chicos blancos de la gran ciudad» la estaban relegando a un lugar insoportable (p. 26).

La tercera imagen también tiene como escenario una biblioteca: es el relato que hace Virginia Woolf de su búsqueda de libros escritos por autoras femeninas en la biblioteca del Museo Británico y de su lectura posterior de la *Historia de Inglaterra* de Trevelyan para ver lo que decía sobre las mujeres. Cuando acaba, llega a la siguiente conclusión: «En realidad, si la mujer no existiera más que en la ficción escrita por hombres, nos la imaginaríamos como una persona de extraordinaria importancia, muy diversa (heroica y mala, espléndida y sórdida, infinitamente hermosa y horrible hasta el extremo), tan grande como un hombre (algunos dirían que incluso más grande). Pero ésa es la mujer de la ficción. De hecho, como señala el profesor Trevelyan, a la mujer de verdad se la encerró, se la maltrató y se la arrojó de un lado a otro de la habitación» ([1929] 1957, p. 45). ¿No pudo ser ése el momento en que Virginia Woolf decidió que aquella realidad era inaguantable y se sintió impelida a exigir que cada persona debía tener «su propia habitación»? Ella leyó, reflexionó y rechazó. Sartre diría que se educó.

La cuarta y última imagen tiene que ver también con lo reflexivo y, además, trata más abiertamente de lo ético, de la negativa a contaminarse de alguien que ya ha vivido en el mundo. Concretamente, pienso en Tarrou y el Dr. Rieux, dos personajes de la novela de Albert Camus *La peste* (1948), que se toman una hora de descanso en su lucha contra una epidemia que afecta tanto al cuerpo como al espíritu y deciden dedicar ese rato a la amistad. Refiriéndose pragmática y metafóricamente a los motivos por los que las personas deberían «vigilarse a sí mismas sin cesar», Tarrou explica que nadie está indemne de la peste y que, en un momento de descuido, cualquiera puede echar su aliento al rostro de otra persona y transmitirle el microbio. El hombre bueno, que «apenas infecta a nadie», es aquél que tiene «menos fallos de atención». Al explicar la historia de su vida a Rieux, Tarrou dice: «Ya ve, he oído tantos razonamientos –que han estado a punto de hacerme perder la cabeza y que se la han hecho perder a tantos otros– para obligarnos a consentir en el asesinato que he llegado a comprender que todas las desgracias de los hombres provienen de no hablar claro. Así que he decidido hablar y obrar con claridad, como único modo de ir por el buen camino. Por eso digo que hay plaga y víctimas, nada más. [...] Por eso decidí tomar el partido de las víctimas y evitar así mayores estragos» (p. 230). Tomando el «camino de la simpatía», pretende ser «un santo sin Dios». Aunque puede que la mayoría de nuestros problemas no procedan del hecho de no hablar claro, la decisión de vincular la claridad con la compasión en un mundo de doctrinas y negaciones inaugura una visión de un tipo de posibilidad. Cuando «la peste» significa, entre otras cosas, indiferencia, abstracción y complicidad (la aprobación del asesinato o de las humillaciones), se requiere ciertamente de vigilancia para combatirla. Y puede que sea ésa la vigilancia (y el cuidado) que nuestras pedagogías deberían liberar.

Antes de esbozar las pedagogías que dichas imágenes sugieren, quisiera añadir unas palabras de advertencia. Michel Foucault nos ha recordado que muchas de las personas que enseñamos compartimos una conciencia cultural muy extendida y característica de los intelectuales occidentales, y que no podemos evitar convertirnos (de uno u otro modo) en «agentes de ese sistema de poder» (1977, p. 207). La idea misma de hacernos responsables de la «conciencia» y del discurso, según él mismo decía, forma parte del sistema. El poder es inherente a nuestro propio lenguaje, por muy emancipador que pueda parecer. Sólo hay que mirar, por ejemplo, las disonancias entre lo que algunos de nosotros esperamos lograr en las escuelas enseñando un pensamiento crítico y una visión imaginativa del futuro y las demandas de la comunidad conservadora. Foucault creía que toda forma de discurso provoca necesariamente resistencias (aun cuando muchas de ellas puedan ser pequeñas) y cuando pienso en la resistencia a las nuevas pedagogías ejercida por los fundamentalistas y por otros sectores conservadores (por muy asustados y desinformados que estén), no salgo de mi asombro. Parece evidente que tal resistencia es algo que tanto los profesores como los formadores del profesorado tendremos que afrontar y tener en cuenta.

Quisiera también lanzar una segunda advertencia relacionada con las estructuras sociales que se interponen obstaculizando ese libre juego de energías, esa conciencia despierta, esa autenticidad y esa sensibilidad moral que a mí, al menos, me gustaría ver en nuestras aulas. No podemos ignorar o dejar de lado las injusticias, las indignidades y las presiones de la ideología. Tampoco podemos pasar por alto la transmisión desigual de conocimientos, la división de los niños según su nivel académico, la degradación de la experiencia de las personas pobres e inmigrantes o la propuesta de reformas unidimensionales, efectos todos ellos de las estructuras y las tendencias sociales existentes. Con esto no pretendo sugerir que nuestras escuelas reflejan de un modo inevitable y determinista lo que ocurre en la cultura externa. Lo que sí sugiero, sin embargo, es que los significados que surgen de las transacciones que se producen entre las escuelas y el orden socioeconómico existente son más una forma de canalización que de apertura de espacios y tienen más de constricción y de prescripción que de emancipación y de liberación de las personas. No confío en que los profesores puedan resistirse a esos significados, dada la naturaleza de las burocracias y de su labor administrativa. Tampoco me resulta agradable la idea de los escalafones profesionales o pensar que en el futuro se pueda llegar a reconocer una categoría de «profesores expertos». Esa nueva actitud de aceptación de lo dado que se produce con respecto a las meritocracias, las jerarquías y los escalafones hace preceptivos nuevos tipos de interpretación crítica, nuevas formas de cuestionamiento de los mundos vividos, y es difícil predecir si una orientación humanística será lo suficientemente fuerte como para resistir el envite de semejante actitud.

Mi última advertencia tiene que ver con la condición humana misma, con las experiencias de lo absurdo por las que pasamos cuando nuestras preguntas existenciales más profundas se encuentran con silencios de perplejidad como respuesta. Tiene que ver con la mortalidad, el azar, las ausencias y el vacío del cielo. Me vuelve a venir a la mente Alfred Schutz y su referencia a la «ansiedad fundamental» que él asociaba a la sensación de que nuestra vida pueda carecer esencialmente de sentido, de que podamos transitar por este mundo sin dejar huella alguna de que nunca hayamos vivido (1967, p. 247). Pero de dicha ansiedad derivan ideas de proyectos y planes de acción. Elaborando dichos planes, previendo sus consecuencias y actuando conscientemente según los mismos, creamos nuestras identidades en las situaciones que se dan en nuestras vidas. Los actos específicamente humanos, como dijo Sartre, trascienden el medio social –aun teniendo en cuenta el efecto determinante que ejerce este último– y transforman hasta cierto punto el mundo, no a pesar de las condiciones dadas, sino partiendo de ellas. Por lo tanto, nuestras pedagogías transformadoras deben relacionarse tanto con las condiciones existentes como con aquello que estamos tratando de generar, algo que va más allá de una situación presente. Como también dijo Sartre, ese ir más allá es lo que caracteriza en esencia a una persona; eso y lo que esa persona logra hacer a partir de aquello en lo que la han convertido (1963, pp. 92-93). En cierto sentido, esa clase de acción es una respuesta a lo que Freud llamó «la civilización y sus descontentos», y es que ¿quién puede negar que ser «civilizado» es haber experimentado un cierto grado de «escolarización»? ¿Quién puede negar que civilizarse significa, hasta cierto punto, renunciar a la mera búsqueda de placer y reprimir unos deseos al tiempo que se subliman otros? Los profesores deberían compartir el mismo interés por hallar alternativas a las plantillas y los esquemas preliminares que inundan los paisajes primordiales. Otro de sus intereses debería ser el de crear una civilización que pueda tolerar la potencia del deseo, el empuje de las energías diversas, la vitalidad del juego y la intención de transformar.

Quienes somos profesores tenemos que luchar contra limitaciones y hacerlo *conscientemente*. No existen dos únicas opciones alternativas consistentes en el redescubrimiento de una subjetividad sin restricciones o en la aceptación de un determinismo absoluto. Toda situación humana está marcada por una relación dialéctica que puede ser la relación entre el individuo y el entorno, entre el yo y la sociedad o entre la conciencia viva y el mundo-objeto. Cada una de esas relaciones presupone una mediación y una tensión entre las dimensiones reflexivas y materiales de las situaciones vividas. Dado que ambas dimensiones son significativas por igual, el triunfo de la subjetividad o de la objetividad no sirve para vencer dicha tensión: la dialéctica no puede ser resuelta de un modo definitivo.

Por otra parte, siembre hay cosas que sobreviven del pasado; siempre hay presiones; en la situación vivida siempre ejercen un cierto *peso* el entorno, los traumas del pasado o de una experiencia de exclusión o pobreza, o los efectos de la ideología. Alcanzamos la libertad enfrentándonos y superando parcialmente ese peso o determinación. Ahora bien, sólo buscamos esa libertad cuando lo que reprime (o lo que condiciona o limita) se percibe como un obstáculo. Allí donde la opresión, la explotación, la contaminación o incluso las plagas son tenidas por naturales, por factores ya dados, no puede haber libertad. Allí donde las personas no han podido nombrar otras alternativas ni imaginarse un mejor estado de cosas, es probable que permanezcan ancladas o sumergidas.

Si los profesores queremos desarrollar una pedagogía humana y liberadora, debemos sentirnos partícipes de una relación dialéctica. Tenemos más probabilidades de descubrir o de ser capaces de interpretar lo que estamos experimentando si podemos en algunos momentos reconquistar algo de nuestra propia espontaneidad perdida y de la conciencia de nuestros propios antecedentes, ya sea a través de la comunicación con los niños, la psicoterapia o la implicación en las obras de arte (me refiero a esta reconquista en mayor profundidad en el capítulo 6). Cualquier contacto de ese tipo puede incitarnos a recordar que la racionalidad misma está arraigada en algo prerracional, prerreflexivo: quizás en un paisaje primario, percibido. Cuando leo a Wordsworth, a Melville, a Elizabeth Bishop y a Toni Morrison, cuando contemplo cuadros de Cézanne y Van Gogh, me convenzo de que eso es así. Maurice Merleau-Ponty escribió que «la percepción es un *logos* incipiente: [...] nos enseña, más allá de dogmatismos, las condiciones verdaderas de la objetividad misma, [...] nos convoca a las tareas del conocimiento y la acción» (1964, p. 25). Ni que decir tiene que las condiciones de la objetividad están relacionadas con los puntos de vista de la conciencia personificada, una conciencia en movimiento, que ve, que toca, que oye en medio de las cosas. Merleau-Ponty no reduce el conocimiento a la sensación, pero trata de recuperar «la conciencia de la racionalidad» mostrando cómo ésta empieza en las perspectivas de la conciencia situada, en las experiencias vividas a las que siempre se refiere el *cogito*.

Cuando los jóvenes penetran en la vida del lenguaje, según creía Merleau-Ponty, cuando empiezan a tematizar y a simbolizar sus experiencias, se traspasan horizontes, se transforma el paisaje, se clarifican dichas experiencias. Lo prerreflexivo (es decir, lo que percibimos antes de que reflexionemos sobre ello) se convierte en la rampa de lanzamiento de la racionalidad. Y, en gran medida, nos haremos presentes a nosotros mismos en función de la capacidad que tengamos para permanecer en contacto con el mundo percibido en toda su plenitud y amplitud, y para *pensar* ese mundo y, al mismo tiempo, mantener nuestra conciencia abierta a la cultura común que nuestras ideas no pueden evitar expresar.

Parece claro, por ejemplo, que los tres funcionarios de *El corazón de las tinieblas* ya no son capaces (si es que alguna vez lo fueron) de hacerse presentes a sí mismos de ese modo. Tampoco lo es el despreciable Kurtz cuando habla de «mi prometida, mi estación, mi carrera, mis ideas», cuando muestra su avidez «de gloria falsa, de distinción fingida y de todas las apariencias de éxito y de poder» (Conrad, [1902] 1967, p.

282). Tampoco lo son los afectados por la peste ni los que piensan que pueden poseer el saber y suponer que está completo. Ése es el motivo por el que mis imágenes de posibilidad tienen tanto que ver con el color, la forma y el movimiento; por eso se extienden hasta convertirse en representaciones de la relación, la compasión y la atención. Eso explica que lo incompleto sea tan importante, como también lo es el rechazo de las falsas finalidades y de los *sistemas* totales de pensamiento: de eso que a veces se ha dado en llamar «conmensurabilidad» (Rorty, 1979, pp. 315 y siguientes).

No necesitamos más que volver sobre los niños. Sabemos que su percepción es nuestro modo inicial de configurar la experimentación de acontecimientos externos, de orientar el yo a su entorno. Como la imaginación, que organiza lo imaginario (desde los elfos y los unicornios hasta el mundo adulto todavía por ver y las aventuras todavía por vivir), su percepción es la operación fundamental que subyace a la relación entre el sujeto cognoscente y el objeto que es conocido. Tales modos iniciales de ordenar la realidad vivida, unidos a los sentimientos asociados con la familia y con otras relaciones, tienen mucho que ver con el aprendizaje lingüístico de los niños y con su elaboración intelectual de la experiencia. De esta reflexión se desprende la indudable importancia que tiene el que liberemos a los niños para que cuenten sus historias, no sólo para que las podamos escuchar, sino también para que puedan hacer significativo el nacimiento de su propia racionalidad. Nos puede recordar además la importancia de afirmar la validez de muchos tipos de experiencias, incluso de aquéllas aparentemente incompatibles con nuestras propias interpretaciones del mundo.

Los críticos radicales hablan a menudo de los efectos degradantes de aquellos ambientes que excluyen las vidas vividas de niños considerados extraños o que imponen capas superpuestas de información que parece falsificar lo que esos niños viven y conocen. De hecho, los profesores sabemos sobradamente lo que se siente cuando creemos que aquéllos y aquéllas a quienes supuestamente enseñamos no hacen más que adaptarse a nosotros imitando nuestros lenguajes y memorizando nuestra terminología. Por lo general, su distanciamiento no es una forma de resistencia, aunque a veces pueda parecerlo, sino que es a menudo una expresión de alienación infantil o una división de la conciencia. La necesidad de abordar esa alienación es una de las muchas razones por las que necesitamos afanarnos más de lo habitual en atender a esos niños al tiempo que tratamos de desarrollar nuestros proyectos particulares y nos esforzamos por seguir avanzando. Podemos aprender de quienes ya han aprendido a escuchar a los niños y hacer caso de lo que dicen y escriben. Podemos hacer más a nivel consciente por situar a los niños en situaciones de habla y redacción libre en las que puedan descubrir qué piensan (y por qué), qué ven, cómo hablan de ello, cómo escriben sobre ello y cómo van dotando de significado sus respectivos mundos.

Merleau-Ponty habló del descentramiento «vivido» y de la consecución paulatina de la reciprocidad dentro del orden vital como partes de un proceso mediante el que los niños pueden influir, renovar y restablecer continuamente sus relaciones entre ellos y con otras personas que les rodean. Para Merleau-Ponty, ese orden vital es un equilibrio alcanzado con respecto a condiciones virtuales, no realmente existentes. Los individuos hacen que las condiciones virtuales existan cuando van más allá de los límites corrientemente aceptados con el propósito de configurar un medio adecuado para sí mismos (Merleau-Ponty, 1967, pp. 145-146). Esto, conviene recordarlo, es lo que la dama de marrón de Shange hizo de niña cuando entró en la Sala de Lectura para Adultos. Luego, según Merleau-Ponty, los individuos pasan de ese orden vital a un «orden humano» que implica la producción de nuevas condiciones y estructuras. Él creía (como, en mi opinión, creen la mayoría de los profesores) que lo que definía la conciencia personificada del ser humano vivo era «la capacidad de ir más allá de las estructuras creadas con el fin de crear otras» ([1962] 1967, p. 175). Esto está directamente relacionado con la capacidad de elegir y crear opiniones diversas, más allá de los ordenadores, los tabloides y las historias de extraterrestres. Tiene que ver con la conciencia perceptiva, con el surgimiento en el individuo de un mundo significado y significante.

Reconocer que las cosas, las verdades y los valores son constituidos por todos los seres humanos, incluidos los niños, al orientarse hacia los diversos aspectos de sus mundos vividos sirve de anclaje inicial para lo que hacemos en el aula. Hacer posible que los niños tengan un mundo significado y significante es una de las preocupaciones cruciales de toda pedagogía humana y crítica. La idea del *logos* como algo que necesariamente hay que hacer nacer, tal y como la expresó Merleau-Ponty, me sugiere que nuestros estudiantes (como nosotros mismos cuando éramos jóvenes) perciben un entorno incompleto y apenas esbozado, y viven en un mundo de perspectivas y horizontes en cambio constante. Al imaginarse cómo son las cosas más allá de donde se pierde de vista la carretera, cómo es el lugar adonde van sus padres y sus madres todas las mañanas temprano, qué es lo que dicen realmente las voces indiferenciadas hasta entonces y qué es lo que se oculta en la oscuridad, se hacen poco a poco más conscientes de qué significa establecer conexiones mediante la experiencia. Adquieren conciencia del descubrimiento y la consolidación de los significados que van acumulando; descubren algo acerca de cómo *leer* ese mundo titilante y multiforme. Y sí, como la suya también es una experiencia dialéctica, puede que se sientan en lucha con las restricciones de la dependencia y de las estructuras dadas: con la facticidad en sí.

Obviamente, los modos que tienen los individuos de comprender los paisajes percibidos no se limitan al recuerdo, a la imaginación o a la reflexión. Al desarrollar nuestras pedagogías, no deberíamos excluir lo que pueden decirnos los enfoques estructurales y semióticos. Tampoco deberíamos pasar por alto las reflexiones que alguien como Hans-Georg Gadamer, por poner un caso, expresa cuando describe «la idolatría del método científico y de la autoridad anónima de las ciencias» como «la falsedad típica de la conciencia moderna». Gadamer pide que nos preocupemos más por la comprensión que por el método y reivindica la «más noble labor del ciudadano, que es la de tomar decisiones de acuerdo con su propia responsabilidad personal, en lugar de delegar esa tarea en el experto» (1975, p. 316).

Esto me hace volver de nuevo sobre el argumento que exponía anteriormente y, según el cual, los profesores debemos hacer un esfuerzo intensificado para romper con los marcos de la costumbre y para tocar la conciencia de aquéllos y aquéllas a quienes enseñamos. Es un argumento que arranca de la preocupación provocada por las nubes nocivas invisibles, los encubrimientos, la falsa conciencia y la indefensión. También guarda relación con la necesidad que tenemos de habilitar a los jóvenes para abordar la amenaza y el temor de un holocausto, y para que sepan y entiendan lo suficiente como para que puedan realizar sus propias elecciones significativas mientras crecen. Sin duda, la educación debe ser concebida hoy en día como un modo de abrir el mundo a los juicios críticos de los jóvenes y a sus proyecciones imaginativas y, llegado el momento, a sus acciones transformadoras. Hay algunos entre nosotros que se oponen a esta perspectiva por considerarla adulto-céntrica e irremediablemente impregnada del deseo de poder del que hablaba Foucault. El enfoque les resulta opresivo hasta el punto de que a veces optarían por dejar a los niños a su aire. Como si depositaran su fe en la capacidad de la criatura «natural» sin ataduras para actuar de manera ideal una vez liberada del peso de la hegemonía, estos autores parecen creer que los jóvenes podrán constituir mundos mejores y renovados con la simple intervención de su inocencia innata y de su creatividad. Esos puntos de vista ignoran la realidad de la condición humana y los desafíos planteados por nuestra era de amenazas nucleares y accidentes, torturas e injusticias. Debemos reconocer los factores fijos y las corrupciones de nuestra cultura tecnificada y de consumo. Debemos tener en cuenta los lenguajes de la tecnología y la violencia, aun siendo partícipes en el momento presente de la deseducación relacionada con buena parte de lo que se hace en las escuelas. Éstas, a fin de cuentas, no dejan de ser unas instituciones fundamentalmente jerárquicas y burocráticas, con sus propias dinámicas internas de autoperpetuación y equilibrio. Su propia naturaleza dificulta extraordinariamente la apertura de oportunidades que puedan ser exploradas y la implantación del pensamiento crítico.

Pero todos nosotros sabemos que se pueden hallar intersticios en las estructuras y que se pueden crear comunidades y liberar deseos. Debemos aprender a hacer posible que los diversos jóvenes se unan a esa conversación ya en marcha que es la conversación de la cultura (de esa cultura continuamente emergente). Creo que en el ámbito educativo tenemos la responsabilidad especial de traer una renovación a esa conversación, de hacer lo que podamos para incluir en ella las voces de aquéllos y aquéllas que han permanecido tanto tiempo silentes o a quienes no se ha prestado atención en este país: las voces de las mujeres, las voces de los recién llegados, las voces hispanas, orientales, africanas, árabes e indias. Puede que el secreto radique en abrir posibilidades para los niños y los jóvenes en el ámbito de las ciencias y las humanidades, y en que los propios niños se abran a los descubrimientos que aportan nuevas perspectivas sobre el mundo común (el suyo y el nuestro). Todos conocemos el problema de la llamada «reproducción cultural» y de lo que Pierre Bourdieu ha definido como la «conversión del capital económico en capital simbólico» (1977, p. 196). Sabemos hasta qué punto puede ser utilizado el proceso de transmisión de cultura para seleccionar a unos y eliminar a otros, e incluso para negar las contradicciones y las negaciones asociadas con la economía. Pero ese problema debería espolearnos para trabajar en pos de la reapropiación de las formas culturales por parte del estudiantado diverso de nuestras clases mediante nuestro énfasis en los enfoques interpretativos y críticos, mediante nuestros continuados esfuerzos por romper con los límites de los enclaves aislados y por hacer accesibles toda clase de formas nuevas e inesperadas lecturas. Si reconocemos que los significados no están ahí para ser desenterrados ni nos vienen dados sin más, sino que han de ser alcanzados según la diversidad de cada persona, deberíamos ser capaces de hallar nuevas formas de iniciar a los jóvenes en «provincias de significado» (Schutz, 1967, p. 231) que permitan múltiples modos de dirigir la atención hacia el mundo. Si comprendemos que los propios jóvenes indagan significados, van más allá de los límites convencionales (a poco que se les entreabra la puerta) y buscan coherencia y explicaciones, estaremos en mejor disposición de provocar y liberar, en vez de imponer y controlar.

Las personas jóvenes tienen la capacidad de construir múltiples realidades en cuanto empiezan a nombrar sus mundos. Y ese nombramiento es un factor dependiente de la creciente familiaridad con las redes conceptuales y los sistemas de símbolos característicos de la forma que tiene la cultura de dar sentido a las cosas. Los jóvenes pueden ser habilitados para verse a sí mismos como unos «nombradores» y unos hablantes conscientes y reflexivos si se reconocen sus puntos de vista particulares, si se potencian los diálogos interpretativos, si se mantiene viva la interrogación. Siempre son probables las lecturas o los entendimientos idiomáticos, pero la interpretación sólo puede producirse en términos de la cultura a la que los jóvenes pertenecen o pretenden pertenecer. Es, pues, sumamente importante que exploten todo el registro de la inteligencia humana y que, como parte de nuestra pedagogía, los capacitemos para que manejen una serie de lenguajes que no sean exclusivamente los verbales o los matemáticos. Habrá niños que encuentren una forma de expresarse a través de imágenes; otros, a través del movimiento corporal; otros, incluso, a través del sonido musical. El dominio de una gama de lenguajes es necesario para que la comunicación se produzca más allá de determinados recintos cerrados dentro de la propia cultura. Sin múltiples lenguajes, resulta sumamente difícil trazar el mapa del paisaje vivido tematizando la experiencia a lo largo del tiempo. Al hablar, trabajar, jugar y hacer cosas con otras personas, los jóvenes pueden adquirir cierta reciprocidad de perspectivas al tiempo que tratan de crear redes de relaciones entre ellos. No me refiero a conducirlos a lo que se llamó en cierto momento la «casa del intelecto». Tampoco hablo de intentar incorporarlos al sistema social de los intelectuales para separarlos de lo vivido y lo compartido. Ni siquiera aquéllos y aquéllas que acaben convirtiéndose en especialistas –físicos, críticos literarios, antropólogos– tienen por qué perder el contacto con sus propias perspectivas de observación, sus paisajes, sus mundos intersubjetivamente vividos.

Tampoco tienen por qué pasar por alto que la realidad debe ser entendida como una experiencia interpretada y que puede haber múltiples perspectivas e interpretaciones dentro de un contexto dado y de acuerdo con normas reconocidas. Desde mi punto de vista, sólo admitiéndolo amainará la sensación que tanto ellos como nosotros tenemos de ser dominados por ese «ruido de fondo» y se disipará el humo oscurecedor de la comunicación distorsionada. Para que esto ocurra, los propios profesores debemos mantener un enfoque abierto e interpretativo no sólo con respecto a la materia lectiva en sí, sino también con respecto a los textos de las vidas de los niños y los jóvenes y a los significados que éstos alcanzan al descubrir cómo otras personas, «allende los mares o al final del pasillo, organizan su mundo significativo» (Geertz, 1983, p. 154). Teniendo esto en cuenta, quizás deberíamos ver a los niños como unos «otros» que son capaces de ordenar y acumular significados. Hay mucho que considerar acerca de «cómo se traslada el significado (o no) razonablemente intacto de un tipo de discurso a otros», acerca de la intersubjetividad y de cómo individuos separados llegan (o no) a concebir «cosas razonablemente similares», y «acerca de cómo cambian los marcos» y «se mantienen las normas y se adquieren modelos de pensamiento» (p. 154). El significado es significado para el sujeto. Eso ya lo sabemos. Y los significados siempre son identificados en un campo concreto. La «heteroglosia» de una cultura (Bajtín, 1981, p. 273) está constituida por significados cognitivos y significados de sentido común, pero también por los significados de las ferias callejeras, los significados teatrales, los significados íntimos, los dichos populares, las anécdotas y todo lo demás. De algún modo, los profesores o los investigadores pueden, con la ayuda de los jóvenes, tratar de aprovechar esa heteroglosia a la hora de intentar leer el mundo a través de una multiplicidad de conciencias: las suyas y las de aquéllos y aquéllas a quienes intentan llegar.

No basta con emancipar a los individuos o con permitirles revelar sus mundos vividos para que se ilustren a sí mismos y a los demás. Hay que abrir los propios mundos a la reflexión y a la transformación. La cultura y sus tradiciones componen una parte del contexto, pero también los lenguajes del presente y las nubes nocivas, los libros escondidos y los fenómenos socioeconómicos del mundo. Espero que podamos considerar la apertura de ámbitos cada vez más amplios de diálogo en los que un alumnado y un profesorado diversos, habilitados para hablar con sus propias voces, reflexionen juntos mientras tratan de generar un espacio intermedio. No sólo pueden tejer lo que Hannah Arendt denominó una «red de relaciones» (1958, p. 184) entre ellos actuando como conciencias personificadas, sino que pueden constituir a través de su encuentro en un mismo espacio un nuevo mundo humano lo suficientemente valioso y receptivo como para ser duradero y abierto a la renovación continua al mismo tiempo. Esto tiene que empezar en espacios locales: en las aulas y los patios de las escuelas y en los centros de reunión de los barrios. Tiene que iniciarse allí donde las personas se conocen por el nombre. Pero puede ir más allá, hacia un espacio público en expansión en el que se articule un número cada vez mayor de intereses comunes. Puede irradiarse hasta informar la «conversación» y facultar a los individuos para que se abran a lo que están haciendo en común. En cuanto se hayan abierto, en cuanto estén informados, en cuanto estén comprometidos de palabra y obra desde sus múltiples puntos de vista, estarán capacitados para concebir un mejor estado de cosas y para proceder con la transformación. Algunas veces, creo que ésa es nuestra única esperanza.

> *Y así cada empresa*
> *es un nuevo comienzo, un ataque a lo inarticulado*
> *[...]*
> *No queda otra cosa que luchar por recuperar lo que se ha*
> *perdido*
> *y se ha vuelto a encontrar y se ha vuelto a perder una y otra*
> *vez, si bien ahora en unas condiciones*
> *que parecen poco propicias. Y puede que no haya ganancia*
> *ni pérdida,*
> *pero a nosotros no nos queda otra cosa que intentarlo.*
> (Eliot, [1943] 1958, p. 128)

Intentarlo, sí, y buscar libertad y comprensión crítica, y (con un poco de suerte) lograr la transformación de los mundos vividos.

5
La visión social
y la danza de la vida

Ahora que tanto se cuestiona la racionalidad tradicional, son cada vez más las personas que han visto en la filosofía una forma de crítica social considerada válida para preguntarse por las injusticias y las brutalidades que desprecian las normas compartidas. La filosofía sirve, además, para descubrir de qué modo es distorsionada la comunicación por formas tecnificadoras y confusas de investigación que se suponen útiles en las ciencias sociales, concebidas como disciplinas diferenciadas de las ciencias naturales. Con frecuencia, la crítica filosófica nos conduce a examinar las ideologías y sus efectos coercitivos sobre el pensamiento. Puede incitar a las personas a considerar también hasta qué punto su obsesión por los constructos artificiales y por el «objeto-en-general» los aleja de la vida vivida y de la relación con lo demás (así como de los valores y las particularidades de las cosas). Como el ensayo de Merleau-Ponty titulado «El ojo y el espíritu» nos recuerda, es importante que insistamos en lo que conocemos a través de nuestras propias situaciones y que retornemos a ese «está ahí» que subyace al pensamiento científico y cibernético, «al sitio, al terreno del mundo perceptible y abierto tal y como lo está en nuestra vida y para nuestro cuerpo, pero no para ese cuerpo posible que podemos legítimamente concebir como una máquina de información, sino para ese cuerpo real que digo que es el mío, ese centinela que permanece silencioso al mando de mis palabras y mis actos. A partir de ahí, junto al *mío* han de comparecer otros cuerpos relacionados» (1964, pp. 160-161).

Se puede encontrar un énfasis similar en la fundamentación de la perspectiva en la vida vivida dentro de la obra de Paulo Freire (1970). Preocupado por cómo ciertas situaciones son percibidas como inefablemente limitadoras y obstructivas, Freire se refirió a la necesidad de abandonar las formulaciones abstractas y adoptar versiones concretas de las situaciones en las que los individuos se hallan realmente. Cuando eso ocurre, escribió, «los individuos empiezan a comportarse de un modo distinto frente a la realidad objetiva, justo cuando la realidad ha dejado de parecerse a un callejón sin salida y ha adoptado su verdadero aspecto: el de un reto que los hombres debemos afrontar» (p. 96). También es relevante en este sentido lo que John Dewey denominó «carácter práctico de la realidad». Desde la reivindicación de una filosofía que hace borrón y cuenta nueva y empieza a partir de las tendencias más activas de su propio tiempo y que otorga un amplio espacio a lo «práctico y personal», Dewey también habló de la influencia del conocimiento en las cosas: del saber como «un cambio en la realidad» (1931, p. 54).

Así, pues, desde estos puntos de vista, la crítica social implica un esfuerzo continuado por vencer las falsas conciencias mediante el rechazo de una visión absoluta y estática de la realidad y de la separación sujeto-objeto que resulta de la misma. Al mismo tiempo, conlleva la creación de nuevos órdenes interpretativos a medida que los seres humanos se juntan no sólo para «nombrar», sino también para cambiar o transformar sus mundos intersubjetivos. Para que todo esto ocurra, el acto mismo de la crítica precisa de una autorreflexividad auténtica, de una consideración seria que informe el conocimiento en los múltiples contextos de la vida cotidiana. Esta actitud mental, una vez abierta a sus limitaciones y perspectivas y a las posibilidades novedosas, presiona hacia lo normativo, hacia lo que podría ser o lo que debería ser. Llegado ese momento, se convierte en una búsqueda de la visión social futura de una comunidad más humana, más plenamente pluralista, más justa y más feliz.

Para quienes nos dedicamos a la educación, parece de especial importancia que tanto la crítica como la visión futura de la educación se desarrollen dentro (y no fuera) de la que concebimos como nuestra comunidad de aprendizaje. Estoy segura de que a muchos de nosotros nos resulta familiar la creencia de que, de algún modo, los individuos pueden «ver» mejor y con mayor claridad cuando no se hallan sumergidos en su propia vida convencional, en ésa que ya dan por descontada. De hecho, cuando adoptamos una perspectiva marxista, neomarxista, freudiana, de la Escuela de Francfort o posmoderna, nos sentimos en muchos casos más facultados para reconocer y resistirnos a las hegemonías de, por ejemplo, la televisión, la cultura popular, el evangelismo o el consumismo, falsas promesas y comodidades todas ellas de la sociedad estadounidense de hoy en día. Aun reconociendo la invasión cultural del país por parte de quienes, por ejemplo, leen tabloides, escuchan asiduamente programas de entrevistas o compran décimos de lotería, nos sentimos legitimados para despertar una «conciencia superior» (según la concebimos habitualmente) en aquéllos y aquéllas que acuden a nosotros para mejorar sus habilidades. Esperamos capacitarlos para ampliar las perspectivas que tienen de sus propias vidas.

Sin embargo, del mismo modo que los *outsiders* (los «de fuera», los que están «al margen») derivan, según Michael Walzer, cierta autoridad crítica de su propio desapego o marginalidad (1987, p. 37), existen también determinados tipos de críticos desconectados (según ese mismo autor) que presionan a los profesionales hacia la manipulación y la compulsión. Puede, de hecho, que intervengan desde fuera según unos criterios que les puedan parecer mejores que (o superiores a) los predominantes en la sociedad en cuestión y que, con ello, lleguen a coaccionar e incluso a desvalorizar.

Algunos y algunas hemos aprendido del ya difunto Myles Horton (de la Highlander Folk School) y de los pocos que, como él, nos enseñaron lo necesario (y difícil) que resulta guardarse de la tentación de intervenir prematuramente; también habrá quien recordará haber aprendido esa misma lección de los movimientos de defensa de los derechos civiles o de reivindicación de los derechos socioeconómicos, o de sus incursiones personales en el voluntariado activista durante los días de la guerra contra la pobreza. Por lo tanto, Walzer llama la atención sobre los críticos que se encuentran «ya dentro» de una comunidad y no aprecian ventaja alguna en un desapego radical, e insta a «una reflexión y una crítica colectivas desde dentro» por parte de esos críticos (p. 64).

Yo prefiero concebir esa «crítica desde dentro» en un contexto de solidaridad, de historias humanas compartidas en el seno de una comunidad humana cambiante. Evocando el maravilloso retrato de la solidaridad y el abandono humanos que Henri Matisse reflejó en su cuadro llamado *Danza*, denomino la acción de criticar dentro de un contexto compartido «la danza de la vida». La obra de Matisse no sólo representa una implicación humana auténtica en la vida de otras personas y en el mundo, sino que también nos arrastra de algún modo al movimiento de las bailarinas y evoca las redes vitales en las que vivimos o deberíamos vivir nuestras vidas. Nietzsche escribió que el valor de lo que leemos u oímos depende en gran medida de si quien escribe o compone puede caminar o bailar, porque si no puede, lo más probable es que componga dentro de un reducto cerrado. Deberíamos bailar al son de nuestras propias flautas, aunque no nos movamos con demasiada agilidad. «¿Qué importa que seáis unos fracasos? ¡Hay tanto que todavía es posible! ¡*Aprended* a reíros a propósito de vosotros mismos! Levantad el ánimo, que sois muy buenos bailarines. [...] Y no os olvidéis de reír despreocupadamente» ([1883-1892] 1958, p. 407). La risa, o la idea misma de la risa, denota lo que Marcuse definió como la «demanda de gratificación y felicidad de todo individuo biológicamente constituido como tal» (1968, pp. 96-97), y debo decir que yo estoy de acuerdo en que, en toda visión social defendible, la felicidad es tan importante como la claridad y el consenso, o, como otros han dicho, el amor es tan importante como la lógica.

La idea de implicarse en la danza de la vida mientras examinamos esa vida me retrotrae también a la descripción que el Bajtín crítico hace de lo «carnavalesco» (1981, p. 273) y del papel que desempeña (junto a sus pícaros y sus payasos) en nuestra lengua y nuestra literatura. Bajtín escribe, por ejemplo, sobre las dos vidas del hombre medieval: «una oficial, monolíticamente seria y sombría, fijada a un orden jerárquico estricto, plagada de temor, dogmatismo, devoción y piedad; la otra de carnaval y lugar público, libre, llena de risa ambivalente, de sacrilegios, de profanaciones de todo lo sagrado, de menosprecio y conducta indecorosa, de contacto familiar con todo y todos» (1984, pp. 129-130). No se trata solamente de que el carnaval es la expresión de la cultura popular, sino que, en un mismo plano de importancia, desafía la pompa y la autoridad, reduce lo grandioso a su debido tamaño, agujerea las devociones vacuas. El horror provocado en Jesse Helms por una exposición de fotografías nos ofreció un ejemplo reciente de lo que puede ocurrir cuando se ponen en cuestión falsas pretensiones de pureza y superioridad moral.

Obviamente, no estoy diciendo que baste simplemente con danzar o reír. Lo que sí digo es que me parece importante dejar que se libere la energía que permite un «contacto familiar con todo y todos»: guardianes, vigilantes, burócratas, administradores. Por poco efectiva que resulte, esa energía puede sentar las bases para la crítica *dentro de* la comunidad. Como describo en mayor detalle más adelante, el valor de esa energía está muy relacionado con la posibilidad de incluir las artes y las humanidades en nuestros programas pedagógicos, sean cuales sean los fines que tengamos en mente.

Hace tiempo que me fascina la relación entre la filosofía y la materialización de la liberación y las experiencias de emancipación. Son muchas las personas que parecen haberse sentido incitadas a emprender búsquedas filosóficas llevadas por un sentimiento de confinamiento, de ahogo de energías, de ser vivo atrapado e inmóvil en la oscuridad. No es de extrañar que temas como la represión, la reclusión o la alienación hayan provocado también intensamente a escritores y poetas desde prácticamente los albores de la historia humana. ¿Quién no recuerda ese momento en *La república* de Platón en el que el prisionero liberado de la caverna remonta vacilante el pasadizo que lo conduce a la luz del sol? ¿O a Francis Bacon cuando trata de advertir a sus lectores de que se cuiden de los «ídolos» que obstaculizan su visión y distorsionan sus capacidades racionales? ¿O a David Hume cuando arremete contra las sofisterías y las ilusiones? Estoy convencida de que lo que impulsó a Karl Marx a estudiar economía política y, en general, filosofía, fue su negativa a conformarse con la visión de aquellos niños pálidos, esclavizados en las oscuras naves fabriles y la ira que le producía ver cómo el obrero se hundía «hasta el nivel de la [...] mercancía más miserable». Todavía hoy me siento espoleada por el himno a la energía (sí, a esa energía burguesa que «hizo que todo lo permanente y perenne se esfumara») que podemos encontrar en *El manifiesto comunista* ([1848] 1935, p. 26), una declaración que también describe la restricción de las posibilidades humanas a medida que los valores de mercado van absorbiendo energía y van reprimiendo todo lo que no es comercializable. Recordemos a William James cuando rechazaba la estabilidad y el determinismo y afirmaba la contingencia y lo que llamaba «un mar de posibilidades» ([1897] 1912, p. 150); a W.E.B. Du Bois cuando defendía su sueño de una civilización libre e inteligente ([1903] 1982); a Dewey cuando, como ya hemos visto, luchaba contra el hábito, contra la rutina o contra lo fijado sin más; o a William Blake cuando percibía la existencia de «cadenas que nuestra mente ha forjado» ([1793] 1958, p. 52), una percepción que preludia nuestra idea de que (al menos, la mayoría de nosotros) no hemos de buscar la coerción de hoy en día en los látigos ni en las puertas y las barras de hierro que marcaron una época más explícitamente brutal. Nos hallamos más bien ante una restricción de la conciencia, una deformación del pensamiento y del sentimiento, un distanciamiento y un privatismo que no suelen ser experimentados directamente como coercitivos.

Son múltiples las motivaciones que mueven a las personas hacia el aprendizaje a lo largo de toda la vida. Entre ellas, está la de traspasar los límites de las situaciones vividas o, en un sentido más general, la de una mayor realización personal. Ningún profesor puede condenar los esfuerzos por llegar a más, por hacerse diferente, por superarse. Pero, al mismo tiempo, hemos de ser conscientes del estrechamiento del espacio público que se está produciendo en la actualidad, de la erosión de la comunicación, de los silencios que ocupan el lugar del diálogo. El uso de la eficiencia, la competencia y la capacidad de venta como criterios estándar parece haber carcomido el ideal de la ciudadanía. De hecho, tal como expliqué anteriormente, las demandas que se formulan actualmente en el ámbito de la educación apuntan mucho más en el sentido de un rendimiento técnico «de primera fila mundial» que en el de la creación de una comunidad de ciudadanos y ciudadanas.

No hace aún mucho desde que las imágenes en las que los alemanes del este aparecían encaramados a los muros, el triunfo de Solidaridad en Polonia y la Revolución de terciopelo en Checoslovaquia, llamaron nuestra atención sobre la intensidad con la que en otros lugares se aspiraba a la democracia. Sacrificaron mucho y creyeron en que la utopía democrática era algo por lo que valía la pena morir. Mientras tanto, en nuestro propio y rico país, horrorizados como muchas veces nos sentimos ante sus desigualdades y vulneraciones, muchos y muchas nos volvemos cada vez más cínicos. Perdemos nuestras esperanzas en aquello que actualmente se conoce despectivamente como liberalismo. Dedicamos poco tiempo a pensar con seriedad o esperanza en las tradiciones de la democracia, en cómo arraigaron en la experiencia americana algo más de dos siglos atrás. En la actualidad, aun cuando reflexionemos sobre la crítica, el pensamiento emancipador, la práctica reflexiva y las pedagogías diferenciadas necesarias para un cambio significativo, es muy posible que apenas pensemos en lo que tienen de problemático la igualdad y la libertad. Lo cierto es que, preocupados como estamos (y debemos estar) por la diversidad de aprendizajes importantes que deben adquirir los estudiantes, puede que pensemos sólo de forma muy ocasional en la conexión que existe en democracia entre libertad y relación, entre aprendizaje y diálogo público, entre felicidad y preocupación social.

Desde los tiempos de Tocqueville, sabemos en este país que el éxito material e, incluso, la igualdad no aseguran la felicidad humana. Tocqueville se refirió a las pasiones de las personas que viven en una era de democracia y a cómo tales pasiones convergían en una búsqueda de riqueza que asimilaba crecientemente a las personas entre sí e infundía una monotonía fundamental en sus vidas ([1835] 1945, pp. 48-56). Casi un siglo después, Dewey escribió sobre la «patología social que tiende poderosamente a anular la indagación efectiva. de las instituciones y las condiciones sociales. Ésta se manifiesta de mil formas y maneras: una queja continua, un impotente "dejarse llevar", una desaforada atención a las distracciones, una idealización de lo ya establecido desde hace tiempo, un optimismo superficial que se lleva encima como una capa, una glorificación desenfrenada del estado de las cosas "tal como son", una intimidación de todo el que discrepa. Todas ellas son manifestaciones que deprimen y disipan la reflexión de manera efectiva, tanto más cuanto que ejercen su influencia omnipresente de un modo sutil e inconsciente» ([1927] 1954, p. 170). Puede que los individuos de dicha sociedad no hayan hecho más que empezar a comprender esa patología y a desarrollar críticas para afrontarla. De ahí que los profesores debamos hacer tanto hincapié en la importancia de que las personas se vuelvan conscientes de su propia conciencia. Las personas deben concienciarse del modo en que construyen sus realidades en convivencia: cómo capturan las apariencias de las cosas, cómo y cuándo se interrogan acerca de sus mundos vividos, cómo reconocen las múltiples perspectivas existentes que dan sentido al mundo del sentido común.

Por nuestro testimonio directo de las depredaciones y vejaciones provocadas por la indiferencia de la sociedad, los profesores sabemos que no basta con la educación terapéutica. Al reflexionar sobre el alcance de la drogadicción en este país (y la ausencia de centros de tratamiento para las personas pobres), sobre la temible expansión de la epidemia del SIDA, sobre el número de bebés que padecen abusos o son abandonados o sobre el número de personas sin hogar, sobre el racismo, sobre el abandono escolar y sobre la violencia, y sabiendo que todo ello forma parte de la sociedad en la que vivimos, hemos de hallar el modo de crear situaciones en las que las personas opten por llevar a cabo una acción cooperativa o colectiva con el fin de generar reformas sociales. Quizás podamos hacerlo a la luz de normas y principios derivados de las redes de personas y grupos preocupados por esa cuestión actualmente existentes o a partir de los criterios considerados tradicionalmente constitutivos de un marco racional de normas: justicia, respeto por los derechos humanos, libertad, respeto a los demás. Se trata fundamentalmente de criterios que, supuestamente, todo individuo inteligente de la comunidad debería aceptar (o eso, al menos, es lo que muchos de nosotros creemos).

Dewey llegó a la conclusión de que la democracia es un ideal en el sentido de que siempre apunta a un determinado fin que nunca puede alcanzar de manera definitiva. Está (como la propia comunidad) siempre en construcción. Según Dewey, la comunidad implica la existencia de una actividad cooperativa cuyas consecuencias son apreciadas como buenas por los individuos que participan. El bien es tan apreciado y tan ampliamente compartido que las personas desean mantenerlo. Cuando eso sucede, existe una comunidad. Y la conciencia clara de la existencia de una vida comunal constituye la noción misma de democracia ([1927] 1954, p. 148).

De ahí se desprende que los principios de igualdad, justicia, libertad, etc., que asociamos con la democracia no pueden ser descontextualizados sin arriesgarnos a que pierdan su significación. Han de ser entendidos y apreciados en el seno de las transacciones y los intercambios de la vida en comunidad. Es más, han de ser *elegidos* por individuos vivos a la luz de la vida compartida de unos individuos con otros. Por lo tanto, una dimensión importante de toda la educación ha de ser la creación intencionada de situaciones gobernadas por normas, situaciones en las que los estudiantes descubren qué es experimentar una sensación de deber y responsabilidad (tanto si derivan esa sensación de sus propias experiencias de preocupación activa o pasiva como si la deducen de sus intuiciones y concepciones de justicia y equidad).

¿Cuáles son las formas recurrentes que adopta la ausencia de preocupación e interés? Son muchas las imágenes presentes en la literatura estadounidense que evocan formas que se han repetido y continúan repitiéndose en la vida de este país. Una de ellas, por ejemplo, es la de la imponente figura del

capitán Ahab de Melville, irresistiblemente autónomo, devo-
rado por la idea de conducir a la fuerza a un navío repleto de
solitarios hacia la culminación de la meta personal de su capitán: matar a la ballena blanca que le arrancó la pierna. Llega
incluso a coaccionar a los miembros de su tripulación impre-
sionándolos, haciendo sonar ante cada uno de ellos la recom-
pensa de sus sueños, mascullando entre dientes «¡dinero, sí,
dinero!» ([1851] 1981, p. 216). Otra de esas imágenes es el
Gilbert Osmond de Henry James en *Retrato de una dama,*
que muestra absoluta indiferencia ante todos aquéllos a quienes considera despreciables y cuya preocupación fundamental es llegar a acumular la suficiente riqueza como para vivir
de acuerdo con las vacías formas de la tradición, totalmente
inmune a las duras penalidades de los pobres. En cuanto se da
cuenta de ello, su esposa, Isabel, asimila las creencias de su
marido al enmohecimiento y la descomposición y descubre
que, a pesar de todas las esperanzas, la curiosidad y la conciencia de liberación que ella había mantenido, su marido
había construido para ella «una casa de oscuridad, [...] de
insensibilidad, [...] una casa de asfixia» ([1881] 1984, p. 478).
Y, finalmente, hay también una imagen destacable en *El gran
Gatsby* después del asesinato del propio Gatsby: «Todo fue
muy descuidado y confuso. Eran personas descuidadas, Tom y
Daisy... dañaban las cosas y a las personas y, entonces se refu-
giaban en su dinero o en su gran indiferencia, o en lo que
fuera que los mantenía juntos, y dejaban que la otra gente lim-
piara los regueros que habían dejado» (Fitzgerald, [1925]
1991, pp. 187-188).

Mi intención al hacer presentes estas imágenes no es
tanto la de dar a entender que tenemos unos alumnos tan
«privatistas», egoístas e indiferentes que han de ser redimidos
de algún modo, sino la de sugerir la existencia permanente de
un lado sombrío en la cultura americana (un aspecto insensible y separatista que muchos asocian equivocadamente con la

libertad), y creo que debemos tener en cuenta esa sombra cuando educamos y concebimos la posibilidad de reformar. El novelista italiano Ignazio Silone ha pensado tanto en ese lado sombrío como en la necesidad de una crítica interna. Tras comprobar que la crítica radical suele iniciarse cuando las personas se toman en serio los principios que les enseñan sus maestros, señala que «estos principios se proclaman como fundamentos de la sociedad actual, pero si se toman en serio y se utilizan como criterio para evaluar la organización de la sociedad [...] hoy en día, resulta evidente que existe una contradicción radical entre esta última y tales principios. Nuestra sociedad los ignora en la práctica [...] Pero para nosotros son una cosa seria y sagrada [...] los cimientos de nuestra vida interior. El hecho de que la sociedad los masacre y los utilice como máscara y como herramienta con la que engañar y burlarse de las personas nos llena de enojo e indignación» (1937, pp. 157-158). Nos vemos frente a frente, una vez más, con la indignación, el ultraje, que se siente en presencia de la reclusión y la restricción y que ha dado lugar a tanta filosofía, pero esta vez vemos que los profesores proporcionan parte del conocimiento que permite a los individuos apreciar su propio confinamiento. Deberíamos concebir la educación como una apertura de espacios públicos en los que los estudiantes, hablando con sus propias voces y actuando según sus propias iniciativas, puedan identificarse y elegirse a sí mismos con respecto a principios tales como la libertad, la igualdad, la justicia y la preocupación por los demás. Podemos esperar transmitir la sensación de que las personas son más plenamente ellas mismas y están más abiertas al mundo cuando pueden tener conciencia de sí mismas apareciendo ante otras personas, hablando con sus propias voces y tratando, al mismo tiempo, de crear un mundo común en el que sea posible materializar normas tan serias y sagradas como ésas de las que parece haber llegado noticia a la otra punta del mundo. Ese mundo será creado, en parte, a partir de la narración, del hecho de dar voz a las perspectivas personales, de escuchar los relatos o historias de los demás, de buscar el acuerdo, de ampliarlo y de tratar de expandir el referente de lo que se comparte.

Lo que me interesa es descubrir qué podemos hacer para abrir esa clase de espacios donde, por el hecho de hablar y estar juntas, las personas pueden descubrir lo que significa encarnar unos valores que se dan demasiadas veces por sentado y pueden actuar según los mismos. Sabemos de sobra que definir esta sociedad en términos del «sueño americano» o en referencia a «la vida, la libertad y la búsqueda de la felicidad» no significa nada si las personas que la componen no se sienten llamadas a actuar guiadas por tales ideales y, por tanto, no los materializan. Debemos intensificar la atención que prestamos al mundo concreto que nos rodea en toda su ambigüedad, con sus callejones sin salida y sus posibilidades abiertas. Y atender –como tanto Dewey como Freire nos han ayudado a ver– no se reduce simplemente a contemplar, sino que supone llegar a conocer de tal modo que se pueda provocar el cambio. ¿Qué clase de cambio? ¿Según qué visión de futuro? Yo sugiero que, al principio, pensemos guiados por un «conocimiento local», que tengamos lo que Clifford Geertz llama una «apreciación por lo inmediato» (1983, p. 167), es decir, por la inmediatez de nuestra propia institución, nuestro barrio, las calles, puertas y ventanas que nos rodean, y las personas de la calle. A partir de ahí, tanto nosotros como nuestros alumnos podemos ir procediendo de lo cercano a lo distante, de lo particular a lo general, sin correr el riesgo de perdernos nosotros mismos en esas grandes abstracciones que tan a menudo se confunden con certezas ni de consentir las definiciones globales que tantas veces generan crisis globales. En lo que a la educación respecta, las soluciones a gran escala son de escasa relevancia para las tareas relacionadas con situaciones específicas. El conocimiento y el encuentro entre personas a nivel local debería contrarrestar la tendencia a la abstracción y también debería hacerlo el interés por lo particular, lo cotidiano, lo concreto. (La introducción de las obras literarias y el arte en la formación del profesorado puede contribuir a que los profesores desarrollen ese interés consciente. La literatura trata de particularidades, seduce a las personas para que vean y sientan, para que imaginen, para que «presten» sus vidas a la perspectiva de otra persona.)

Pasar, pues, de las particularidades a conocimientos progresivamente más amplios consiste, en parte, en examinar un número creciente de esas particularidades, en descubrir cada vez más formas de trascender el saber unidimensional en las preguntas y las visiones de los demás. La expansión del diálogo permite, en primer lugar, la constitución paulatina de un espacio intermedio y, en segundo lugar, la creación progresiva de un mundo común regido por normas. Y es posible incluso que –si ese mundo es vivido por aquéllos y aquéllas que experimentan la amistad mutua y que tienen un modo de relacionarse abierto y fundado en el respeto recíproco– sean cada vez más las personas que hallen placer en mirar de manera distinta el mundo compartido, en variar las perspectivas y sentir al mismo tiempo que se amplía su comprensión fundamental de las cosas.

Obviamente, siempre surgen interrogantes a propósito de los principios que decidimos utilizar para definir un espacio democrático. ¿Son objetivos? ¿Son universales? Basándome en Richard Rorty, yo sugiero que lo mejor que podemos hacer es describir los procedimientos familiares de justificación existentes en nuestra sociedad en lugar de aspirar a una determinada verdad fija. Como el pragmatista de Rorty, yo también sugeriría que no busquemos una teoría de la verdad, sino que afirmemos una base ética para nuestras justificaciones del valor de la indagación humana cooperativa. Lo único que podemos hacer es articular de la forma más clara posible qué es lo que creemos y lo que compartimos (1991).

Muchos de nosotros opinamos tras los trágicos sucesos de la plaza de Tiananmen que aquella masacre no podía ser de recibo en el mundo moderno, que estaba mal categórica y objetivamente. Pero aun cuando nos escogemos a nosotros mismos como personas dispuestas a actuar contra lo que creemos que está mal si tenemos la oportunidad, sabemos a cierto nivel que, a fin de cuentas, el criterio según el cual aquello estaba mal no nos vino objetivamente dado. Desde luego, los dirigentes chinos no reconocieron que lo que habían hecho estuviera mal, como tampoco sus predecesores habían reconocido la maldad de otras masacres anteriores. La sensación de maldad absoluta que nos embargó no difirió mucho de cómo nos sentimos algunos de nosotros cuando se dictó sentencia de muerte contra Salman Rushdie o, anteriormente, de cómo se sintieron algunas personas (aunque no todas, sin duda) durante el Holocausto o, posteriormente, durante el juicio a Adolf Eichmann. Sí, resulta doloroso que no seamos capaces de identificarnos con una Verdad o un Bien superiores y externos a todos nosotros. Pero lo que sí podemos hacer es recurrir a la articulación y la fundamentación de lo que compartimos afirmando que las raíces de lo que tenemos en común se encuentran en una vida vivida y esperando (sin descanso) que se pueda ir ampliando la mayoría, que sean cada vez más las personas dispuestas a elegir como absoluto el derecho de los seres humanos a actuar en libertad.

Hannah Arendt, en una bella descripción de la confección de una «red de relaciones humanas» (1958, p. 183), describe cómo la acción y el discurso de las personas suelen estar ocupados primordialmente en sus intereses mundanos y objetivos. Se trata de intereses –como planificar una reunión, formar un grupo de atención a personas con SIDA o fundar un programa de alfabetización básica– entre personas y, como tales, pueden relacionar y vincular a esas personas entre sí. La mayor parte de nuestra acción y de nuestro discurso tiene que ver con esa especie de «espacio intermedio» y, por tanto, la mayoría de palabras y de obras se refieren a una realidad mundana (listas de la compra, reparaciones de coches, beneficios y pérdidas empresariales, acceso a la universidad, experiencias teatrales, fe religiosa compartida), sin olvidar que son revelaciones de los agentes implicados (ésos que actúan y hablan). Arendt dice que, aunque esa revelación del agente, ese espacio intermedio subjetivo que se origina cuando las personas actúan y hablan directamente entre sí, es inherente al trato social más objetivo, sobrepasa luego ese interés objetivo. El espacio intermedio subjetivo no es tangible; no dejará tras de sí un grupo de personas reunidas en sesión, una cafetería para la tercera edad, un centro de asesoramiento sobre el SIDA. «Pero a pesar de su intangibilidad, ese espacio intermedio no es menos real que el mundo de las cosas que tenemos visiblemente en común. Llamamos a esa realidad la "red de las relaciones humanas", una metáfora que expresa su condición intangible.» (1958, p. 183)

La idea de Arendt, según la cual nos revelamos como sujetos y como personas únicas y diferenciadas al juntarnos, me parece de tal importancia que debemos hallar formas de integrarla en nuestras nociones de comunidad y de acción colaboradora. También es una idea esencial a la hora de elaborar principios y materializar normas y optar por vivir con acuerdo a dichos principios y tratar de persuadir a otras personas para que hagan lo mismo. A fin de cuentas, sólo un *sujeto* puede elegir: es decir, puede decidir cortar el ancla e injerirse en el mundo con una identidad y responsabilidad específicas, un modo particular de valorar lo que le rodea y de esforzarse por lograr que se encamine en la dirección de lo que debería ser. El esfuerzo y la imaginación deberían formar parte de la danza de la vida, de la capacidad que se desata en nosotros cuando participamos en un baile o cuando lo contemplamos, o cuando escuchamos a Mahler, a Mozart o a Stravinsky, o cuando leemos un poema o una novela, o cuando escuchamos un relato. El arte me ha dado muchas experiencias imaginativas y estoy segura de que no son sólo mías. Una de ellas fue la que tuvo lugar cuando leí *Beloved*, de Toni Morrison, una extraordinaria novela sobre la esclavitud, la huida de la misma y la pérdida de los hijos. Es imposible que ninguna mujer que haya sido madre no descubra un aspecto totalmente nuevo de la maternidad, del amor maternal, cuando lee, por ejemplo, cómo se sentía Baby Suggs cuando vendían a sus hijos y los separaban de ella.

> *[Aquél fue] el último de sus hijos. Apenas lo había querido mirar al nacer porque no valía la pena memorizar rasgos que, de todos modos, nunca vería transformarse en adultos. En siete ocasiones había hecho lo mismo: les sostenía un piecito y estudiaba con sus dedos de madre las puntas de aquellos otros deditos (que nunca vería convertirse en las manos de mujer o de hombre que una madre siempre es capaz de reconocer en cualquier parte). Seguía sin saber hasta la fecha qué aspecto tenían sus dientes definitivos o cómo ponían la cabeza para llorar. ¿Perdió Patty su ceceo? ¿Qué tonalidad adquirió finalmente la piel de Famous? ¿Tenía Johnny el mentón partido o aquello era sólo un hoyuelo que desaparecería en cuanto le fuese cambiando la mandíbula? Cuatro niñas y la última vez que las vio no tenían ni un pelo en las axilas. ¿Le seguirá gustando a Ardelia la parte quemada del fondo del pan? Los siete se habían ido o estaban muertos.* (1987, p. 139)

Cuando captamos esos detalles del mundo creado de Morrison, nos trasladamos de lo que tan bien recordamos y tan hondamente apreciamos a lo que para la mayoría de nosotros resultaría inconcebible. Es probable que lo que siempre habíamos considerado como algo natural nos parezca ahora cruelmente trastocado. ¿Cómo pudo ser humano alguno encargarse de vender niños, de privar de siete de ellos a una madre los que había dado a luz y de sentirse justificado basándose en las costumbres, los códigos, las imágenes interiorizadas y una realidad dada por supuesta que nadie estaba dispuesto a cuestionar? Es probable que acudan a nuestra memoria recuerdos de lo que se siente al acariciar y criar a niñas y niños pequeños, acompañados de remembranzas de cierto miedo (profundamente reprimido) a perderlos. Y puede que sea entonces cuando afluya a nosotros la indignación, una indignación auténtica: retroactiva en lo que respecta a los niños vendidos como esclavos y presente en referencia a los niños que padecen abusos o que se pierden. Puede también que, tras la indignación y el apasionamiento, nos embargue el ansia por solucionar y reparar el problema.

Esto es sólo parte de lo que puede ocurrir cuando el sujeto está presente en el espacio público: el espacio en el que debería darse forma a las visiones de futuro, en el que (ocasional y espontáneamente) las personas deberían sentirse parte de la danza de la vida.

6
Recordar las formas de la infancia

Somos arrojados al mundo como seres corpóreos que tratan de entender. A partir de ubicaciones situadas particulares, nos abrimos a campos de percepción. Al hacerlo, empezamos a habitar variados y siempre incompletos multiversos de formas, contornos, estructuras, colores y sombras. Nos hacemos presentes en ellos como conciencias que somos en su seno, no como observadores externos, por lo que vemos aspectos y perfiles, pero nunca totalidades. Salimos en busca del mundo: tocando, escuchando, observando lo que se nos hace presente a partir de nuestros paisajes prerreflexivos y primarios. Nos lanzamos en pos de horizontes: horizontes de lo que podría ser y horizontes de lo que fue. Como tenemos la capacidad de configurar lo que nos rodea, dotamos el paisaje de pautas y estructuras. Antes de entrar en la vida del lenguaje, antes de tematizar y conocer, ya hemos empezado a organizar perceptiva e imaginativamente nuestras experiencias vividas. Informamos nuestros encuentros por medio de actividades que quedan luego oscurecidas por los sedimentos de la racionalidad.

Evidentemente, no podemos regresar a los paisajes de esos días prerreflexivos. Lo único que podemos es hacérnoslos presentes reflexionando sobre ellos. Pero, aun así, al hacer el esfuerzo de reflexionar sobre ellos, conseguimos tener mucho más presente lo enredado y abierto de nuestro yo individual. Es en ese contexto en el que Merleau-Ponty habla de la «primacía de la percepción», es decir, de la necesidad de dar una prioridad a la percepción en nuestras vidas, ya que «la percepción es nuestra presencia en el momento en el que las cosas, las verdades y los valores se constituyen para nosotros». Y, como he mencionado anteriormente, también ve en la percepción «un *logos* incipiente: [...] nos enseña, más allá de dogmatismos, las condiciones verdaderas de la objetividad misma, [...] nos convoca a las tareas del conocimiento y la acción» (1964, p. 25). Propone, por decirlo de otro modo, que nuestro conocimiento y nuestras conceptualizaciones estén fundadas en lo que William James describió como «intensidad o acritud, el factor vital de la realidad» ([1890] 1950, p. 301).

Puesto que, por otra parte, la percepción siempre se produce desde un ángulo de observación concreto dentro del mundo vivido (y, por tanto, nuestros esfuerzos por captar la realidad están siempre condenados a ser incompletos), nos sentimos llamados a emprender la clase de iniciativas que interrelacionan las perspectivas en un todo más o menos coherente (aunque inconcluso). Lo que sugiero es que es precisamente lo incompleto –la pregunta abierta, quizás– lo que nos impele a conocer y a actuar. Recordemos la forma que tenía Virginia Woolf de traducir una «conmoción» en palabras para «hacerla entera» (1976, pp. 70-71). Lo que parece crucial es la apreciación, la inserción activa de la percepción propia en el mundo vivido. Sólo después de que algo así se haya producido podrá materializarse un proyecto: plasmar una explicación en palabras, combatir una plaga, buscar hogares para los sin techo, reestructurar escuelas inhumanas. Reflexionar sobre esto equivale a convencerse de que buena parte de la educación que conocemos es un educarse en el olvido y la mala memoria. Los profesores distraemos a los jóvenes de sus propios paisajes y formas percibidas al insistir en el carácter dado e inamovible de los marcos explicativos predeterminados. Soltamos las ligazones entre los jóvenes y los objetos, las imágenes, las articulaciones y las demás personas con las que han estado «enredados», es decir, con «las condiciones verdaderas de la objetividad misma».

De autoras como Belenky, Clinchy, Goldberger y Tarule (1986) he aprendido que mi búsqueda de una narrativa ha acabado por infundir una determinada forma a mi infancia; quizás se trate de una especie de sensación de lo valioso de mi experiencia que nunca antes había conocido. En este capítulo, pongo de manifiesto la noción de recuerdo de las formas de la infancia referida a una historia de vida. No puedo honestamente decir que se trate de «la historia de *mi* vida», porque eso implicaría que, como una araña, yo habría sido capaz de tejer una especie de tela exclusivamente a partir del material de mi propio ser, cuando, en realidad, no puedo excluir los contextos de mi género, de mis relaciones con mi hermana y mi madre, de los fenómenos políticos y profesionales y, ni siquiera, del envejecimiento y la decadencia que he ido experimentando a partir de «mi yo». No soy tan «individual» como para proclamarme libre de la influencia conformadora de los contextos. Tampoco puedo olvidar que, por muy consciente que haya intentado ser en todo momento, he vivido dentro de toda una variedad de ideologías y de prácticas discursivas, aun cuando haya tratado –mediante la resistencia y la crítica– de liberarme a mí misma. Cuando regreso a mi «sitio, al terreno de [mi] mundo perceptible y abierto», debo presentar también otros cuerpos asociados con el mío, «esos "otros" *junto a* los que persigo un Ser singular, presente y real» (Merleau-Ponty, 1964, p. 168). En el paisaje original en el que se arraiga un individuo, allí donde empezó su vida, siempre existe una sensación de conciencia que se abre a lo común. Cuando estamos en medio de las cosas, experimentamos los objetos y las acciones de otras personas de manera corpórea y concreta. Y a pesar del distanciamiento y la simbolización que se producen después, las narrativas que configuramos a partir de los materiales de nuestras vidas vividas deben tener en cuenta de algún modo nuestros paisajes originales para que podamos tenernos presentes a nosotros mismos y para ser partícipes de una auténtica relación con los jóvenes. Desde mi punto de vista, en ese terreno primario (el terreno en el que estamos en contacto directo con las cosas y no separados de ellas por las lentes conceptuales de los constructos y las teorías) es en el que nos reconocemos los unos a los otros.

Conviene aquí examinar más detenidamente la idea de búsqueda, aventura o empresa a la que me he referido anteriormente. Al igual que Charles Taylor (y otros autores), para mí el esfuerzo mismo de dar forma de narración a los materiales de la experiencia vivida es una fuente de creación de sentido. Precisamente porque reflexionamos sobre el pasado cuando explicamos nuestras historias, tenemos la posibilidad de recuperar el *logos* incipiente, es decir, nuestra mente tal como era justo antes de que emergiera de lo percibido y lo vívido y empezara a abstraer. Del mismo modo que no podemos «más que orientarnos hacia el bien» al inventar nuestras narraciones «y determinar así nuestro lugar con relación al mismo y, a partir de ahí, determinar la dirección de nuestras vidas», debemos también «indefectiblemente entender nuestras vidas de un modo narrativo, como una "búsqueda"» (Taylor, 1989, pp. 51-52). Concebir nuestras vidas como búsquedas en pos de algo abre también la posibilidad de que las veamos en términos de proceso y posibilidades, es decir, como «una ruta, una experiencia que se va clarificando poco a poco, que se va rectificando paulatinamente y avanza a través del diálogo consigo misma y con otras» (Merleau-Ponty, 1964, p. 21). Me acuerdo de algo que escribió Frost: «Desde donde estaba la carretera se separaba en dos». Los dos caminos se pierden en la distancia; optamos por uno sabedores de que su realidad está supeditada a nuestra percepción en aquel momento, a la forma en la que la carretera se nos hace presente. Seguir un camino es, seguramente, embarcarse en una búsqueda y puede que el hecho de que escojamos el que nos resulte «menos trillado» importe o puede que no. No hay nada objetivamente cierto a propósito de ninguno de los dos caminos. Todo lo que podemos decir es que desde el punto de observación de una conciencia situada, se abren perspectivas, aparecen panorámicas, se hacen visibles formas (y también sombras, por supuesto). Ésa es la clase de momento que espero que podamos mantener vivo, aun cuando (como nos recuerda el propio Frost), ya no haya «camino de retorno» ([1916] 1972, p. 51).

Una de las formas de iniciar la reflexión que puede permitirnos crear una narrativa y empezar a comprender la imaginación en nuestras vidas es a través de la recuperación de las experiencias literarias que han tenido una significación para nosotros en momentos diversos de nuestra vida. La lectura de obras literarias puede nutrirnos de todo tipo de comprensión de las estructuras de significado vividas, aunque no necesariamente de manera cronológica ni en un determinado orden lógico. Pero la imaginación puede liberarse mediante la lectura y, cuando lo hace, los significados derivados de experiencias previas suelen abrirse camino a través de las puertas de la imaginación (tal y como lo veía Dewey) para interactuar con las experiencias del momento presente. Cuando en los aspectos del presente se insuflan materiales originados en el pasado, se produce siempre una re-visión de ese pasado, incluso cuando la nueva experiencia (ahora enriquecida) se hace consciente. Dado su continuo interés por la necesidad de resistirse a la inercia del hábito y a la capacidad de ésta para impedir que se produjera dicha conciencia, Dewey recurrió a la estética artística, a lo que denominó el «arte como experiencia». La implicación activa en obras diversas, los intentos activos de materializarlas como objetos de experiencia, podían, según él creía, contrarrestar lo anestésico («*an*estético»), lo monótono, lo banal, lo rutinario. En la cuestión del encuentro de las experiencias del pasado con las del presente, él hacía énfasis en cómo la materia formada de una experiencia estética podía expresar directamente significados también evocados cuando la imaginación empieza a funcionar (1934, p. 272).

Todo el mundo, por supuesto, tiene su propia relación con una experiencia así. En mi caso, la descripción que se hace en *Moby Dick* de la depresión de Ismael, de la tristeza suicida que le impelió a hacerse a la mar como si se tratara del «noviembre húmedo y lloviznoso de mi alma» (Melville, [1851] 1981, p. 2), evoca en mí un sinfín de noviembres de mi propia vida pasada e innumerables momentos de desesperanza y melancolía, algunos de los cuales se introducen de formas diversas en mi presente. No sólo es importante que Melville hallara una poderosa metáfora que es reconocible por la mayoría de personas del hemisferio norte y, ciertamente, de la tradición occidental. También es importante el hecho de que hallara un modo de desatar recuerdos específicos en los individuos. En mi caso, algunos de esos significados fueron liberados, por ejemplo, por la metáfora compuesta por la contemplación del agua en el puerto de Nueva York, el vaivén de los navíos de vela allí anclados, el océano extendiéndose hasta el horizonte y la sensación de expandirse, de ir más allá, de aspirar a lo que no existe todavía. Las tristezas del pasado se modifican en cierto sentido al tiempo que la experiencia presente se transmuta y amplía. El noviembre lloviznoso se convierte en un comienzo, un levar anclas, un optar por la búsqueda, por lo que podría ser. Si miro hacia atrás, me doy cuenta de que veo las experiencias pasadas de un modo nuevo –y me doy cuenta de lo que significa haber vivido una de muchas vidas posibles– y de que incluso hoy en día se abren oportunidades todavía por explotar. Pensemos que Jean-Paul Sartre recordaba que, al enfrentarse a una ficción, los lectores tenían que crear lo que se les revelaba a través de la lectura: tenían que darle vida (1949). La decisión de Ismael es entonces (y a fin de cuentas) nuestra propia decisión: le prestamos nuestra vida mientras leemos. La pasión de Cathy por Heathcliff en *Cumbres borrascosas* es *nuestra* pasión; el amor asesino de Joe por Dorcas en *Jazz*, de Toni Morrison, es nuestra propia epifanía: le prestamos su gusto y su llama.

Escritor y lector son responsables del universo creado a través del acto de la lectura. Para Sartre, eso significaba un universo apoyado en el esfuerzo conjunto de dos libertades: la del lector y la del autor. Ambos rompen con lo mundano, con lo fijado, y se proyectan hacia el futuro y escogen ante la posibilidad. El libro se convierte en una especie de obsequio debido, principalmente, a que va dirigido a la libertad humana, a la capacidad de ir más allá de lo que se es, de crear identidad a la luz de lo que podría ser (1949, pp. 62-63). Al ser tratado de ese modo, el lector o la lectora pueden –como dijo Roland Barthes– rescribir el texto de lo que leen en los textos de su vida. Según Barthes, podemos rescribir nuestras vidas también a la luz de tales textos (1975, p. 62).

Aquí haré también esa clase de reescritura utilizando como ejemplo algunos de los textos que han sido importantes para mí a la hora de configurar una narración y de buscar las formas de la infancia. Quiero dejar claro que no se trata de un juego de memoria, sino que esa búsqueda tiene la intención de restaurar la visibilidad de las formas de un paisaje primario percibido y que, en ese sentido, he descubierto que la literatura (al menos en mi caso) tiene el potencial de hacer visible lo que está hundido fuera del alcance de nuestra vista, de restablecer una visión y una espontaneidad perdidas. Si puedo volver a hacer presentes las formas y las estructuras de un mundo percibido, aun cuando se les hayan ido superponiendo múltiples significados racionales con el tiempo, estoy convencida de que mi propio pasado aparecerá de manera modificada y que la vida que vivo en el presente –es decir, la docencia– será más arraigada, más mordaz y menos susceptible de racionalización lógica (para cuanto más de instrumentalidad racional). Soy consciente de que el recuerdo de experiencias literarias está inevitablemente afectado por los juicios críticos y cognitivos en general (míos o de otras personas). Aun así, siempre es posible poner esos juicios entre paréntesis (en suspenso) mientras buscamos las experiencias prerreflexivas que el arte puede hacer accesibles si ponemos atención. Seguramente hasta los encuentros literarios rememorados pueden abrir vías en la mente y la experiencia de una persona que ninguna otra articulación puede abrir del mismo modo.

Un ejemplo de lo que busco puede verse en el poema de Elizabeth Bishop titulado «In the Waiting Room» («En la sala de espera»). Trata de una joven Elizabeth sentada en la sala de espera de un dentista mientras éste atiende a su tía Consuelo. Está leyendo un ejemplar del *National Geographic* y contempla las fotografías (turbadoras para ella) de pueblos africanos en las que aparecen los pechos desnudos de «mujeres con los cuellos envueltos en aros interminables de alambre como si fueran los cuellos de una bombilla». De pronto oye un grito de dolor procedente de su tía y se da cuenta, sorprendida, de que a ella también se le ha escapado un grito. Mira a las personas que también esperan a su alrededor, con las rodillas y las botas grises, y piensa en la guerra que todavía se está librando (pensemos que es febrero de 1918) y que en Worcester, Massachusetts, es de noche y que afuera todo está cubierto de nieve a medio derretir y hace mucho frío.

> *Me dije a mí misma: en tres días*
> *tendrás ya siete años.*
> *Lo decía para que parara*
> *la sensación de estar cayéndome*
> *de aquel mundo redondo que gira*
> *en un frío espacio de color negro azulado.*
> *Pero sentí: tú eres un yo,*
> *tú eres una Elizabeth [...].* ([1975] 1983, p. 159)

El valor que para mí tiene el encuentro con este poema no estriba en que yo rememore también una sala de espera similar en un día igual en el que todo estaba cubierto de nieve fangosa. Tampoco radica en que me sirva para hallar el origen de mi miedo a los dentistas. Lo que realmente me impacta es la resonancia que en mí provoca esa imagen (o esa forma) de alguien que se baja (o está a punto de caerse) del mundo en marcha. En una determinada dimensión, tiene que ver con el miedo a caerme; en muchas otras, evoca el choque de conciencia que acompaña a muchas «caídas»: la expulsión del Edén, la pérdida del equilibrio al ejecutar la danza de mayo, la pérdida de la inocencia o, incluso, el caerse en las chimeneas (como el deshollinador de Blake), en los pozos o en el simple vacío. Es una imagen que evoca la fría comezón que siente una persona cuando se vuelve vulnerable de un modo inesperadamente crudo, como le ocurre a esa Elizabeth de siete años al pensar (con un temor ambivalente) que se va a convertir en uno de esos adultos de la sala, que va a ser «una de ellos». Cuando lo leo, algo atraviesa esa puerta de entrada mediada por la imaginación. Puede que haya otras cosas que intenten colarse por ahí en ese mismo momento, pero la que capto en este mismo momento es una que viene acompañada del sonido de un rayo que impactó hace tiempo en el tejado de una cabaña de montaña y de la carrera que emprendí al momento junto a una amiga huyendo despavorida de los muñecos de papel colgados de punta a punta de la pared para ir en busca de mi madre. Mi amiga dio con la suya inmediatamente y se refugió sin perder tiempo en sus faldas. Pero las de mi madre estaban ya ocupadas, porque había gemelos recién nacidos en mi familia, y me sentí como si no tuviera sitio en el que ocultarme, en el que estar segura. Fue como si ella me hubiera rechazado y me hubiera arrojado abruptamente al mundo de los adultos. Ahora, cuando leo esa poesía y echo la mirada atrás, se amplía esa experiencia. La forma de la infancia de la niña que se cae del mundo de color negro azulado empieza a informar mi memoria con el impacto del relámpago, los delicados muñecos de papel colgados de la pared de una habitación, los brazos de mi madre ocupados con los bebés, mis manos aferrándose al dobladillo de su falda, temerosa y desdeñosa al mismo tiempo, deseosa de irme de allí y estar sola.

Y entonces recuerdo otra cosa que leí acerca de un tipo distinto de caída que también me resulta plenamente familiar. En *Infancia*, Nathalie Sarraute relata que de niña tuvo que recitar un poema y tuvo la sensación «de haberme dejado meter en ello, de no haberme atrevido a oponer resistencia alguna cuando me tomaron por las axilas y me pusieron de pie en aquella silla para que se me viera mejor». Habla de que la gente la miraba, expectante, y de que luego adoptó un afectado tono de voz infantil. «Me han empujado y he caído en esta voz, este tono, y no puedo volverme atrás, he de avanzar, camuflada bajo este disfraz de bebé». Ella sigue adelante con aquella ceremonia y la concibe como una sumisión, una renuncia a ser lo que realmente es. Recuerda que, después de que la hayan levantado de la silla, «de mí misma parte la idea de hacer la ligera reverencia característica de la niñita buena y bien educada, y salgo corriendo a esconderme... ¿tras las faldas de quién?... ¿qué estaba haciendo yo allí?... ¿quién me había llevado hasta aquel lugar, aquellas risas de aprobación, aquellas muestras de diversión y simpatía, aquellos fuertes aplausos...?» (1984, p. 52).

Mi padre me hizo hacer exactamente algo así: ponerme de pie (en mi caso, sobre la tapa del radiador) y recitar (en ocasiones, y para mayor vergüenza mía, algún poema escrito por mí misma). Yo sabía que aquello era tanto para enseñar un vestido nuevo con adorno de frunces como para presumir de mí, para mostrar que la inversión valía la pena. Lo detestaba y me encantaba al mismo tiempo, y ésa es la cuestión esencial que veo ahora. Entre las formas e imágenes confrontadas, los colores disonantes y los significados inciertos, me vuelve a la memoria el *Tonio Kröger* de Thomas Mann y no me siento para nada sorprendida de que la imagen de un carromato verde se repita una y otra vez. Hay algo en mi memoria que evoca a mi padre tirando de mí mientras voy subida en un pequeño carrito de madera. Desde donde estoy, él se ve muy alto, su silueta recortada contra el cielo, y me oigo a mí misma ahogando una protesta por el recorrido peligroso, lleno de baches, que seguimos colina abajo, y deseo que... por favor, quiero irme a casa. Sí, era distinto en el relato de Mann, pero aquel recuerdo tuvo un tremendo efecto sobre mí cuando era joven y ahora me doy cuenta de hasta qué punto lo evocado en mí por el relato tenía que ver con las pautas que yo ya estaba construyendo de niña: los horizontes hacia los que iba extendiéndome.

Tonio es un aprendiz de escritor con un padre disciplinado y respetable y con una madre de pelo negro que toca el piano y la mandolina y se muestra totalmente indiferente a las rarezas y los fracasos en la escuela de su hijo. Él piensa entonces: «Es bien cierto que soy lo que soy y no lo puedo cambiar ni lo cambiaré: irresponsable, obstinado, concentrado en cosas en las que nadie más piensa. Así que lo correcto sería que me reprendieran y me castigaran, en vez de acallarlo todo con besos y música. A fin de cuentas, no somos unos gitanos que viven en un carromato verde, sino que somos personas respetables: la familia del cónsul Kröger» (Mann, [1903] 1950, p. 9). Pero Tonio admira a las personas normales y corrientes, a esa gran mayoría, aunque sepa que él es diferente, un extraño entre ellos. Más adelante, suspira por la rubia y grácil Ingeborg, pero se ve inefablemente condenado a bailar sólo con la chica que siempre se cae en la contradanza. Cuando veo cómo la forma de ese carromato/carrito evoca el movimiento de la contradanza y hace real la sensación de marginalidad, de mirarse las cosas desde fuera, sufriendo por ello y, aun así, *queriendo* continuar fuera, voy conformando dialécticamente los materiales de mi propia historia. Y ahora me doy cuenta, como no se me había ocurrido mientras esta parte de mi historia se estaba desarrollando, de cuánto en ella estaba siendo afectado por factores de género. Eres una buena chica si sigues las directrices, si te aferras al dobladillo de la falda, si recitas para tu padre, si reprimes tu propio deseo, si accedes; pero también eras una niña infeliz, desagradable, muchos dirían que incluso fea, porque no te pareces a tu hermana ni vistes como ella. Eres la terca Antígona en lugar de su gentil y femenina hermana, Ismene. Eres la Dorothea Brooke de *Middlemarch* en vez de su dulce hermana pequeña, Celia. Si utilizo *Antígona* para mirar hacia atrás, creo reconocerme en cierto modo en el drama por las formas rígidas e inflexibles que señalaban el campo que se me había abierto y por la flexibilidad de las demás formas que reaccionaban y fluían a mi alrededor o alejándose de mí. Sin embargo, Dorothea, que quería ser Santa Teresa pero, dadas las circunstancias de su época, no había podido ser fundadora de nada, me hace rememorar percepciones de puertas, de sinuosos pasadizos, de redes, de texturas y de algo que se mueve, que trata de liberarse (Eliot, [1871-1872] 1964, p. 26). Al final de *Middlemarch*, George Eliot escribe que los actos determinantes de la vida de Dorothea no fueron hermosos en un sentido ideal, sino «el resultado combinado de un impulso joven y noble luchando en medio de las condiciones de un estado social imperfecto, en el que los sentimientos más elevados adquieren a menudo el aspecto del error, y la fe más grande tiene apariencia de ilusión» (p. 896). También mi narración parece referirse a una lucha o afán por algo (por la expresión, por un estado social menos imperfecto) y puedo verla ahora, al leer esas otras. Me veo a mí misma saliendo y luego haciendo una reverencia, atreviéndome a escribir y cayéndome en el baile, y queriendo (ansiando) ser rubia como Ingeborg, ahí fuera, en medio de la vida.

Luego me relaciono a mí misma con «I Stand Here Ironing» («Aquí estoy yo, planchando»), ese relato de Tillie

Olsen en el que una madre se ve obligada a dar cuentas de su hija («una hija de su tiempo, de la depresión, de la guerra, del miedo»). Ella era «delgada, de tez morena y aspecto extranjero en un momento en el que se suponía o se creía que todas las niñas debían parecer una réplica rubia y mofletuda de Shirley Temple» (1961, p. 15). En el final de la historia, la madre dice: «Dejadla ser como es. Que nada de lo que hay en ella florecerá, ¿y qué? ¿En cuántas personas florece? Y, a pesar de ello, queda de sobra para vivir. Sólo ayudadla para que sepa (ayuda a que tenga un motivo para que sepa) que es más que este vestido que tengo aquí en la tabla de planchar, indefenso ante la plancha» (p. 21). Para mí, esa plancha se convierte en el emblema mismo del determinismo, de una fuerza (pesada e insensible) que apisona, aplana, silencia.

Hubo una época en la que yo relacionaba esa clase de sentimientos y hechos con la figura de los custodios, los vigilantes, los guardianes y (con el tiempo) la burocracia o «el gobierno de nadie» del que hablaba Hannah Arendt (la peor clase de dominación jamás conocida) (1972, p. 137). En una época posterior de mi vida, fueron los aterradores fantasmas del fascismo los que acompañaron las noticias que llegaban de Europa durante y después de la Segunda Guerra Mundial. Allí estaba la película de Elie Wiesel, *Noche y niebla*, las imágenes reiteradas de las alambradas, las botas, los cinturones, las pistolas y los látigos. Para mí y para tantos otros, aquéllas imágenes se entrelazaban con otras existentes en nuestros paisajes (de rostros autoritarios, de ojos de expresión vacía, de cosas que nos aplastaban). Palabras como «nadiedad» y metáforas como la de la «invisibilidad» fueron inventadas por escritores negros como James Baldwin y Ralph Ellison para describir su existencia: impotente e invisible bajo la plancha desplazada muchas veces hacia atrás y hacia delante por los hombres y las mujeres que se consideraban rectos. No me estoy atribuyendo un sufrimiento análogo, pero sí que digo que, gracias a

El hombre invisible, Hijo nativo, Ojos azules, El color púrpura, The Women of Brewster Place, Sus ojos miraban a Dios o *Beloved,* se han ido introduciendo nuevos significados en mis propios temores y estremecimientos pasados, y mis encuentros presentes con el poder, con la fuerza, con las devociones irracionales o con las planchas se han visto ampliados en cierto modo y se hallan ahora arraigados en mi mundo vivido, en mis primeros paisajes, en mi «rememoria». Si reflexiono mirando en retrospectiva, presto atención no sólo (ni siquiera principalmente) a los principios. Pongo atención a mi yo arraigado, rondado por los otros que hay a su alrededor. Ha habido momentos en los que las palabras del narrador de Ralph Ellison al hablar de la visibilidad y de la conciencia del yo emergentes sonaban a respuesta: «Cuando me escondí, me lo llevé todo conmigo excepto la mente, la *mente*. Y la mente que ha concebido un plan de vida nunca debe perder de vista el caos contra el que ese plan fue concebido» (1952, p. 502). A mí me movió esa idea de pauta, una especie de patrón provisional pero no salido de la nada, sino de un punto de vista situado. «¿Quién sabe?», se pregunta más adelante el narrador. «Puede que esté hablando para vosotros». Ninguno de nosotros puede ver el todo o cantar el todo. Desde muy niña he sabido que todas las perspectivas son contingentes y que nadie tiene una imagen completa de la realidad.

Descubrir que había diferentes tipos de desayuno, que las personas (incluso las que nos sentábamos alrededor de la mesa del comedor de nuestra casa) tenían visiones distintas, que a mi hermana –con su peinado en casquete– le gustaba una música diferente que a mí (e insistía en que su música era sin duda la «mejor»)... todo aquello me introdujo en las diferentes formas de ver. Aquello tuvo relación con mi recopilación de palabras cuando era pequeña y con mi deseo desesperado de aprender a plasmarlas en historias escritas, en poemas, para que pudiera *mostrar,* hacerme visible y captar los aspectos de las cosas que las personas de mi alrededor no parecían ver nunca. Mirando en retrospectiva, me doy cuenta de que ansiaba cosas que tuvieran un carácter definitivo. Quería estar entre personas que me entendieran tan bien (y a quienes yo comprendiese hasta tal punto) que pudiéramos hablar un lenguaje común entre nosotras. Supongo que, al principio, quería, como la niña de *The Member of the Wedding*, pertenecer y sentirme relacionada, pero luego, con el paso del tiempo y a medida que fui oyendo más cosas del mundo en guerra y de los mundos del sufrimiento y la separación, quise formar parte de algo vinculado a una causa. Durante mucho tiempo, me obsesionó la novela de André Malraux, *La condición humana*, basada en la revolución de Shangai de 1927, durante la cual Chiang Kai Chek traicionó a sus aliados comunistas. Todo en ella –desde las ópticas cambiantes a través de las que se pide al lector que mire a los personajes concretos hasta la niebla del río, las luces oblicuas de los salones de juego o los sonidos de las voces en la tienda de discos– se entrelazan y se funden en mi caso a un nivel más visual que conceptual. Inmersa, perdida, en la narración, volvía de nuevo a mi mundo prerreflexivo. Leyendo la novela de Malraux volvían a acudir a mí de pronto los deseos que se habían ido acumulando de resistirme a la presión de la plancha, de liberar a las personas y de actuar según los ecos que todavía resonaban en mi cabeza del Camus de *La peste*: tomar partido por las víctimas en época de plaga y tratar de convertirme en sanadora. En la narración de Malraux, tras la derrota de los rebeldes, cientos de hombres heridos se hallan prisioneros en una gran nave a la espera de ser ejecutados (arrojados a la caldera de una locomotora). Kyo, el intelectual disidente, piensa que ha luchado «por lo que en su época estaba cargado del mayor significado y la mayor esperanza; iba a morir entre aquéllos con quienes habría querido vivir; iba a morir, como cada uno de esos hombres, porque había dado un sentido a su vida. ¿Qué valor hubiera tenido una vida por la que no hubiera estado dispuesto a morir? Es fácil morir cuando uno no muere solo. Una muerte saturada de trémula hermandad, una asamblea de vencidos que las multitudes reconocerán como sus mártires» (1936, p. 323). Al poco de esta reflexión de Kyo, Katov, un existencialista bolchevique, decide regalar el cianuro que llevaba para suicidarse en caso de tortura inminente. Se lo da a alguien que lo necesita más que él y se encamina hacia su ejecución a través de la oscuridad de la enorme estancia y entre la respiración de aquellas personas, hombres callados que contemplan su salida. Ya sé, ya sé. ¿Qué tiene que ver eso con la narrativa de una acomodada adolescente de Brooklyn que tanto aborrece la banalidad como combate el aburrimiento, que cree que nada vale intrínsecamente la pena y cree a pies juntillas que podría hablar a las multitudes y liderar una revolución simplemente con aprender y conocer lo suficiente? ¿Grandiosidad? ¿Romanticismo? Sin duda. Pero incluso hoy hay algo en el monólogo de Kyo que expande mi experiencia cuando pienso en la docencia, en la emancipación, en la posibilidad (en general), dentro de un mundo social monótono y contaminado.

Tuve que darme cuenta, en primer lugar, de que lo que me atraía de verdad era aquel sueño heroico de un hombre (o de un chico, quizás) y de que de ninguna mujer se esperaba que pudiera ser un apóstol de la dignidad como Kyo y Katov. Me llevó un tiempo ser consciente de ello; aunque el título original de la novela de Malraux en francés era *La condition humaine* y no el de *Man's Fate* («El destino del hombre») que se le dio finalmente en inglés, la novela mostraba en realidad el destino del *hombre* (no de la mujer). Ése es sólo un ejemplo de cómo la implicación y la inmersión en la literatura puede traer a un plano visible experiencias y percepciones nunca notadas anteriormente (por muy significativas que debieran haber sido en ese primer terreno irreflexivo). Pero no hay duda de que, del mismo modo que las experiencias pasadas de inferioridad y tipificación sexual (por ejemplo) pueden abrirse paso a través de la puerta de la imaginación, las experiencias actuales pueden ser introducidas por esos nuevos reconocimientos y, claro está, las nuevas posibilidades pueden hacerse más amplias y complicadas.

Al ir haciéndome mayor, tuve la necesidad de luchar por lograr un determinado grado de nueva integración entre mi percepción de vivir como una mujer estadounidense y mis deseos de comprometerme a hacer que las cosas cambiasen y a vivir según ese compromiso. Y, sí, hallé posibilidades emergentes en mi mundo y en la literatura. Ahí estaba Virginia Woolf rechazando la idea de fusionarse en una sociedad masculina y hablando de una «sociedad de *outsiders*» al tiempo que se oponía a firmar un manifiesto masculino a favor de la cultura imparcial y la libertad intelectual. ¿Cómo puede ser imparcial una cultura militar y dominada por lo masculino?, se preguntaba. Ella afirmaba dirigirse a las hijas de los hombres instruidos que se sienten satisfechos con cumplir el precepto de «no cometer adulterio intelectual». Esas mujeres no deberían «tener sueños de mundos ideales más allá de las estrellas», sino considerar los hechos del mundo real ([1938] 1966, p. 93). Al leer esto y remontarme hacia atrás y luego a épocas más recientes en el tiempo, me pregunto por la relación entre la necesidad de fundirse y la de mantenerse fuera. Pienso en diversas marchas: en marchas por los derechos civiles, en marchas por la paz, en los *Ejércitos de la noche* de Norman Mailer, en la *Meridian* de Alice Walker y en mi propio deseo y necesidad de ser yo misma, de estar sola. Y luego descubro a Woolf cuando escribe que, gracias a las máquinas de escribir y a otros instrumentos, las mujeres son libres por fin de expresar lo que piensan y de su propia manera. Ante la objeción de aquellas mujeres que piensan que al implicarse en la masa, el público las menospreciará, ella declara que el público «es como nosotros: vive en habitaciones, camina por las calles y se dice, además, que está cansado ya de tonterías. Arrojad panfletos a los sótanos, exponedlos en tenderetes, llevadlos por la calle en carretillas y vendedlos por un penique cada uno o regaladlos. Hallad nuevas formas de acercaros al "público": singularizadlo en personas separadas en lugar de conglomerarlo en un monstruo masivo, crecido de cuerpo pero disminuido de mente». Carga a las mujeres con el deber de decir la verdad a los artistas y los escritores que ofenden, de poner sus opiniones en práctica negándose a leer o mirar lo que sea bélico, lo que esté mal. Con el tiempo, puede que logren romper ese círculo vicioso, «esa danza incesante alrededor de la morera, el árbol venenoso de la prostitución intelectual» ([1938] 1966, p. 98).

Al leer eso y mirar en ambos sentidos, sentí que se ampliaban las nociones de lo que yo podía hacer como mujer, pero también me vi excluida hasta cierto punto de esa especie de hermandad elitista de «hijas de hombres instruidos». Además, tampoco tenía muy en cuenta a los niños (salvo en el sentido en que Woolf proponía el uso de las fotografías de niños muertos y de casas en ruinas más que el análisis para atacar la guerra). Volví entonces sobre Tillie Olsen y sus perspectivas ambivalentes en torno a la infancia. También volví sobre Grace Paley y me asustó regresar a uno de mis puntos de partida: la idea de caída. La historia de Paley acerca de la amistad infantil entre Ruth y Edie hizo resonar en mí ecos muy diversos. En el mismo relato, ya adultas, las dos protagonistas hablan sobre los niños y se preguntan hasta dónde podrían resistir la tortura de ser madres de los más pequeños. Pasado el tiempo, un día, la nieta de Ruth, Letty, empieza a hablar de recuerdos y pregunta en vano por su tía; es entonces cuando empieza a «escurrirse de los brazos de Ruth». Ruth la retiene con fuerza y Letty grita: «Mamá, [...] la abuela me está apretando. Pero Ruth tenía la sensación de que tenía que estrecharla más fuerte todavía, porque, aunque nadie más parecía haberse dado cuenta, Letty, sonrosada y suave como nunca, se caía, ya se estaba cayendo de su hamaca nueva de palabras inventoras de mundos para precipitarse en el duro suelo del tiempo fabricado por el hombre» (1986, p. 126).

La sensación de caída, el tacto y los sonidos de la infancia, el deseo de salir de ellos para buscar una existencia en el mundo público: todo ello está dispuesto en mi experiencia de un modo que poco tiene que ver con las interconexiones de mis textos o, siquiera, con las conexiones de esos textos con sus contextos en el mundo. En cierto (y extraño) sentido, al captarlos, al convertirlos en objetos de mi experiencia, he impuesto mi propio orden, mi propio contexto, mientras perseguía el significado de mis propias aventuras. Las narrativas que he hallado en mi viaje han hecho posible que concibiera pautas de existencia al tiempo que se expandía mi vida entre los demás: ha permitido, en definitiva, que mirara a través de los ojos de otras personas (más de lo que lo hubiera hecho de otro modo) e imaginara ser algo más de lo que había llegado a ser.

Segunda parte
Iluminaciones
y epifanías

7
La incesante búsqueda de un currículo

Desde la fundación de la escuela común, los debates sobre el currículo se han centrado en el conocimiento (o en las que se darían luego en llamar habilidades cognitivas) y los usos de ese conocimiento en los contextos de la «vida real». Inevitablemente, la idea misma de currículo (o plan de estudios) ha ido cambiando en correspondencia con otros cambios, culturales y económicos. Las habilidades requeridas para el éxito y la movilidad ascendente se fueron haciendo cada vez más complejas y, a medida que fueron reduciéndose los empleos industriales o manuales, crecieron en dificultad las dificultades de los niños pobres, inmigrantes o con problemas. Hubo que tomar decisiones complicadas para tratar de un modo igualitario al gran número de jóvenes existente. El contenido del plan de estudios ya no podía seguir estando fijado de antemano ni tampoco podían estarlo sus estructuras. Hubo que introducir adaptaciones; hubo que cuestionar la docencia y la inspección realizadas «desde arriba»; hubo que estudiar currículos integrados e interdisciplinarios. Por otra parte, el ordenamiento de saber, creencias y valores que podemos entender por el término *currículo* debía abrirse a lo inesperado, sobre todo en un momento en el que la sociedad se estaba tecnificando cada vez más y la economía había ido pasando de la producción de bienes a la provisión de servicios. ¿Hasta qué punto iba a ser posible educar para una tecnología en expansión y, al mismo tiempo, para que surgiera el «público capaz de expresarse» del que habló Dewey ([1927] 1954, p. 184)? ¿Hasta qué punto se podría contrarrestar el embotamiento y la banalidad de numerosos empleos del sector servicios capacitando a los jóvenes para hallar formas de realizarse fuera del mundo del trabajo? ¿Y qué se podía decir del currículo en sí como búsqueda de significado?

Para la mayoría de educadores el currículo ha estado relacionado a lo largo de la historia con la reproducción cultural, con la transmisión de conocimiento y, al menos hasta cierto grado, con la vida de la mente. Como tal, siempre conllevó un proceso de capacitación de los jóvenes para dar sentido a sus vidas vividas, para establecer relaciones entre las cosas, para construir significados. El currículo ha tenido que afrontar inevitablemente ambigüedades, relaciones; ha abierto en muchos casos el camino a las transformaciones y al cambio inesperado. En este capítulo deseo señalar que, en concreto, el arte puede aportar al currículo visiones indagadoras de perspectivas y posibilidades aún por explotar. He optado por poner un ejemplo concreto de lo que digo describiendo el currículo personal con el que me encontré en el ámbito de las artes en mis años de juventud y relacionándolo con las demandas curriculares de nuestros días.

He mencionado ya anteriormente al hombre de la guitarra azul de Wallace Stevens que se niega a tocar las cosas como son y nos pide que destruyamos la «corteza de la forma», lo que está fijado, y abandonemos los «nombres podridos» a cambio de ver las cosas de nuevo a través de nuestras respectivas imaginaciones ([1937] 1964, p. 183). Al ver con ojos renovados, compartimos perspectivas ofrecidas por el conocimiento y la comprensión. Elizabeth Bishop, en «At the Fishhouses», compara el saber con la fría agua del mar, «gélidamente libre por encima de las piedras».

Si sumergieras la mano,
enseguida te haría daño la muñeca,
te empezarían a doler los huesos y te quemaría la mano,

como si el agua fuese la transmutación de un fuego
que se alimenta de las piedras y arde con una llama de
color gris oscuro.
Si la probaras, notarías un sabor amargo al principio,
salobre después y luego, seguramente, una quemazón en la
boca.
Es justo como nos imaginamos el saber:
oscuro, salado, cristalino, en movimiento, completamente libre,
extraído de la fría y dura boca
del mundo, obtenido constantemente de esos senos rocosos,
que tanto mana como se extrae y que, dado que
nuestro conocimiento es histórico, fluye y rebosa.
([1955] 1983, pp. 65-66)

Desde muy joven me impactó hasta qué punto los lenguajes
de la literatura imaginativa revelaban formas alternativas de
estar en el mundo y de pensar acerca de él. No leía sólo los
cuentos de hadas, sino también *Los niños del agua,* de Charles Kingsley (aunque inicialmente no era consciente de que se
trataba de una obra fruto de la indignación ante los malos tra-
tos a las víctimas del trabajo infantil), y *El viento en los sauces,*
de Kenneth Grahame. Antes de adentrarme en *Alicia en el
país de las maravillas* y *A través del espejo* de Lewis Carroll,
Peter Pan de James Barrie supuso para mí un descubrimiento
culminante. La metáfora del salir volando por la ventana
abierta hacia el País de Nunca Jamás me proporcionó cierta
noción de lo que era capaz de conseguir la imaginación antes
incluso de que aprendiera la palabra. Creo que también descubrí entonces los *Cantos de inocencia* de William Blake y empecé a sospechar hasta qué punto la autoridad y el poder
organizados cierran de golpe las ventanas abiertas y proyectan
sus sombras sobre el «Verde resonante» ([1789] 1958).

Luego, sin embargo, vino *Mujercitas* de Louise May Alcott
y, como tantas otras innumerables chicas, yo también hallé en

Jo March todo un modelo de conducta. Jo tenía que improvisar un melodrama gótico para una lúgubre celebración familiar de la Navidad durante la guerra de Secesión. Rompiendo con los esquemas victorianos al uso, inventó para sí misma espacios abiertos e, incluso, una especie de lenguaje de aventurero. Y logró hacerlo todo sin dejar de mantenerse leal y cariñosa, valientemente responsable de quienes la rodeaban, al tiempo que optaba por ser lectora y escritora al mismo tiempo, por ser alguien que *exigía* ser libre. Mayor reto y desconcierto que los de Jo fueron sin duda los planteados por la Hester Prynne de *La letra escarlata* de Nathaniel Hawthorne. Ésta fue una novela que descubrí algo después y que no he dejado de redescubrir desde entonces. Lo que me fascinaba no era tanto el adulterio de Hester (ni siquiera, aquella extravagante letra *A*) como su forma emancipada de pensar después de haber sido desterrada a vivir a las afueras de la ciudad. «Acostumbrada a semejante libertad de especulación», miraba desde un «punto de vista distante las instituciones humanas y todo lo que los clérigos o los legisladores habían establecido; lo criticaba todo sin mostrar mayor reverencia de la que sentiría un indio ante la púrpura sacerdotal, la toga judicial, la picota, la horca, la hoguera o la iglesia» ([1850] 1969, p. 217). También empezó a cuestionarse la situación de las mujeres de su tiempo. «¿Valía la pena aceptar la existencia siquiera de la más feliz de todas?», se preguntaba, convencida de que ni la valía ni la valdría nunca (p. 184). Hawthorne, obviamente, dejó claro que su vida había pasado de la pasión y el sentimiento a la reflexión en aquella terrible soledad suya, como si ella no pudiera ser femenina y especulativa en un mismo momento. Tardé tiempo en darme cuenta de que ella consigue reconciliar esos dos términos cuando, al final, regresa a Nueva Inglaterra y dedica el resto de su vida a consolar y aconsejar a mujeres aquejadas de «una pasión herida, desperdiciada, tratada injustamente, mal dirigida, o equivocada y peca minosa» (p. 275), y a preguntarse quién sería la profeta del nuevo orden por venir. Lentamente, me fui dando cuenta (al experimentar el «amargo» sabor del conocimiento) de que la novela planteaba un problema sin solución y que su autor no había escogido ninguno de los dos «bandos». Por una parte, existía la necesidad sentida por una mujer libre, reflexiva y sexualmente viva, de romper con aquellas rígidas formas de teocracia y de cuestionar todo lo que los mayores daban por sentado. Por otra parte, se podía observar la importancia que ella atribuía a ser miembro de una comunidad, aunque fuera inhumana. El reconocer que no había una respuesta clara, que no podía existir una solución final a las tensiones implicadas, me hizo empezar a entender cómo el sumergirse en la literatura introduce elementos de interrogación. Mediante la lectura, esforzándome para que las obras de ficción fueran significativas dentro de mi propia experiencia, descubrí que las preguntas no dejaban nunca de estar abiertas. Yo no podía estar segura jamás.

El «como si», es decir, mi visión imaginativa, me impulsó entonces –y continúa impulsándome– a búsquedas que espero que nunca terminen. Repetidas veces rememoro, por ejemplo, dos obras que ya he mencionado con anterioridad: *El cinéfilo*, de Walker Percy, en la que el narrador descubre que no ser consciente de «la posibilidad de la búsqueda» equivale a estar «desesperado» (1979, p. 13), y *La imaginación* de Mary Warnock, donde se sostiene que «el objetivo principal de la educación es dar a las personas la oportunidad de no aburrirse nunca», es decir, «de no sucumbir nunca a [...] la sensación de haber llegado al final de lo que valía la pena» (1978, p. 203). La desesperación de la que habla el narrador de Walker Percy está seguramente vinculada a ese sentimiento de aburrimiento y futilidad. La búsqueda aparta la posibilidad del aburrimiento infundiendo una conciencia de lo que todavía no es, de lo que podría (imprevisiblemente) ser experimentado.

El narrador de Percy también se ve a sí mismo como un nuevo «náufrago» explorando su «isla desconocida». Y la imagen del extraño también sugiere de qué modo se despierta la imaginación. Yo misma adquirí conciencia de cómo ciertas obras literarias desfamiliarizaban mi experiencia y llegué a ver que la adopción de perspectivas raras o desacostumbradas puede hacer a una persona tan extraña y tan capaz de «ver» como nunca antes. Pienso en los viajes de Ismael en el *Moby Dick* de Herman Melville y de Marlow en *El corazón de las tinieblas* de Conrad, y pienso en cómo me permitieron seleccionar ciertos aspectos de mi experiencia que yo era capaz de sentir, pero no de nombrar. Confrontar «la blancura de la ballena» en *Moby Dick* (Melville, [1851] 1981) equivalió a ser capaz de identificar una serie de figuras sobre el trasfondo de mi vida vivida. A fin de cuentas, ¿qué tengo yo en común con alguien que, tras haber sentido un «noviembre húmedo y lloviznoso» en su «alma» (p. 2), decide hacerse a la mar como marinero? ¿Y qué me une a alguien que relaciona la blancura con «una muda perplejidad, llena de significado; un incoloro compuesto multicolor de ateísmo que todos rehuimos» (p. 198)? ¿Qué comparto con alguien que ha vivido en medio de lo «incomprensible» y de la barbarie y, aun así, se siente impulsado a decir sardónicamente a sus interlocutores que a ellos los salva de algo así «el culto por la eficiencia» (Conrad, [1902] 1967, p. 214)? ¿Y qué tengo en común con ese mismo hombre cuando explica que, en su viaje río arriba hacia la oscuridad, tuvo que tener mucho cuidado de los troncos y las ramas muertas que podían desgarrar la quilla de su barco de vapor, y que, «cuando uno tiene que estar pendiente de ese tipo de cosas, los meros incidentes de la superficie, la realidad, sí, la realidad digo, se desvanece? La verdad íntima se oculta, por suerte, por suerte. Pero yo la sentía durante todo el tiempo. Sentía con frecuencia aquella movilidad misteriosa que me contemplaba, que observaba mis artimañas de mono, tal como os observa a vosotros, camaradas, cuando actuáis en vuestras respectivas cuerdas flojas por... ¿cuánto?... ¿media corona la vuelta?» (pp. 244-245). Fueran o no perspectivas masculinas, me hicieron *ver* en el sentido explicado por Conrad cuando escribió, en un prólogo que es ahora famoso, que la tarea del escritor es, «a través del poder de la palabra escrita, la de hacerte oír, hacerte sentir: es, por encima de todo, la de hacerte ver. Eso y nada más, y ya lo es todo. Si lo logro, hallarás en ella, según tu merecimiento, ánimo, consuelo, miedo, hechizo... todo lo que pidas, y puede que también ese destello fugaz de la verdad por la que te habías olvidado de preguntar». Además, el autor puede transmitir también una visión «que despierte en el corazón de los observadores un sentimiento de solidaridad ineludible: de la solidaridad motivada por un mismo origen misterioso, de la solidaridad en el esfuerzo, en la alegría, en la esperanza, de la solidaridad motivada por un destino incierto», que vincula a los seres humanos entre sí y que los relaciona con «el mundo visible» ([1898] 1967, pp. ix-x).

Creo que esta clase de ficciones me revelaron la parte que me correspondía de la condición humana y me ayudaron a alcanzar el fundamento de mi ser, que es también el fundamento del aprendizaje, del ir más allá de donde se está. Me llevó algún tiempo abordar el significado del hecho de que, como mujer, estuviera excluida, hasta cierto punto, de los barcos de vapor y de vela a bordo de los que me imaginaba a mí misma. Me hicieron falta las percepciones extraídas de Charlotte Perkins Gilman en «El empapelado amarillo», de Kate Chopin en *El despertar* y de Virginia Woolf en *Tres guineas* y *Una habitación propia,* para sentirme impelida a confrontaciones directas con la exclusión, la indiferencia y el desprecio. Necesité de esa descabellada visión de mujeres saliendo sigilosamente del papel pintado de la pared que aparecía en la obra de Gilman tanto como necesité también de una indagación propia de la cortedad de miras de Edna en *El despertar* y de mi indignación ambivalente por su suicidio. A fin de cuentas, yo estaba prestando mi vida a todas esas personas; a través de mi lectura, estaba permitiéndoles emerger en mi conciencia y, con ello, transformarla como las explicaciones científico-sociales o (incluso) psicológicas nunca lo harían. Tillie Olsen vendría después, y Maya Angelou, Marge Peircy, Margaret Atwood y Toni Morrison, y sería entonces cuando empezaría, por vez primera, a ver a través de los ojos diversos de muchas mujeres.

Yo quería ver a través de tantos ojos y desde tantos ángulos como me fuera posible y, durante mucho tiempo, creo que busqué deliberadamente visiones que me permitieran mirar desde el otro lado del espejo para empezar a sentir aquellas «múltiples realidades» o «provincias de significado» que señalan la experiencia vivida en el mundo y para aprender que «es el significado de nuestras experiencias (y no la estructura ontológica de los objetos) el que constituye la realidad» (Schutz, 1967, p. 231). Sólo en época muy reciente hemos empezado a reconocer la constricción de nuestras interpretaciones debida a las exclusiones étnicas y de género, a nuestra negación de la «heteroglosia» dialógica que se profundiza «a poco que el lenguaje esté vivo y se desarrolle». Y eso es más evidente en la literatura que en ningún otro lugar (Bajtín, 1981, p. 272). Cuando se oyen los lenguajes de *Los hermanos Karamazov*, las indeterminaciones, la receptividad, se rompe con «la hegemonía del lenguaje sobre la percepción y la conceptualización de la realidad» (p. 369) y se abre el camino a todo tipo de cambios. Cuando se lee *El ruido y la furia* de William Faulkner y el lector se traslada de la voz idiótica de Benjy a las voces de Candace, Jason, Quentin o Dilsey, se reconoce lo inconcebible que resulta un mundo «objetivo» estable. Benjy adora tres cosas –«los pastos, [...] a su hermana Candace y la luz de la lumbre» (1946, p. 19)–, sobre todo, cuando están ausentes. Pero también su interpretación –como las interpretaciones de quienes se ríen y adoptan un enfoque «carnavalesco» (Bajtín, 1981, p. 273)– debe ser tomada en consideración, puesto que lo que llamamos realidad se alcanza de manera diversa.

Ralph Ellison impactó en mí una nueva conciencia de todo eso cuando leí *El hombre invisible.* Pero no tardé mucho en ver que la «construcción de los ojos *interiores* [de las personas]» que hacían que el narrador fuera invisible dependía de (y respondía a) una sociedad racista y que una educación para la reflexividad podía ejercer cierta influencia en esa tan «peculiar disposición de los ojos» (1952, p. 7). Esa modificación no puede lograrse poniendo el énfasis en las categorías, las formulaciones abstractas o las prescripciones de cualquier tipo. Las particularidades del mundo revelado por Ellison –los espacios públicos, los despachos, los bares, las porterías de los bloques de viviendas, las muñecas negras, las bombillas, los botes de pintura, la pieza engrasada de acero limado (en la que «se hallaba envuelto un montón de significación», p. 336), una tapa de alcantarilla, el arco de un puente, una sala subterránea– ofrecen al lector un contexto en el que se pueden hacer interpretaciones y se pueden leer significaciones como no es posible hacerlo en las abstracciones carentes de contexto.

«Ambiguos e imprevisibles, los detalles minan la ideología», declaraba el autor de la columna «The Talk of the Town» del *New Yorker* en 1989:

> *Conectan. Captan tu interés como las ideas nunca podrán hacerlo. Si abres la puerta a los detalles en cualquier aspecto de tu vida, estás casi obligado a dejar que ese aspecto sea lo que es realmente en lugar de lo que tú quieres o necesitas que sea. Y sin embargo, los detalles son también misteriosamente universales. Si la ficción aporta información,*

es, sobre todo, información sobre los detalles de otras vidas, pero si la ficción tiene un interés vital para las personas, es porque en esos detalles éstas consiguen cierto tipo de información sobre sí mismas. La disposición a interesarse en los detalles de otras vidas diferentes a la propia es un indicador fiable de confianza. La resistencia a los detalles suele ser expresión de xenofobia, de cierta inseguridad o timidez, de una necesidad de mantenerse encerrado y seguro en uno mismo.

Sin cierto conocimiento de los detalles conectivos, resulta extraordinariamente difícil superar la abstracción a la hora de tratar con otras personas. Se impone, entonces, una simplificación tremendamente excesiva; en el vacío de ideas, sólo somos capaces de ver «Rusia», «movimiento estudiantil», «minorías étnicas». Es probable que clasifiquemos las cosas en términos de bueno/malo, blanco/negro, una cosa o la otra. Nos convertimos en peones de una alegoría maniquea del bien y el mal. Primo Levi, el cronista de las experiencias del Holocausto, nos recordaba a título póstumo que la historia popular y la historia impartida en las escuelas estaban influidas por esta tendencia maniquea «que huye de las medias tintas y las complejidades, que tiende a reducir a conflictos el caudal de sucesos humanos, y los conflictos, a su vez, a duelos: nosotros contra ellos, [...] vencedores contra vencidos, [...] y los buenos contra los malos, respectivamente, porque el bien debe triunfar, si no, el mundo se subvertiría» (1988, pp. 36-37). Para Levi es de absoluta importancia que las personas se den cuenta de que nadie ocupa una zona donde la ética sea enteramente diferente de la de las personas responsables del Holocausto y otros crímenes contra la humanidad. Pensar lo contrario equivale a imponer una falsa claridad en la historia liberándonos de ambigüedades y paradojas. Pero eso es lo que se hace (las más de las veces) cuando se despliega el pasado ante los niños para que lo vean. Nuestros antepasados no aparecen contaminados por la codicia o el ansia de poder; nuestros victoriosos generales parecen haber salido intactos del contacto con la brutalidad del campo de batalla, el sufrimiento o la traición; ningún rastro de prejuicio o engaño empaña la imagen de nuestros representantes democráticos. «Nosotros» (los de «nuestro bando») somos buenos sin paliativos; «ellos» son malos en su total ausencia de bondad.

Desde el Lear de Shakespeare a la Dorothea Brooke de George Eliot o la Isabel Archer de Henry James, ninguna figura de la literatura imaginativa seria escapa a «las medias tintas y las complejidades»; todas tienen una multiplicidad de voces confrontadas en su interior; todas (incluso a pesar de la avanzada edad de Lear) están en construcción. La literatura, pues, tiene siempre el potencial de subvertir el dualismo y el reduccionismo, de hacer cuestionables las generalizaciones abstractas. Por otra parte, tiene también la capacidad de frustrar continuamente las expectativas de armonía o coherencia final que pueda albergar el lector. Wolfgang Iser, en *El acto de leer*, se refiere a las formas que las personas tienen de aferrarse a los paradigmas clásicos en lo que a la lectura respecta: buscan significados ocultos; anhelan revelaciones de una totalidad simétrica, unificada y completa (1980, pp. 13-15). Al mismo tiempo, reconocen que los paradigmas tradicionales ya no se sostienen y que ya no podemos formular un sistema objetivo con el que nuestras ideas y ficciones deban «corresponderse».

Cuando Iser y otros exponentes de la teoría de la «recepción lectora» hablan de las experiencias estéticas que la lectura puede posibilitar, ilustran una de las relaciones que se pueden establecer entre las artes y la investigación curricular. Como ya hicieron Jean-Paul Sartre (1949, pp. 43-45) y John Dewey (1934, pp. 52-54), Iser y otros subrayan la *acción* exploratoria y productiva que se requiere del lector o del perceptor en las artes. Si para nosotros el currículo es una empresa que precisa de continua interpretación y de una búsqueda consciente de significados, podremos llegar a ver las múltiples conexiones entre la comprensión de un texto o de una obra de arte y la obtención de múltiples perspectivas a través de las diversas disciplinas.

Según Iser, los lectores comprenden los textos cuando se implican en las frases tal como esas frases están situadas dentro de perspectivas particulares en momentos diversos de la lectura. Si el texto en cuestión es *Al faro*, de Virginia Woolf, por ejemplo, el punto de vista de la lectura oscila entre la perspectiva de la Sra. Ramsey y la del Sr. Ramsey, entre la del joven James y la de Lily Briscoe, entre el punto de vista del estudiante Charles Tansley y el punto de vista que se puede tener desde un segundo plano, entre la visión fragmentada de la sección titulada «El tiempo pasa» y la visión de los *outsiders* que han decidido leer el libro. Estas perspectivas se cuestionan y se modifican mutuamente de forma continua. Los primeros planos se intercambian con los segundos; las asociaciones se acumulan y originan experiencias nuevas. Entre tantas variaciones y cambios, los lectores se esfuerzan por hacerse con el significado y la estética de la obra al mismo tiempo. Iser describe (al estilo de Dewey) las transacciones que se producen entre la presencia que adquiere para los lectores el texto y las experiencias habituales de éstos, precisamente cuando la experiencia estética trasciende en cierto sentido esa experiencia pasada. Las discrepancias que los lectores encuentran en su esfuerzo por crear pautas resultan significativas. Lily Briscoe, pintora soltera, ve el mundo rodeado de mar de las Hébridas de manera totalmente distinta a como lo ve el analítico profesor Ramsey. Ambos puntos de vista discrepan, al mismo tiempo, de los de los niños, el anciano poeta o el farero. Cuando se aprecia cómo los personajes ven las cosas de manera diferente, se produce un fenómeno que puede hacer que los lectores adquieran conciencia de lo inadecuadas que resultan algunas de las pautas o interpretaciones que ellos mismos han ido generando durante el proceso. Pueden tornarse autorreflexivos. Iser escribe lo siguiente:

> *La capacidad de percibirse a sí mismo durante el proceso de participación es una parte esencial de la experiencia estética; el observador se halla así en una posición extraña, a medio camino: está implicado y se observa a sí mismo cuando se implica. [...] La reestructuración de las experiencias almacenadas que resulta de todo ello hace que el lector sea consciente no sólo de la experiencia, sino también de los medios por los que se desarrolla. Sólo la observación controlada de lo que es provocado por el texto hace posible que el lector formule una referencia de lo que está reestructurando. Ahí radica la relevancia práctica de la experiencia estética: induce esa observación, que ocupa el lugar de los códigos que, de otro modo, serían esenciales para el éxito de la comunicación.* (1980, p. 134)

Enfocar así la lectura sugiere claramente un posible modo de concebir nuestro currículo e, incluso, el aprendizaje en sí. Se trata de un enfoque que desafía las separaciones entre sujeto y objeto: no sólo no parte del supuesto de un mundo que existe objetivamente y ha de ser descubierto, sino que concibe a un lector que, desde el momento en que se involucra en los pensamientos y las percepciones de los personajes, pasa a adquirir conciencia de preguntas e inquietudes que se hallaban enterradas en su experiencia cotidiana corriente. En ese momento, hay algo que es llevado a un primer plano y que, en cierto modo, altera la conciencia que se mantenía en un segundo plano y respecto a la cual se persiguen los temas del texto y se alcanzan paulatinamente sus significados. Tomemos, por ejemplo, la famosa escena de la cena que constituye la parte central de *Al faro*. La Sra. Ramsey había organizado el ágape para satisfacer su propia necesidad de orden, estabilidad y (quizás) control. Tras un buen rato de conversación, el sol se había puesto en el exterior y era ya de noche.

> *Entonces se encendieron todas las velas y su resplandor acercó los rostros sentados a ambos lados de la mesa y compuso (como no lo había logrado el crepúsculo) un auténtico grupo alrededor de ésta. Y es que la noche había quedado fuera, aislada por los cristales de las ventanas, que, lejos de dar una visión exacta del mundo exterior, le conferían una especie de extraña ondulación que producía la sensación de que aquí, en el interior de la estancia, todo era orden y tierra firme y allí, afuera, las cosas temblaban y se diluían como agua.*
>
> *De pronto, todos experimentaron un cambio, como si aquello hubiera ocurrido realmente y todos fueran conscientes de formar juntos un grupo en una especie de vacío o isla, y tuvieran una causa común que los separara de la fluidez del exterior.* (Woolf, [1927] 1962, p. 114)

Para mí y para algunos (puede que muchos) lectores más, la idea de que la vida social e, incluso, la civilización son creaciones humanas frente a la nada puede haber estado enterrada en nuestra experiencia ordinaria del mundo sin que nunca la hayamos afrontado. Cuando nos vemos confrontados con esa idea en un lugar como ése, en medio de la descripción de una cena campestre de una familia británica culta, nos encontramos con algo que es, a la vez, inesperado y demoledor. En el contexto de la novela, el pasaje citado prepara parcialmente el camino a la sección intermedia titulada «El tiempo pasa», ambientada en plena Segunda Guerra Mundial, un período de muerte (tanto en la sala de partos como en el campo de batalla) en el que reinaban «el caos y el tumulto de la noche, con los árboles y las flores contemplando el panorama ante sí, mirando hacia arriba, pero sin ver nada, sin ojos, sobrecogedores» (p. 156). No es que yo aprendiera nada que me resultara totalmente nuevo; de hecho, aquello me hacía *ver* lo que no había tenido especiales ganas de ver hasta entonces. Pero una vez visto, me impulsó a reunir energías como nunca antes para crear significados, para efectuar conexiones, para generar cierto orden vital (aunque sólo fuera temporalmente). Me hizo recordar las palabras de Maurice Merleau-Ponty cuando afirmaba que «por el hecho de estar en el mundo, estamos condenados al significado» y que «somos testigos a cada momento del milagro de las experiencias relacionadas y nadie conoce mejor que nosotros cómo se obra ese milagro, puesto que nosotros mismos formamos esa red de relaciones. [...] La verdadera filosofía consiste en reaprender a mirar el mundo» ([1962] 1967, pp. xix-xx).

Fue, en buena medida, gracias a reflexiones como éstas por lo que empecé a incluir obras literarias en mis clases sobre la historia y la filosofía de la educación y (más o menos recientemente) en las de estética. La importancia que yo atribuía a la imaginación no hizo más que crecer al comprobar que se trataba de una capacidad que no sólo servía para ir más allá, hacia el «como si» o el «no todavía» o el «podría ser»: la imaginación, además, como decía Virginia Woolf, «reúne las partes cercenadas» (1976, p. 72), rompe con lo rutinario y lo repetitivo, crea totalidades íntegras en medio de la multiplicidad y, lo que no es más insignificante, hace posible la metáfora. He citado anteriormente que Cynthia Ozick ha descrito la capacidad de los médicos para imaginar los sufrimientos de sus pacientes. De hecho, una vez le pidieron que hablara ante un congreso de facultativos que, según le dijeron, eran incapaces de ver (como tantos otros doctores) la conexión entre la vulnerabilidad de un paciente y su propia (e irreconocida) susceptibilidad. Aquellos médicos relacionaban imaginación con «inspiración», un concepto inútil para ellos, y, con cierto enfado, exigían que se les «hablara liso y llano». Siendo como era escritora (y, por tanto, «imaginativa por oficio»), Ozick sabía que podía «sugerir un camino para conectar, para introducirse en el ánimo trémulo de los indefensos, los que tienen miedo, los apartados». Y así lo hizo: pudo «demostrar ese contagio de pasión y compasión que en medicina se conoce como "empatía" y, en arte, como "percepción"» (1989, p. 266). Considerando las conexiones entre la poesía y la inspiración, y entre la metáfora y la inspiración, Ozick afirmaría después lo siguiente: «Quiero convencer a los médicos de que la metáfora tiene menos que ver con la inspiración que con el recuerdo y la compasión. Pretendo demostrar que la metáfora es uno de los agentes principales de nuestra naturaleza moral y que cuanto más seria es nuestra situación en la vida, menos podemos estar sin ella» (p. 270). Esto no deja de traernos reminiscencias de las palabras de Conrad a propósito de la solidaridad: ambas reflexiones tienen que ver con la relacionalidad, la reciprocidad y la mutualidad.

Me resulta difícil enseñar historia o filosofía de la educación a futuros maestros sin introducirlos en el terreno de la imaginación y la metáfora. ¿De qué otro modo podrán dar sentido a las cosas divergentes que aprenden? ¿De qué otro modo se podrán ver a sí mismos como profesionales que trabajan para elegir y para enseñar en un mundo a menudo indescifrable?

La capacidad de mirar con ojos nuevos a lo que habitualmente se da por sentado parece de igual importancia; sin esa capacidad, la mayoría de nosotros (y nuestros estudiantes) continuaríamos inmersos en lo habitual. Ni nosotros ni ellos nos daríamos apenas cuenta (y, aún menos, llegaríamos a cuestionar) lo que nos ha parecido perfectamente «natural» a lo largo de la historia de nuestras vidas. Tanto nosotros como ellos seríamos, pues, casi incapaces de hacer una crítica reflexiva. Aunque puede ser que algunas revelaciones en la prensa escrita o la televisión, que algunos acontecimientos públicos (como los asesinatos) y algunos rumores de los que se oyen en los pasillos y en la calle, impacten en las personas y obren en ellas una especie de despertar, las artes tienen un poder característico que las diferencia de esos otros mensajes aleatorios. Tal como Arthur Danto nos recuerda, la literatura puede verse como:

> *una especie de espejo, no sólo porque refleje una realidad externa, sino porque en cada sujeto que se detiene a ojearla tiene el efecto de darle su yo a sí mismo, mostrándonos a cada uno de nosotros algo que nos resultaría inaccesible sin espejos: que cada uno de nosotros tiene un aspecto externo y cuál es ese aspecto. Toda obra literaria muestra, en ese sentido, un aspecto que desconoceríamos de nosotros mismos sin la intervención de ese espejo: cada uno descubre [...] una dimensión insospechada de su yo. Es un espejo no tanto porque devuelve pasivamente una imagen sino porque transforma la autoconciencia del lector, quien, en virtud de su identificación con la imagen, reconoce lo que es. La literatura es, en ese sentido, transfigurativa.* (1985, p. 79)

Cuando nos damos cuenta de que las obras literarias fueron creadas deliberadamente para comunicar percepciones múltiples pero particulares de dimensiones diversas de la realidad humana, entramos en contacto con la que se ha dado en llamar «conversación» que se produce «tanto en público como dentro de cada uno de nosotros» (Oakeshott, 1962, p. 199). Actualmente, muchos de nosotros concebimos ese intercambio como una conversación o un diálogo contextualizados, abiertos a un número creciente de voces. Además, cuando aprendemos la importancia de la casualidad y la discontinuidad en la historia del pensamiento (Foucault, 1972, p. 231) y elegimos la contingencia antes que la falsa claridad que el arte nos ayuda a combatir, queremos liberar a las personas para que realicen una iniciación transfigurativa a través de nuestros planes de estudios y para que nosotros mismos tengamos también más probabilidades de descubrir dimensiones transformadoras en lo que hacemos.

Son numerosos los casos de personas que, tras emprender esa aventura del significado, se sienten movidas a aprender para reparar defectos en su mundo social y para ser diferentes en su vida personal. Siempre me ha impresionado el argumento de Sartre en *El ser y la nada* a propósito de lo mucho que cuesta impulsar a las personas hacia la acción transformadora y a propósito de la educación y la inteligencia requeridas para decidir que ciertos fallos y carencias son «insoportables» (1956, p. 435). La literatura doctrinaria o explícitamente revolucionaria no es necesaria cuando las obras de arte literarias tienen la capacidad de incitar a los lectores a imaginarse modos alternativos de estar vivos. Para Sartre, una obra de arte puede convertirse tanto en un regalo como en una exigencia. Si bien, a través del arte, «este mundo me es dado con todas sus injusticias, no es para que las contemple fríamente, sino para que las anime con mi indignación, para que las revele y las cree con su propia naturaleza de injusticias, es decir, de abusos que hay que suprimir». Esa indignación, insistía, era una «promesa de cambio» (1949, p. 62). Pensemos en obras como *Beloved*, de Toni Morrison, que habla en términos específicos y punzantes de los niños esclavos apartados de sus madres para ser vendidos a otros propietarios, pero que, al mismo tiempo, despierta nuestra indignación a cualquier abuso contra los niños en lo que debería plasmarse normalmente en una promesa de cambio. Pensemos en los escritos antibélicos actuales y pasados; en *La hija de Burger*, de Nadine Gordimer, y en otros retratos del

Apartheid; en el *Diario de Ana Frank*, las novelas de Elie Wiesel y los relatos y ensayos de Primo Levi, en torno al Holocausto; en novela tras novela en las que se exponen la discriminación contra las mujeres o las minorías en este país. Si se atiende a esas obras como mundos creados y los lectores llegan a ellas por las diversas vías descritas anteriormente, las experiencias que abren a la conciencia informada no pueden circunscribirse a sí mismas ni pueden educar mal, sino todo lo contrario. Como dijo Marcuse, la propia conciencia puede «intensificarse hasta el límite», especialmente cuando el mundo creado es el de la esclavitud, el de la reclusión en Auschwitz, el de la responsabilidad por los niños heridos tras la revuelta de Soweto en Sudáfrica. Según Marcuse, el mundo puede ser «desmitificado» y «la intensificación de la percepción puede llegar a distorsionar las cosas hasta hacer descriptible lo indescriptible, hasta hacer visible lo invisible y hasta hacer estallar lo insoportable. La transformación estética se convierte así en una acusación, pero también en una celebración de lo que se resiste a la injusticia y al terror y de lo que todavía puede salvarse» (1977, p. 45).

Se producen experiencias similares ante ciertas obras teatrales y películas que transmiten mundos en los que sólo se puede entrar cuando los espectadores liberan la imaginación y están listos para prestarles sus vidas. El arte cinematográfico, en particular, puede ser de especial relevancia hoy en día dada la importancia de lo visual en nuestra vida y de la creciente familiaridad de la gente con el lenguaje de las imágenes visuales. Un ejemplo reciente del poder del cine y de la riqueza y complejidad del mundo que puede hacer visible es *Haz lo que debas* de Spike Lee. Ante el renovado auge del racismo en las ciudades estadounidenses y la proliferación de «explicaciones» y diagnósticos de la situación, una película de esta clase puede constituir una defensa viva de lo que una obra de arte puede lograr en comparación con el lenguaje discursivo o descriptivo. Ambientada en un gueto de Brooklyn poblado por una variedad de personalidades características (incluidos el dueño italiano de una pizzería y una pareja coreana que regenta una tienda de ultramarinos), la película presenta un elenco de vidas personales vitales pero llenas de carencias y una diversidad de perspectivas acerca de cómo son experimentadas esas vidas y de qué debería hacerse al respecto. Acaba, como es lógico, sin una resolución de la trama: simplemente, con una cita de Martin Luther King y otra de Malcolm X sobreimpresionadas en la pantalla. Los espectadores se quedan con una serie de categorías trastocadas, con numerosas particularidades impresionadas en sus ojos y mentes, con tensiones irresueltas, con ambigüedades incesantes. Si están informados por lo que significa implicarse en una película, percibirla como algo más que una realidad fotografiada, se quedan con amplísimos y provocativos interrogantes que sólo pueden ser depurados procediendo a una indagación sensible, dialogando, relacionando y reformulando dentro del marco de lo que Dewey llamó investigación social ([1927] 1954, p. 184). Los espectadores se quedan (extraña y simultáneamente) con una visión ampliada, con una conciencia de asombro y con el placer que sólo se alcanza cuando unos seres vivos prestan sus vidas a obras de arte y dan existencia a esas obras en su propia experiencia.

Ni que decir tiene que los lenguajes y los sistemas de símbolos de las diversas artes difieren sensiblemente y no pueden, como dejara bien patente Nelson Goodman, ser traducidos entre sí. Sin embargo, en un sentido especial, sí que «leemos» todas las artes: «tenemos que leer el cuadro como también tenemos que leer la poesía, y esa experiencia estética es dinámica, no estática. Implica discernir con delicadeza y distinguir relaciones sutiles, identificar sistemas de símbolos y caracteres dentro de esos sistemas (así como lo que esos caracteres denotan y ejemplifican), interpretar obras y reorganizar el mundo en términos de tales obras y las obras en términos del mundo» (1976, p. 2241). Según Goodman, nosotros no nos implicamos en las obras de arte para hallar en ellas copias de un mundo objetivamente existente, sino para experimentar la capacidad que esas obras de arte tienen de permitirnos ver más, de descubrir matices, formas y sonidos inaccesibles sin ellas.

En mis encuentros con las artes visuales, cambiantes a lo largo del tiempo, hallé especialmente importante el reconocimiento de que las pinturas suelen emerger de una larga lucha dialéctica entre el pintor y su medio. John Gilmour, por ejemplo, ha puesto dramáticamente de relieve (en parte, al recordarnos el *Estudio rojo* de Matisse) lo ilustrativo que puede resultar el darnos cuenta de que los cuadros surgen en un contexto de significados y de que la «preocupación del artista por el tema de su pintura es análoga a la búsqueda del conocimiento de sí mismo del filósofo» (1986, p. 16). Cuando busca afanosamente respuestas a problemas que surgen en su vida o en su obra, los intentos del artista (o de la artista) «por dar sentido al mundo mediante las imágenes que crea reflejan una visión *culturada*» (p. 18). Darnos cuenta de ello, comprender que los significados se desarrollan aquí en contextos culturales que nos permiten ver el mundo *de acuerdo con* lo que presentan Picasso, Matisse o cualquier otro artista pictórico, significa abrirnos a nuevas revelaciones. Supone, además, que nos sintamos impulsados a efectuar nuevas interpretaciones de los cuadros, del mundo y de nosotros mismos. El significado de lo que cualquier artista vaya a decir «no existe en ningún lugar: ni en las cosas (que todavía carecen de significado) ni en el propio artista o en su vida informulada. Nos llama a alejarnos de la razón ya constituida en la que los "hombres culturados" se contentan con encerrarse y a aproximarnos a una razón que contiene sus propios orígenes» (Merleau-Ponty, [1948] 1964, p. 19). Esto sólo puede significar la existencia de un «paisaje» o escenario percibido originalmente y de una trastienda de significados sedimentados y cambiantes. Cuando los cuadros son tratados como pinturas y no como ilustraciones o representaciones, es el momento de animar a que prosiga la búsqueda en la esperamos embarcarnos. El significado (no sólo para el artista, sino para el espectador) aguarda más allá.

Toda búsqueda contextualizada de significados en los ámbitos de la pintura debería ir acompañada de la conciencia de que «la visión viene antes que las palabras. Es la visión la que establece nuestro sitio en el mundo que nos rodea; explicamos ese mundo con palabras, pero las palabras no pueden hacer desaparecer el hecho de que estamos rodeados de él. La relación entre lo que vemos y lo que sabemos no está nunca fijada definitivamente» (Berger, 1984, p. 7). Pero la crítica de cuadros es necesaria, incluso, más allá de lo que nos pueda servir para reflexionar sobre la visión (especialmente, la crítica de aquellas pinturas que han sido utilizadas para mistificar y de aquellas otras que han sido tratadas como reliquias sagradas, fuera del alcance de las personas normales y corrientes). Según John Berger, si queremos aprender más acerca de cómo utilizar el lenguaje de las imágenes, deberíamos ser capaces de «definir nuestras experiencias de un modo más preciso en ámbitos en los que las palabras resultan inadecuadas. [...] [Tales ámbitos son] no sólo los de la experiencia personal, sino también los de la experiencia histórica esencial de nuestra relación con el pasado: es decir, la experiencia del afán por dar sentido a nuestras vidas, del intento de entender la historia de la que podemos convertirnos en agentes activos» (p. 33).

A mí me parece que esa idea tiene una importancia directa en la investigación curricular y, hasta cierto punto, en definitiva, en buena parte de la relación entre las artes y el currículo. No se trata sólo de que los profesores puedan sentir así la importancia de liberar a los estudiantes para que estén presentes en lo que ven, oyen y leen, sino también de que tengan muy en cuenta la necesidad de que los estudiantes desarrollen una conciencia de *agencia* y participación, y de que lo hagan en mutua colaboración. Esto me recuerda que Alfred Schutz consideraba que el «hacer música juntos» era un paradigma de relación social. Hablaba de la «simultaneidad» generada por el flujo del proceso musical: la sincronización de la corriente de conciencia del compositor con la del oyente. Este compartir el flujo de experiencias del otro en su tiempo interno, escribió, «esta experimentación de un vívido presente en común, constituye [...] la relación de sintonización mutua, la experiencia del "nosotros", que se halla en la base de toda comunicación posible» (1964, p. 173).

Concebir las artes con relación al currículo es pensar en un modo profundizado y expandido de sintonización. Tiene que haber disciplinas diversas, sin duda, y una mayor familiaridad con las estructuras del conocimiento, pero también tienen que existir las interpretaciones fundadas que sólo son posibles en aquellas personas dispuestas a abandonar la razón ya constituida, a sentir y a imaginar, a abrir las ventanas y embarcarse en una búsqueda. Esa búsqueda –rigurosa en ocasiones, alegre en otras– debería ir acompañada del sonido de una guitarra azul.

8
Escribir para aprender

El National Writing Project («Proyecto Nacional de Redacción»)
de California es uno de los programas repartidos por todo el
país que se centran en el fomento de la «redacción libre» y
de las relaciones entre la lectura reflexiva y la motivación para
escribir. Estos programas se han traducido en un aumento de
la confección de diarios y publicaciones tanto del profesorado
como de sus estudiantes. Poesía, relatos y anécdotas de los jóvenes aparecen a diario presentados en carpetas y formatos
diversos. El presente capítulo está basado en un artículo soli-
citado por los editores de la revista trimestral que publica el
National Writing Project. A la autora se le pidió que narrara
de un modo más o menos autobiográfico de qué modo
aprender a escribir puede traducirse en un aprendizaje en
otros ámbitos. El resultado fue tratado como un ejemplo de lo
que se denomina investigación cualitativa.

Al leer, como la mayoría de profesores ya saben, se esta-
blecen conexiones, se crean pautas, se da sentido a lo que
parece desprovisto de significado. De niña, siempre estaba
leyendo. Me daba vergüenza que me llamaran «ratón de
biblioteca», pero la lectura por sí sola nunca era suficiente,
como tampoco las historias que, cuando apagábamos la luz
por la noche, le explicaba a mi hermana sobre lo que había
leído aquel día. Para mí resultaba imprescindible dar mi propio sentido a lo que leía, encarnarlo, *aprender* lo que aquello
tenía que decirme.

Como la familia de Eudora Welty (Welty, 1984, p. 6), la
mía también era la orgullosa propietaria de un ejemplar de
la enciclopedia *The Book of Knowledge* («El libro del saber»).
Como el autodidacta de Sartre en *La náusea*, yo también esta-

ba decidida a leerme todos los volúmenes, siguiendo el orden alfabético de todo lo que había que conocer. No estoy muy segura de cómo llegué tan rápidamente a la «M», pero sí recuerdo muy bien que en la entrada correspondiente a «México» leí algo que me impulsó a empezar una novela en un cuaderno de colores blanco y negro para regalársela a mi padre por su cumpleaños. En el pasaje que me provocó esa reacción se hablaba de cómo los campesinos mexicanos eran sacados a la fuerza de sus pueblos para hacerlos trabajar en las minas, y se hacía referencia a una niña de siete años, Ramona, que iba en busca de su padre secuestrado. (Yo misma tenía siete años en aquel entonces, así que para mí aquello tenía muchísimo sentido.) Decidí que Ramona vivía cerca de la ciudad de Guadalajara, así que tuve que aprender algo más de la geografía de toda esa zona de México para poder decidir la ruta de mi pequeña trotamundos. Como necesitaba conocerla, no sólo aprendí muchísimo de la topografía y la geografía de aquella área, sino que también me hice bastante experta en la industria minera mexicana de principios de siglo. Estoy segura de que la búsqueda de Ramona no tenía conclusión, pero se la obsequié a mi padre, de todos modos; aun así, tardé unos cuantos años en darme cuenta de lo mucho que había aprendido sobre mí y sobre mi relación con mi padre a través de los símbolos y las metáforas que fui escogiendo a lo largo de mis escritos (y sin tener ni la más remota sospecha de la existencia de Sigmund Freud). No hace mucho, mientras escribía otra cosa en respuesta (en parte) al poema de Elizabeth Bishop «En la sala de espera», aprendí aún más acerca de lo que había que ver y de lo que tenía que cobrar sentido a través de la lectura. Anteriormente, he citado parte de ese poema, en el que se describía cómo se sintió de pronto la pequeña Elizabeth, de casi siete años, en respuesta a varios hechos trastornadores, pequeñas conmociones, que le asaltaron en la sala de espera de un dentista. Se refería en concreto a:

...la sensación de estar cayéndome
de aquel mundo redondo que gira
en un frío espacio de color negro azulado.
Pero sentí: tú eres un yo,
tú eres una Elizabeth *[...].* ([1975] 1983, p. 159)

Yo he aprendido, en el momento presente y retrospectiva-
mente, lo mucho que escribir tiene que ver con ese reconocimiento de un «yo» que es también (como luego continuaba
diciendo la poetisa) «uno de *ellos*».

Unos años después de mis esfuerzos de infancia, inmediatamente después de licenciarme por el Barnard College en
historia norteamericana, decidí escribir una novela histórica
estadounidense. Tenía setecientas páginas y abordaba los
turbulentos años previos a la elección de Jefferson como
presidente. Me dediqué a investigar las Sociedades Democráticas, las personas que habían sido encarceladas en virtud de
las Leyes de Extranjería y Sedición, los simpatizantes de la
Revolución francesa, etc. El modelo de mi protagonista fue
(¡cómo no!) el poeta revolucionario Philip Freneau, aunque
mi personaje era un cantante de música folk (una idea un
tanto prematura, he de reconocerlo) que componía canciones protesta contra el orden establecido de su tiempo. Nunca
vendí la novela, pero aprendí mucho sobre un período de la
historia estadounidense (como, de hecho, nunca había aprendido durante mis años de especialización en Barnard). Había
dado un nuevo cuerpo al material que había leído para mis
propios fines simbólicos y afectivos. Algo muy importante
para mí fue produciéndose mientras conectaba grandes acontecimientos mediante una única conciencia y veía lo personal
en relación con lo público y lo público desde un punto de
vista privado: empecé a reconocer la importancia del ángulo
de observación con respecto al diálogo que es la historia. Con
el paso del tiempo y al acercarme cada vez más al descubri-

miento de mi propia «voz» (es decir, de mi voz de mujer) mediante lo que iba escribiendo, aprendí aún mucho más sobre los ángulos de observación y la historia.

Lo que Virginia Woolf creía que la había hecho convertirse en escritora era su «capacidad para conmocionarse» (1976, p. 72). Ya ha mencionado cómo ella decía que, «en mi caso, la conmoción viene rápidamente seguida del deseo de explicarla». El descubrimiento de un motivo, decía, hacía que se sintiera menos pasiva, menos víctima. Lo más normal es que pocos (y pocas) de nosotros nos convirtamos en artistas como Virginia Woolf, pero podemos, de todos modos, prestar atención a las asfixiantes y acalladoras consecuencias de nuestro sumergimiento en los «algodones» del «no ser» o de lo que se da por sentado. En mi vida, me ha resultado de extraordinaria importancia identificarme a mí misma dentro de una relación (que concibo como dialéctica) con fuerzas circundantes que determinan, condicionan y (tanto ahora como entonces) manipulan. Algunas de esas fuerzas tienen que ver con mi propia historia y mi género; otras son inherentes al entorno social y político. Cuando experimento esas fuerzas de un modo inhibidor, degradante y obstaculizador de mi libertad, es cuando más a menudo me siento impulsada a *explicarlas*. Las conmociones que recibo son, en muchos casos, las que resultan de sentir que mis espacios de elección y de actuación propias se estrechan. Escribiendo logro muchas veces nombrar alternativas y abrirme a posibilidades. Eso es lo que creo que debería ser el aprendizaje.

El filósofo Merleau-Ponty escribió: «El mundo no es lo que pienso, sino lo que vivo. Estoy abierto al mundo, no tengo duda de que estoy en comunicación con él, pero no lo poseo: es inagotable» ([1962] 1967, pp. 16-17). La noción misma de la inagotabilidad del mundo sugiere que siempre continuará la búsqueda de vías de articulación o de dotación de sentido. Obviamente, eso es precisamente lo que sucede cuando escribimos a cualquier edad: emprendemos la búsqueda que cualquier otra persona emprendería «de no hallarse sumida en la cotidianeidad de su propia vida» (Percy, 1979, p. 13).

Sí, creo que el National Writing Project puede ser un remedio contra la desesperación. También creo que necesitamos hacer posible que los escritores y escritoras pongan nombre no sólo a las formas y los caminos de sus mundos vividos, sino también a los problemas y las dificultades que los han detenido o silenciado en algún momento. Tenemos que darles de algún modo la posibilidad de que transmuten esos problemas hasta convertirlos en conmociones que tengan que explicar y que desarrollen en su interior (en el de cada uno de ellos y ellas) la capacidad de conmocionarse. La alternativa podría ser la inmersión en lo cotidiano o, incluso, en la desesperación. Recuerdo lo que escribió Tillie Olsen a propósito de «los silencios *ocultos*; el trabajo abortado, postergado, negado... escondido tras el trabajo que no llega a concretarse» (1978, p. 8). Luego pienso (y puede que esté aprendiéndolo aún mejor al redactar este capítulo) en lo desapercibidos que para tantos maestros han pasado los silencios de los estudiantes y en cómo se pueden vencer dichos silencios si somos capaces de liberar a nuestros alumnos y alumnas para que escriban.

Tengo la impresión de que no es casualidad que cuando en alguien se acrecienta el interés por la escritura (por instituir el «ataque a lo inarticulado» del que hablaba Eliot), éste se vea acompañado de un interés filosófico por la vida como narración. Alaisdair MacIntyre conectó la concepción misma de la identidad personal con la idea de narración. Según escribió, la narración de la vida de cualquier persona «forma parte de un conjunto entrelazado de narraciones», mientras que la unidad de la vida humana es «la unidad de una búsqueda narrativa» (1981, p. 203). Más recientemente, Charles Taylor ha relacionado esa misma búsqueda con la orientación hacia el bien mientras tratamos de determinar nuestro lugar y la dirección de nuestra vida con respecto a ese bien (1989, p. 52). Pero sería quizás posible empezar desde un punto distinto: precisamente porque tenemos que determinar nuestro lugar con relación al bien, no podemos estar sin orientarnos hacia él y, por tanto, debemos ver nuestra vida en forma de relato o historia.

Taylor, como muchos de quienes enseñamos, se interesa por el problema de la *agencia* humana en una época de abundante impotencia y desconexión, en la que estamos atrapados en tecnificaciones de toda índole. Ni él ni MacIntyre forman parte de ningún *writing project,* pero su interés (como parte de un interés filosófico más amplio) por el lenguaje, el diálogo, la conversación, la narrativa, el relato y la búsqueda está directamente relacionado con nuestra búsqueda de autocreación entre los individuos en mundos de experiencia potencialmente compartida. Aprender a escribir es una forma de aprender a hacer añicos los silencios, de crear sentido, de aprender a aprender.

9
Enseñar para abrir espacios

Aun a riesgo de ser tachada de pretenciosa, he elegido iniciar este capítulo con una cita de *El orden del discurso,* de Michel Foucault: «Realmente, hubiera querido deslizarme subrepticiamente en esta lección inaugural. [...] Hubiera preferido verme envuelto por la palabra y transportado más allá de todo posible inicio. Me hubiera gustado darme cuenta de que en el momento de ponerme a hablar ya me precedía una voz sin nombre desde hacia mucho tiempo: me habría bastado entonces con encadenar, proseguir la frase, introducirme sin ser advertido en sus intersticios, como si ella me hubiera hecho señas, quedándose un momento interrumpida. No habría habido, por tanto, inicio: el discurso procedería de mí mismo» (1972, p. 215).

Me siento tentada, como pueden ver, a circunscribirme a lo que Foucault llamó «el orden establecido de las cosas»: de las cosas pedagógicas y relacionadas con la educación liberal, se entiende (1973, p. 21). Me siento impulsada a afirmar la intemporalidad de lo que he llegado a amar todos estos años, de lo que he decidido considerar como las fuentes mismas de mi yo. Al dejarme transportar por la gran conversación iniciada por otros (y mantenida, ciertamente, por otros), no tendría que interrumpir ni empezar nada, sino sólo dejarme arrastrar por lo que los grandes ya han dicho y permanecer parcialmente sumergida en ellos.

Pero es entonces cuando pienso en lo mucho que los inicios tienen que ver con la libertad; pienso en la relación directa que existe entre interrupción y conciencia, y pienso en la conciencia de posibilidad, que tanto tiene que ver con el acto de enseñar a otros seres humanos. Y pienso que si tanto yo como otros profesores queremos realmente provocar a nuestros estudiantes traspasando los límites de lo convencional y de lo asumido como normal, nosotros mismos tenemos que experimentar rupturas con lo establecido en nuestras propias vidas; tenemos que seguir despertándonos a nosotros mismos para empezar de nuevo. Recuerdo aquellas palabras de Merleau-Ponty: «la elección y la acción por sí solas nos liberan de nuestro amarraje» ([1962] 1967, p. 456). Y siempre tengo presente a Woolf y lo que escribió sobre cómo la capacidad de conmocionarse fue probablemente lo que la convirtió en escritora. Ambos me impulsan a salir a la búsqueda de mi propia historia o relato, de la ambivalencia de mi propia decisión de actuar de modo que me libere de mi propio amarraje y que espolee en otras personas el deseo de liberarse conmigo a fin de que todos seamos diferentes y seamos partícipes de una dialéctica que nos permita llegar más allá de donde estamos.

Debo admitir, sin embargo, la dificultad de enfrentarse a los controles, los principios de exclusión y negación que me han permitido expresar unas determinadas palabras pero no otras. Nunca me ha resultado fácil aceptar las formas en que la educación (siguiendo con demasiada frecuencia las divisiones de clase, género y raza) permite y prohíbe la expresión de las experiencias de unas personas pero no de otras diferentes. Pensemos en la artista de *performances* Karen Finley cuando habla del miedo a nombrar y de qué es aquello de lo que no se llega a hablar nunca; pensemos en aquellos niños que, según Michelle Fine, expresaban un «terror hacia las palabras» (1987, p. 159), y en lo que Mina Shaughnessy llamaba la «trampa» colocada por el estilo académico de escritura a los estudiantes que entraban en la Universidad Municipal de Nueva York (1977, p. 71). Y aun pronunciando las palabras, me resulta difícil abstraerme a las implicaciones de lo que la mayoría de nosotros y nosotras reconocemos ya: que «todo sistema educativo es un medio político de mantenimiento o modificación de la apropiación del discurso, con todo el saber y los poderes que éste conlleva» (Foucault, 1972, p. 227).

Cuando los profesores hemos querido creer que la educación ha sido un medio de facilitar a todas las personas el acceso a la clase de discurso que cada uno prefiriera, cuando hemos querido creer que la alfabetización (entendida en un sentido general) es un logro personal, una puerta al significado de cada persona, cuesta que nos demos cuenta de lo profundamente envuelta que está la alfabetización en las relaciones de poder y de que debe ser entendida en el contexto de un mundo social y con relación al mismo. Es bastante evidente que las personas nacen en el seno de un alfabetismo definido culturalmente que algunas adquieren mientras se van haciendo adultas y otras no logran captar nunca plenamente. Puede que no lo capten porque sus familias son pobres y distantes de los esfuerzos institucionales para socializar a las personas dentro de una participación productiva en la sociedad. Puede que no lo capten porque se hallan fuera de la corriente social dominante por muchos y diversos motivos, incluida su condición de inmigrantes o de miembros de alguna minoría. A muchas de las personas alienadas o marginadas se las hace desconfiar de sus propias voces, de sus propias formas de dar sentido, pero no se les ofrecen alternativas que les permitan explicar sus historias o dar forma a sus narraciones o fundar nuevos aprendizajes sobre la base de lo que ya conocen. Las favorecidas, sin embargo, rara vez cuestionan el lenguaje de la dominación, la eficiencia o la eficacia en el que han sido criadas, aun cuando puedan buscar discursos más apropiados para una cultura juvenil compartida o para momentos de rebelión o de descontento adolescente. Casi nunca vemos una participación real en la conformación de ese alfabetismo. Casi nunca vemos un cuestionamiento del contexto –del lenguaje técnico, por ejemplo– o del discurso puramente lineal o analítico, o del discurso que asume la existencia objetiva de lo que se considera el mundo «normal».

Este capítulo trata de la enseñanza que provoca preguntas críticas sobre los múltiples modos de alfabetismo, los lenguajes preferidos, la diversidad de lenguajes y la relación de todos ellos con el contexto cultural amplio. Las alfabetizaciones y el discurso dominantes deberían ser tomadas como oportunidades de estudio y expresión con la finalidad de revelar más materiales en las experiencias vividas (la multiplicidad de experiencias vividas que caracterizan a nuestra sociedad actual). Las personas que no tienen acceso al lenguaje del poder, que no pueden expresarse siquiera acerca de sus vidas vividas, tienen pocas probabilidades de «sobrepasar las limitaciones dentro de las que se hallan confinadas todas las perspectivas habituales, y de alcanzar un territorio más abierto» (Heidegger, 1968, p. 13). Sí, alfabetizarse también consiste en trascender lo que ya está dado y adentrarse en un terreno de posibilidades. No obstante, sólo nos sentimos impulsados a hacer algo así cuando adquirimos conciencia de las fisuras y lagunas que hallamos en lo que creemos que es la realidad. Tenemos que tener la disposición y la capacidad de expresión suficientes para forzarnos a *nombrar* lo que vemos a nuestro alrededor: el hambre, la pasividad, la falta de vivienda, los «silencios». Todas estas cuestiones pueden ser concebidas como deficiencias que precisan ser subsanadas. Se necesita imaginación para ser conscientes de ellas, para sentir que nuestros mundos vividos están faltos de algo por culpa de ellas. Recordemos la voz del Dr. Rieux al final de *La peste* de Camus, hablando de aquéllos «que, no pudiendo ser santos, se niegan a admitir las plagas y se esfuerzan, no obstante, en ser médicos» (1948, p. 278). A quienes nos consideramos personas normales y corrientes no se nos pide un gran acto de heroísmo o de sacrificio personal. Pero tenemos la capacidad de negarnos y de esforzarnos de ese modo y de hacerlo vien-

do claramente con nuestros propios ojos y hablando claramente con nuestra propia voz como Rieux lo hace con la suya
propia.

En mi caso particular, inmersa como estuve (y como quise
estar) durante tanto tiempo, tardé años hasta darme cuenta
de que la gran tradición –lo que Harold Bloom ha llamado el
«canon occidental, los libros y las escuelas de los tiempos»
(1994)– me obligaba a mirar con los ojos de otros y a dominar
lo que en aquel momento era la forma autorizada de articular
el mundo. Me conmocionó descubrir que lo que había creído
que era universal y trascendía el género, la clase y la raza, era
un conjunto de puntos de vista. Yo había considerado una
especie de acto benéfico que alguien como yo pudiera iniciarse en una dimensión tradicional de la conversación de la
cultura, aun cuando no se tratase más que de un ínfimo arro-
yo en comparación con el río de voces sin nombre apenas per-
ceptibles de quienes no habían sido completamente aceptados. Pero entonces, entre tantos placeres guardados en la
memoria y tantos deseos que aún me atraen en mi campo,
sentí directamente el reto de pensar en mi propio pensamiento y palabra, así como en los discursos en los que había
estado sumergida.

Para ello tuve que individualizar los factores determinantes en mi vida, tanto las seducciones como los controles. Tuve
que resistirme conscientemente a ciertas prohibiciones, devociones, culpas, vergüenzas, miedos. Sólo a través de tal resistencia, según pude descubrir por mí misma, podemos ampliar
los espacios en los que esperamos hacer nuestras propias
elecciones. Si al encontrarnos con un muro o una barrera en
nuestro camino, simplemente tomamos otro camino, no hacemos más que consentir sin resistirnos. Hablar de dialéctica es
hablar de fuerzas confrontadas: por una parte, los factores que
nos retienen, que actúan como obstáculos a nuestro crecimiento, y por la otra, los factores que nos incitan a actuar

según nuestros deseos, a romper los obstáculos, a ser diferentes, a *ser*. Cuando no reconocemos algo que obstaculiza nuestro crecimiento como tal obstáculo, estamos muy posiblemente tolerando la opresión, especialmente si vivimos en circunstancias opresivas o humillantes. La alternativa podría ser lo que Milan Kundera (1984) describe como una «insoportable levedad del ser», una sensación de estar viviendo en medio de sucesos casuales y encuentros fortuitos, sin posibilidades claras; o, quizás, la mera sumisión ante el fatalismo, ante lo que los personajes de Kundera llaman «*Es muss sein!*» (p. 193), una sensación de necesidad absoluta; o, por qué no (y ahí es adonde quiero llegar), una vida vivida en tensión y en una especie de ardor, sin que la lucha dialéctica esté nunca del todo decidida. De hecho, si pudiera resolverse, no tendríamos por qué despertarnos plenamente a nuestras vidas.

Cuando reflexiono sobre mi propia historia, me doy cuenta de que nunca puedo vencer por completo el desasosiego provocado por la tensión entre mi amor puro por (por ejemplo) las obras de Flaubert, Baudelaire, Melville, Cézanne, Debussy y Stevens, y mi reconocimiento de que las suyas son imaginerías y sonoridades masculinas que, como cualquier otra categoría del habla, requieren de una diversidad de decodificaciones e interpretaciones, y no pueden, simplemente, enseñarse como quien descorre reverencialmente la cortina para enseñar algo que, en un principio, pueda parecer objetivamente esclarecedor, como si se hallara objetivamente *ahí*. Fue mi asumida (pero también aprendida) capacidad de destapar las obras de esos artistas de ese modo la que me proporcionó la sensación de sentirme unida a ellos. Si seguía las reglas, pensaba, podría hacer mías sus visiones. Hoy en día, yo y muchas otras personas nos sentimos desasosegadas porque la metáfora misma del descorrimiento ya no sirve, ni tampoco la idea de una visión preexistente. Ahora me veo obligada a hacer esas obras significativas para mí prestándoles atención

desde toda una diversidad de perspectivas cambiantes, incluidas las creadas por mi propia conciencia personificada.
¿Cómo puedo salir de los círculos que probablemente crearé
yo misma? ¿Qué hago con lo que Gadamer llama mis «prejuicios» (1976, p. 9)? Aparentemente, sólo con esa desazón y
entre todos esos interrogantes puedo hallar mi libertad, puesto que las iniciativas que me veo obligada a tomar abren espacios en los que debo elegir y, a continuación, actuar según las
elecciones que haya hecho. Recuerdo lo que decía Martin
Buber a propósito de la enseñanza y la importancia de «mantener vivo el dolor» (1957, p. 116), y yo misma sugiero que
el dolor que él tenía en mente debe ser vivido tanto por
parte del profesor como del estudiante, al mismo tiempo que
se han de mantener vivas las historias de las vidas de ambos.
Es entonces (en el momento en que los seres humanos coinciden por el hecho de vivir en el tiempo) cuando, desde mi
punto de vista, se producen auténticos encuentros.

En este momento de interés por la narración y el relato
como forma de conocimiento (Bruner, 1986, pp. 13-14),
tengo la esperanza de que el relato aquí revelado impulse a los
lectores a explotar sus propias historias, sus experiencias a la
hora de buscar proyectos con los que crear identidades. Para
mí, por ejemplo, es importante traer a la memoria cómo fui
degradada en mis inicios como docente universitaria porque
se me decía que era demasiado «literaria» para hacer filosofía.
Aquello parecía querer decir que se me consideraba mal pre-
parada para llevar a cabo el análisis riguroso y distante de los
juegos lingüísticos y los argumentos que durante mucho tiempo dominaron el mundo académico. No podía objetivar ni
separar mi subjetividad de lo que estaba percibiendo. No
podía separar mi sentimiento, mi imaginación, mi conciencia
inquiridora del trabajo cognitivo que se me había asignado.
Sólo ahora, al tratar de comprender los contextos de las preocupaciones dominantes y las conexiones de éstas con las

cuestiones de género, al tratar de poner nombre a la relación entre las normas académicas y las demandas de una sociedad tecnológica avanzada, al tratar de captar el significado real de la racionalidad instrumental en un universo de niños y madres desesperadas que sufren, y de miles de pobres enfermos, puedo empezar a aislar lo que me impidió analizar las cosas como se esperaba de mí. Ahora que puedo verlo con cierta perspectiva, y al reflexionar sobre un mejor estado de cosas, puedo tratar de alcanzar mi libertad en un ámbito expandido. Espero que en él pueda actuar como profesora y como profesional para transformar lo que es inhumano, lo que aliena a las personas de sí mismas.

Pero aun sumida en la interrogación (en lo que Buber llamó el dolor), es probable que sienta la atracción de mi antigua búsqueda de certeza. De vez en cuando, me doy cuenta de que ansío aquellas leyes, normas y formulaciones, por mucho que sepa cuántas de ellas fueron construidas en interés de quienes ocupan el poder. No sólo me atraían porque me proporcionaban barreras contra el relativismo, sino también por mi propia marginalidad: ansiaba que se me aceptara en el gran mundo de las bibliotecas chapadas de paneles de madera, de los intelectuales autorizados y de los cafés urbanos sofisticados. Mi respuesta a las críticas recibidas anteriormente fue la de apartarme de lo local y lo particular que había en mi vida para perseguir una encarnación de valores que prometiera trascender géneros, clases y razas. Y, de hecho, hay personas que continúan recordándonos a menudo aún hoy en día cómo, en su opinión, la mejor manera de superar el interés particular y el provincianismo es a través del dominio de un «alfabetismo cultural» monológico, justificado por una noción casi trascendente de la «comunidad nacional» (Hirsch, 1987, p. 137). Pero aun rechazando esa idea por toda una serie de razones, puedo aún sentir la atracción que ejerce sobre mí la idea de que exista una especie de «punto de vista desde ningún lugar» (Putnam, 1985, p. 27). Siempre me gustó sentirme como uno de los prisioneros de Platón liberado de la caverna y alzado ante la luz cegadora de la razón incorpórea. Cuanto más lo pienso, más me doy cuenta de que me gustaba incluso la idea de lo objetivamente universal, de lo incontestablemente Verdadero.

Tardé algún tiempo en darme cuenta de que el Gran Padre Blanco y las verdades eternas eran unos constructos humanos como podía serlo el Dios indiferente que se cortaba las uñas en el *Retrato del artista adolescente* de Joyce. Pero aquella pérdida no me dejó inactiva. Pienso en el «desamparo» del que tanto escribió Jean-Paul Sartre para describir lo que significaba estar solo sin ninguna excusa (1947). Ese conocimiento se acompaña de una especie de añoranza, incluso cuando el individuo es consciente de que no está literalmente solo, sino atrapado en una intersubjetividad. Por eso tantas personas (incluidos nuestros estudiantes) siguen recurriendo con avidez a lo estable, lo monolítico y lo monológico. Todos y todas queremos un punto de apoyo ahora que las jerarquías se derrumban y el mundo es visto cada vez más como algo «continuamente cambiante, irreductiblemente diverso y múltiplemente configurable» (Smith, 1988, p. 183). El debate sobre el papel apropiado (e incluso sobre el derecho a la existencia) del National Endowment for the Arts (Fondo Nacional para las Artes) es una prueba de ello, como también lo es la actitud defensiva que vemos con respecto al canon tradicional en las humanidades o la resistencia a los currículos «de la diferencia».

He necesitado de muchos choques o conmociones de conciencia para darme cuenta de mi existencia dentro de una tradición (o «conversación») que actúa como una especie de recipiente contenedor. Merleau-Ponty, previniéndonos contra esa existencia constreñida, nos recuerda la importancia de mantener nuestras ideas abiertas al ámbito de la naturaleza y la cultura que deben expresar: «La idea de ir directos a la esencia de las cosas resulta incoherente si se piensa detenidamente. Lo que nos viene dado es una ruta, una experiencia que se clarifica y se rectifica gradualmente, y que procede mediante el diálogo consigo misma y con otras. [...] Lo que nos salva es la posibilidad de un nuevo acontecimiento» (1964, p. 21). El diálogo puede ser generado y enriquecido mediante los escritos que algunos de nosotros intentamos confeccionar, mediante los diarios y publicaciones que mantenemos junto a otras personas. Buscar palabras y romper (viendo y diciendo) con la inmersión me ayuda incluso en la actualidad. Obviamente y dado que trabajo en una relación dialógica con mis estudiantes, quiero comunicarles lo que esto puede significar, pero, al mismo tiempo, quiero que sus perspectivas también estén disponibles para que tanto yo como ellos podamos ver desde múltiples ángulos de observación y podamos dar sentido a las cosas desde vertientes distintas. Quiero que trabajemos juntos para destapar lo oculto, contextualizar lo que nos sucede, transmitir la dialéctica que nos conserva la inquietud a flor de piel y que puede que incluso nos mantenga vivos.

Por ese motivo, tengo que seguir evocando las experiencias que me dieron momentos de ser y las que me enterraron en algodones, con la esperanza de que provoque en otras personas la expresión o formulación de algunas de sus historias de modos similares. He de comunicar lo que significa tratar como «abiertos» (en el sentido que le da Umberto Eco al término) los textos que nuestros estudiantes y nosotros leemos. Según escribe Eco, el lector o la lectora, en presencia de una obra abierta, aporta sus propias referencias existenciales, un condicionamiento particular suyo, una cultura definida, una «serie de gustos, inclinaciones personales y prejuicios». En resumidas cuentas, la perspectiva propia del lector (o lectora) afecta y modifica la comprensión de la obra. Además, «la forma de la obra de arte adquiere su validez estética precisamente en función del número de perspectivas diferentes desde las que puede ser vista y comprendida» (1984, p. 490). Existen importantes puntos de conexión entre este enfoque y el tratamiento de la interpretación que realiza Robert Scholes en sus *Protocolos de lectura* cuando describe la importancia de los protocolos y de la idea (tomada de *El placer del texto* de Barthes [1975] y similar a la de Freire) de «rescribir los textos que leemos en los textos de nuestras vidas, [...] y de rescribir nuestras vidas a la luz de esos textos» (1989, p. 155).

A continuación, ofrezco algunos ejemplos (no los únicos, ciertamente) de cómo el beber de diversas perspectivas mientras leía me permitió (y continúa permitiéndome) leer mi mundo de una forma distinta. Si podemos enseñar a nuestros estudiantes a expresar articuladamente lo que puede descubrirse de ese modo y a integrarlo como parte del diálogo en el aula, puede que, llegado el momento, esta aproximación a la lectura nos lleve a preguntarnos si no podemos ir más allá de la lectura del mundo y, como dice Freire, «transformarlo por medio del trabajo práctico y consciente» (Freire, 1987, p. 35). Pero, en primer lugar, debemos hallar formas de ser dialógicos con relación a los textos que leemos juntos: reflexionar y abrirnos a los demás con respecto a los textos de nuestras vidas vividas.

En el capítulo 7 he citado parte del poema «At the Fishhouses» de Elizabeth Bishop, en el que la autora refiere una experiencia de su infancia con un anciano que reparaba redes de pesca en un embarcadero, rodeado de abetos por el costado de tierra firme, y de cuyas frías y oscuras aguas asomaban de vez en cuando las focas. Ella habla en concreto de la oscilación indiferente y gélida del agua por encima de las piedras y de cómo su inicial sabor «amargo» es como el conocimiento:

extraído de la fría y dura boca
del mundo, obtenido constantemente de esos senos rocosos,
que tanto mana como se extrae y que, dado que

nuestro conocimiento es histórico, fluye y rebosa.
([1955] 1983, pp. 65-66)

La idea misma de que exista un flujo y una historia del conocimiento es, para mí, un reto y una crítica, fuera cual fuera la
intención de Elizabeth Bishop, ya que aquí se cuestionan no
sólo los sistemas de conocimiento, sino hasta las partículas discretas y formalizadas del saber, puesto que se trata de conocimiento no cimentado en ningún lugar concreto y se sirve
simplemente de excusa a sí mismo para existir. Todo esto supuso una auténtica conmoción para mí en mi primera y mi segunda lecturas, una ruptura de algunos de los recipientes
estancos en los que había vivido y en los que creía que quería
vivir. Y cuando los estudiantes empezaron a verter sus propias
inclinaciones, prejuicios y recuerdos (especialmente como
reacción al sabor amargo, la claridad salina y la emanación
sorprendente, como de una fuente de piedra), yo noté una
especie de texto común que surgía entre nosotros y me di
cuenta de que empezábamos a leer y releer (e incluso a rescribir) en toda nuestra diversidad.

Algo parecido ocurrió cuando leí el poema «En la sala de
espera» de Bishop (citado también anteriormente), en el que
una Elizabeth niña, a punto de cumplir siete años, tiene, al
mirar a las personas adultas repartidas por los asientos de la
sala de espera de un dentista, «la sensación de estar cayéndome / de aquel mundo que gira» y piensa:

> *[...] tú eres un* yo,
> *tú eres una* Elizabeth,
> *tú eres una de* ellos.
> *¿Y* por qué *tenías que serlo?*
> *Apenas me atreví a mirar*
> *qué era lo que yo era.*
> ([1975] 1983, p. 159)

El estilo interrogativo, la dolorosa particularidad, la sensación de caerse al espacio: todos estos elementos introducen un ángulo de observación que subvierte lo sistemático, lo completo. De pronto, al menos en mi caso y en el de aquéllos y aquéllas de quienes aprendo, este poema acentúa nuestra conciencia de la dialéctica existente. Sintiéndonos en una especie de borde, tratamos de labrarnos un espacio en el que podamos romper los silencios peculiares y elegir.

En su novela *Cassandra*, Christa Wolf crea una narradora que nos dice que los excluidos siempre se reconocen y se comprenden mutuamente (1984). Esta idea me hace reflexionar en torno a cómo es posible que mi propio conocimiento del silencio y la incertidumbre que sentí al buscar mi propia voz me ayudaran a empezar a comprender cómo es el mundo para las personas que pertenecen a las minorías: los jóvenes negros y las jóvenes negras, los hispanos y las hispanas llegados recientemente, etc. El narrador de Ralph Ellison en *El hombre invisible* habla de la importancia de reconocer a otras personas (en lugar de hacerlas invisibles) y yo entiendo que sólo puedo reconocer a una persona como el narrador (o a otras con las que me encuentro) en contraste con el trasfondo de mi propia situación vivida. Necesito tratar de ver al mismo tiempo a través de sus ojos y de los míos (siempre que sean individuos dispuestos a participar en un diálogo y a ofrecer pistas). Pienso, por ejemplo, en la indicación que aparece en *El hombre invisible* cuando el narrador inicia y pone fin a su relato «oculto» (tratando las *Memorias del subsuelo* de Dostoyevski como un texto abierto). Al alcanzar las páginas finales, leo: «Cuando me escondí, me lo llevé todo conmigo excepto la mente, la *mente*. Y la mente que ha concebido un plan de vida nunca debe perder de vista el caos contra el que ese plan fue concebido. Eso sirve tanto para las sociedades como para los individuos. Así, pues, tras haber intentado hallar pautas en el caos que habita dentro de la pauta de nuestras certezas, debo salir al exterior, debo emerger» (Ellison, 1952, p. 502). El texto de Ellison no sólo hace que nos planteemos preguntas que pueden afectar a los propios ojos interiores de los lectores (los que hacen que las personas sean reconocibles o invisibles), sino que nos permite descubrir (puede que incómodamente) una nueva intertextualidad que nos deja, en cierto modo, rescribir las *Memorias del subsuelo* (o «El intelectual americano» de Emerson o *Las aventuras de Huckleberry Finn* de Mark Twain) dentro de los textos de nuestras vidas.

¿De qué otro modo me ha hecho descubrir nuevas perspectivas la lectura? Las obras de Toni Morrison suministran asombrosas conmociones que nos pueden permitir desarrollar otras formas de reconocimiento sobre el trasfondo de nuestras propias vidas vividas. Recordemos, por ejemplo, la historia de Pecola Breedlove en *Ojos azules* (1970): ella misma es destruida por dos de las narrativas dominantes de la cultura mayoritaria, como son los manuales de lectura de *Dick and Jane* y la mitificación de la imagen de Shirley Temple y de sus ojos azules. Pecola es una niña negra a quien su madre no quiere, que no recibe el apoyo de su comunidad, que está totalmente convencida de que es muy fea y que desea, por encima de todo, parecerse a Shirley Temple y tener unos ojos de color azul intenso. Si sus ojos fueran diferentes, piensa, ella sería diferente y puede que sus padres dejasen de hacer cosas malas en presencia de aquellos ojos tan bonitos. Pecola acaba destrozada y cae en el abismo de la locura, y nosotros nos damos cuenta de que la insistencia en la existencia de una única historia dominante, de una única clase de realidad humana reputada, puede resultar fatal para muchas personas: para quienes padecen alguna de las muchas discapacidades posibles, para quienes tienen problemas visuales o auditivos y, obviamente, para las niñas pequeñas maltratadas como Pecola. Para Pecola, el estándar de la realidad humana viene marcado por los ojos azules y aunque su punto de vista resulte ajeno al de la particularidad de muchos lectores, no deja de tener la capacidad de impulsarnos a rescribir partes de los textos del mundo.

El ángulo de observación desde el que contemplamos en la novela a la pobre Pecola, a quien nadie quiere, es el de un niño y una niña que sí son queridos y que, en palabras de esta última, Claudia (que actúa de narradora), defienden su conducta juvenil considerando «siempre todo discurso como un código que hemos de romper y todo gesto como susceptible de un detenido análisis» (p. 149). Son orgullosos y arrogantes porque tienen que serlo; a diferencia de Pecola, ellos sobreviven: «Intentamos verla sin mirarla y nunca jamás nos acercamos a ella. Y no porque fuera absurda o repulsiva, ni porque estuviéramos asustados, sino porque le habíamos fallado. Nuestras flores nunca crecieron». Con el paso de los años, mientras Pecola se las arregla como puede entre llantas de ruedas y plantas de algodoncillo, «entre los desperdicios y la belleza del mundo que ella misma era», los narradores pasan por un proceso de curación personal tras sincerarse con respecto a Pecola: «Su simplicidad nos adornaba, su sentimiento de culpa nos santificaba, su dolor nos hacía resplandecer de salud, su torpeza nos hacía creer que teníamos sentido del humor... hasta sus sueños utilizábamos para silenciar nuestras propias pesadillas» (p. 159). En la *Sula* de la propia Morrison se describen sentimientos no muy diferentes de los anteriores. La amiga de Sula, Nel, cree que el hecho de que Sula vuelva a casa es como recuperar un ojo porque, para Nel, «hablar con Sula siempre había sido como tener una conversación consigo misma. [...] Sula nunca competía; simplemente ayudaba a que otras personas se definieran a sí mismas» (1975, p. 82).

¿Es posible que, en nuestro esfuerzo por definirnos a nosotros mismos, incorporemos realmente a personas extrañas como Sula a la dialéctica de elegir quiénes somos? Me gustaría que halláramos el modo de que todos podamos descubrir juntos con la diversidad de nuestros respectivos orígenes como trasfondo, de que todos podamos escribir juntos, de que todos podamos inspirarnos en las realidades existenciales de los demás para crear el espacio intermedio del que hablaba Arendt (1958, p. 182). «Toda persona ha de ganarse su propia liberación», escribe Catherine Stimpson (1989, p. 35), ya lo sé, pero yo quiero ir más lejos con ella y con quienes me rodean, hacia terrenos abiertos, hacia comunidades donde nuestros compromisos puedan ser amplios y profundos al mismo tiempo.

Obviamente, por muy receptivos que tratemos de ser, sólo podemos comprender y conocer a través del juego de nuestros propios supuestos, prejuicios, recuerdos y, quizás, de lo que la Sethe de *Beloved*, de Toni Morrison, llama nuestra «rememoria» (1987, p. 191). No existen la información o el conocimiento preexistentes y dispuestos para ser asimilados o absorbidos por unas conciencias vacías. Sólo podemos prestar atención desde nuestras comunidades interpretativas si logramos aprender a nombrar las estrategias apropiadas y a hacerlas inteligibles para aquellas personas con quienes estamos tratando de implicarnos y a quienes tratamos de comprender de algún modo. Necesitamos continuar ampliando esas comunidades hasta crear un territorio secular con «un concepto más abierto de la comunidad (entendida como algo que hay que ganarse) y de las audiencias (entendidas como los seres humanos a quienes hay que dirigirse)» (Said, 1983, p. 152).

Eso significa que lo que Elizabeth Fox-Genovese ha llamado la cultura de la elite debe ser transformada. Se trata de la cultura que los intelectuales varones blancos tienden a crear y que ha «funcionado con respecto a las mujeres, las clases bajas y algunas razas blancas de manera análoga a como lo hizo el imperialismo con respecto a los pueblos colonizados. En su peor versión, llegó a negar los valores de todos los demás y a imponerse como criterio absoluto». Fox-Genovese también señala que todo canon, es decir, «el poder para hablar por el colectivo, es el resultado de relaciones y luchas sociales y de género, y no de la naturaleza. Quienes conformaron nuestra tradición de elite colectiva fueron los vencedores de la historia» (1986, pp. 140-141). Cada vez que leo esas líneas me siento sumergida de nuevo en las contradicciones de mi vida y vuelvo a tener presentes los significados diferenciales de la alfabetización. Concebida como el aprendizaje de un conjunto de técnicas, la alfabetización ha tendido a silenciar a las personas y a despojarlas de poder. Nuestro deber en la actualidad es hallar vías que permitan que los jóvenes encuentren sus voces, abran sus espacios, rescaten sus historias en toda su variedad y discontinuidad. Merecen una especial atención quienes ocupan los márgenes: las tan a menudo ahogadas voces de América Latina, Oriente Medio y el sureste asiático.

No se trata simplemente de una cuestión de romanticismo, ni siquiera de buena voluntad. Los profesores y las profesoras tendremos ante nosotros a miles y miles de recién llegados en los próximos años: algunos vendrán de la oscuridad y el peligro de los guetos abandonados, otros acudirán exhaustos por el sufrimiento de sus dictaduras de origen, también los habrá anonadados por su anterior vida en los campos de refugiados, y algunos aspirarán sin complejos a lograr el éxito económico personal. Los textos existen. Nosotros tenemos que hacerlos accesibles, proporcionar los protocolos, mantenerlos abiertos. Tenemos que ofrecer oportunidades para que los estudiantes estructuren sus experiencias por medio de esos textos, por medio de libros hechos por hombres y mujeres. Sartre, que, como mencioné anteriormente, habla de esas obras como regalos, dice a continuación:

Y si este mundo me es dado con todas sus injusticias, no es para que las contemple fríamente, sino para que las anime con mi indignación, para que las revele y las cree con su propia naturaleza de injusticias, es decir, de abusos que hay que suprimir. Así, pues, el universo del escritor sólo se revelará en toda su profundidad al escrutinio, la admiración y la indignación del lector. Y el amor generoso es una promesa de mantenimiento, y la indignación generosa es una promesa de cambio, y la admiración es una promesa de imitación. Aunque la literatura sea una cosa y la moral otra muy distinta, en el corazón del imperativo estético discernimos el imperativo moral. Y es que, dado que quien escribe reconoce a través de la molestia misma que se toma para escribir la libertad de sus lectores, y dado que quien lee reconoce, por el mero hecho de abrir el libro, la libertad del escritor, la obra de arte, sea cual sea el lado desde el que se enfoque, es un acto de confianza en la libertad de los hombres (1949, pp. 62-63).

Ojalá hubiese dicho «seres humanos» en vez de «hombres», pero, en cualquier caso, me parece extraordinariamente importante que Sartre viera la literatura como una presentación imaginaria del mundo «en la medida en que exige libertad humana». Yo encuentro incluso en el anterior pasaje una fuente de paradigmas aplicables a la enseñanza, si es que ésta ha de servir realmente para hallar espacios abiertos (es decir, si nos interesa de verdad que se puedan tomar decisiones y hacer elecciones). Tanto la experiencia lectora como el acto docente son dialécticos.

Por último, quisiera sugerir una vez más que la alfabetización es y debe ser una empresa social que ha de buscarse en aulas pluralistas donde un conjunto de personas se reúnen «de palabra y obra» para crear algo en común entre ellas (Arendt, 1958, p. 19). En ese caso, será inevitable que se produzca un juego de diferencias a través del cual surgirán significados. Habrá (debería haber) momentos de reconocimiento y momentos de duda, pero también habrá la interrogación incesante que acompaña al proceso mediante el que personas diversas se esfuerzan por crearse a sí mismas en su libertad. Me vuelve a venir *La peste* a la mente y, en concreto, las palabras de Tarrou: «todas las desgracias de los hombres provienen de no hablar claro. Así que he decidido hablar y obrar con claridad, como único modo de ir por el buen camino. [...] Por eso decidí tomar el partido de las víctimas y evitar así mayores estragos» (Camus, 1948, p. 230). Y, por supuesto, ése es el sentido de la novela: en tiempos de plaga, toma el partido de las víctimas. Puede que los actuales sean tiempos de plaga para nosotros. Por eso, como Tarrou, necesitamos estar alerta y vigilantes para poder abrir textos y espacios: para poder incitar a los jóvenes a que sean libres.

10
Arte e imaginación

Los contextos existenciales de la educación van mucho más allá de la intención de la Goals 2000 (véase el inicio del capítulo 2). Están relacionados con la condición humana en tiempos a menudo tan desolados como los actuales, y, en cierto modo, hacen que nociones como las de rendimiento de primera línea mundial o parámetros de referencia (*benchmarks*) parezcan superficiales y limitadas, cuando no absurdas. Se extienden más allá de las atroces realidades de la descomposición de la familia, la carencia de vivienda y la violencia, e incluso de las «salvajes desigualdades» descritas por Kozol (1991). Nuestros jóvenes, como nosotros, sus mayores, habitamos un mundo de aterradora incertidumbre moral: un mundo en el que parece que casi nada pueda hacerse para reducir el sufrimiento, frenar las masacres y proteger los derechos humanos. Los rostros de los niños refugiados en busca de sus madres, de chicas adolescentes violadas reiteradamente por soldados o de personas desarraigadas que contemplan desoladas las iglesias y las bibliotecas quemadas de sus antiguos pueblos y ciudades, pueden resultar para algunos una mera «realidad virtual». Hay quienes miran más de cerca y acaban en muchos casos insensibilizándose hasta que, tras haber visto tantas veces la desesperación, prefieren mirar para otro lado. Se dice que los cuadros con «mujeres llorando» que pintó Picasso (Freeman, 1994) se han convertido en los iconos de nuestro tiempo. Han reemplazado a las estatuas públicas de hombres representados montando a caballo o en escenas del campo de batalla; han eclipsado los emblemas de aquello por lo que en algún momento pasado parecía valer la pena luchar (puede que incluso morir). Cuando hasta los más jóvenes afrontan la pérdida y la muerte, como la mayoría de nosotros nos vemos obligados a hacer hoy en día, «es importante que evoquemos todo lo que amamos en algo inolvidablemente hermoso [...]» (Leiris, 1988, p. 201). Ese importante motivo del que hablaba Leiris sugiere una de las funciones del arte. Cuando se ve una escena tras otra de mujeres que sostienen a sus bebés muertos en los brazos (como Picasso nos instó a contemplar), adquirimos conciencia de un trágico defecto en el tejido de la vida. Si sabemos lo suficiente como para convertir a esas pinturas en objetos de nuestra experiencia, para encontrarnos con ellas sobre el trasfondo de nuestras vidas vividas, es probable que usemos nuestras fuerzas al servicio de concepciones de un mejor orden de cosas en el que no haya más guerras que hagan llorar a las mujeres de esa manera, ni bombas que asesinen a niños inocentes. Es probable que, rebelándonos contra tal horror, evoquemos imágenes de madres sonrientes y de hijos vitales y encantadores: «todo lo que amamos» deviene así una metáfora de todo lo que *debería* ser.

Obviamente, provocar ese deseo no es la única función de las artes cuando se convierten en objetos de nuestra experiencia, aunque los encuentros frecuentes con ellas nos provocan el interés por restablecer una especie de orden, por reparar, por curar. La implicación participativa en las múltiples formas de arte hace posible que, cuando menos, *veamos* más en nuestra experiencia, *oigamos* más en frecuencias que normalmente nos resultan inaudibles, *seamos conscientes* de lo que las rutinas diarias han minimizado, de lo que el hábito y la convención han reprimido. Dependiendo de nuestros encuentros personales, podemos pensar de nuevo, por ejemplo, en aquello de lo que la Pecola Breedlove de *Ojos azules* (de Toni Morrison) nos hizo darnos cuenta a propósito de la metanarrativa implícita en los manuales *Dick and Jane* de iniciación a la lectura o en ese artefacto llamado Shirley

Temple que hizo que tantas niñas invisibles anhelaran desesperadamente tener ojos azules. Puede que nos acordemos de las revelaciones vividas por tantas personas al implicarse en la película *La lista de Schindler* (y de la atención que tanto se prestó a la niña del abrigo rojo). Puede que tratemos de recuperar la conciencia física de dolor causada por el «Lamento» de Martha Graham, en el que sólo los pies y las manos de la bailarina resultaban visibles por fuera del tejido drapeado y en el que la agonía se expresaba a través de las líneas de tensión de la propia tela. Cuando vemos y oímos más, no sólo nos apartamos bruscamente, aunque sea únicamente por un momento, de lo familiar y de sobras conocido, sino que se abren posiblemente nuevas vías de elección y de acción en nuestra experiencia; podemos adquirir incluso una súbita sensación de nuevo comienzo, es decir, de emprendimiento de una iniciativa a la luz de la posibilidad.

El cinismo predominante en nuestra sociedad con respecto a la existencia de valores hondamente sentidos, así como la sensación generalizada de resignación en muchas personas, sólo pueden generar en nuestras escuelas ambientes contrarios a la inquietud y la impredecibilidad asociadas con las experiencias artísticas, ya sean creativas o apreciativas. Al mismo tiempo, la desatención al arte en general de quienes definieron los objetivos de la Goals 2000 sirvió para justificar que la atención administrativa se centrara en lo manejable, lo previsible y lo mesurable. Aunque ha habido intentos de incluir las artes en las declaraciones oficiales de los objetivos educativos nacionales, los argumentos utilizados han sido más bien del tenor de los que defienden una educación orientada a la competitividad económica, el dominio tecnológico, etc. Los argumentos empleados para defender la enseñanza de las artes han apoyado también las propuestas dominantes de incremento del nivel actual de desarrollo de habilidades, rendimiento académico, niveles de exigencia y preparación para el mercado de trabajo.

Uno de los peligros que entraña ese énfasis tanto para maestros como para alumnos es el de que acaben sintiéndose disgustados por hallarse encerrados en un conjunto objetivo de circunstancias definido por terceras personas. Los jóvenes son descritos como «recursos humanos» en vez de como personas que son centros de elección y evaluación. Sean quienes sean, tienen que ser moldeados, tal como se sugiere, al servicio de la tecnología y del mercado. Además (y son muchos los que se dan ahora cuenta de ello), debido al elevado número de nuestros jóvenes que se ven incapaces de hallar empleos satisfactorios, las nociones mismas de que nuestros hijos lograrán participar en esta clase de educación y de que son recursos humanos llevan asociados engaños de todo tipo. No es quizás de extrañar que el clima apreciable en muchas clases sea de recepción pasiva (cuando no de cacofonía, desinterés y desorden). Umberto Eco considera que tenemos la imperiosa necesidad de introducir una dimensión crítica en todo lo que concierne a los medios de comunicación y a los mensajes, y que, para ello, es mucho más importante centrarse en el punto de recepción (que, en este caso, es pasivo) que en el de transmisión. Para Eco, «el universal de la comunicación tecnológica» y las situaciones en las que «el medio es el mensaje» suponen una amenaza, y defiende el regreso de la resistencia individual seria a los mensajes: «Ante la divinidad anónima de la Comunicación Tecnológica, nuestra respuesta podría ser: "Hágase no Tu voluntad, sino la nuestra"» (Kearney, 1988, p. 382).

Desde mi punto de vista, esa resistencia puede evocarse al máximo cuando se libera la imaginación, pero, como bien sabemos, el bombardeo de imágenes procedentes de la divinidad de la Comunicación Tecnológica tiene a menudo el efecto de inmovilizar el pensamiento imaginativo de las personas. En lugar de liberar a los miembros de la audiencia para que tomen la iniciativa de ir más allá de sus propias realidades, para que observen las cosas como si pudieran ser de otro modo, los medios de hoy en día ofrecen a sus audiencias imágenes y conceptos prestidigitados dentro de unos marcos fijados. Los sueños quedan atrapados en las redes de lo comercial; la posesión de bienes de consumo es la alternativa al pesimismo o a la sensación de absurdo. Las ideas de posibilidades se circunscriben al terreno de lo predecible. Pero nuestra imaginación, como he venido mostrando, opera a diario con imprevisibles, con lo inesperado. Necesitamos, pues, poner un poco de reflexividad de nuestra parte para reconocer la existencia en nuestras experiencias de esos panoramas y esas perspectivas inesperadas e impredecibles. La persona pasiva, apática, tiene todas las probabilidades de permanecer indiferente a las ideas de lo irreal, del «como si», de lo meramente posible. Y es precisamente esa persona la que desdeña las artes por frívolas, por tratarse de una simple floritura, por tenerlas por irrelevantes para el aprendizaje en el mundo posindustrial.

Estoy convencida de que el contacto y la implicación informada en las diversas artes es el modo más probable de liberar la capacidad imaginativa de nuestros estudiantes (o de cualquier persona) y de darle juego. No obstante, esto es algo que no sucede (no puede suceder) de forma automática o «natural». Todos hemos presenciado alguna vez los contactos superficiales de los turistas con los cuadros expuestos en museos que visitan apresuradamente. Sin dedicar un tiempo de reflexión, sin tutorizar sobre, exponerse a, o dialogar acerca de, las artes, las personas no buscan más que las etiquetas correctas: las de las obras de los artistas que han oído que deben ver. Hay quien contempla un espectáculo de ballet sólo por el argumento, no por el movimiento y por la música; hay quien se duerme en los conciertos o se centra sólo en los folletos ilustrados que le entregan para seguir lo que oye. Lo que quiero decir es que la mera presencia ante formas de expresión artística no basta para ocasionar una experiencia estética o cambiar una vida.

Las experiencias estéticas precisan de una participación consciente en una obra, de una emisión de energía, de una capacidad para apreciar lo que ha de ser apreciado en la obra de teatro, el poema, el cuarteto. Saber «de», incluso del modo más académicamente formal, no tiene nada que ver con constituir imaginativamente un mundo ficticio e introducirse en él perceptiva, afectiva y cognitivamente. Introducir a los estudiantes en esa clase de implicación significa hallar un delicado equilibrio entre ayudarlos a prestar atención –a las formas, las pautas, los sonidos, los ritmos, los recursos estilísticos, los contornos y las líneas– y ayudarlos a liberarse para que hagan significativas para sí mismos obras de arte concretas. Y es quizás esa negativa a controlar lo que sus alumnos y alumnas descubren como significativo para ellos y ellas lo que más rechazo causa entre los educadores tradicionales como contrario a su concepción de las normas o a sus nociones de alfabetización cultural correcta. De hecho, esa misma negativa –esencial, desde mi punto de vista– puede ser la causa fundamental de la preocupación que en ciertos administradores despiertan los actuales «estándares» nacionales.

Pero si queremos ofrecer oportunidades de encuentros significativos con las obras de arte, hemos de combatir tanto la estandarización como la que Hannah Arendt denominó «irreflexión» de todos los implicados. Arendt tenía concretamente en mente «la temeridad irresponsable o la confusión incorregible o la repetición complaciente de "verdades" que se han vuelto triviales y vacías» (1958, p. 5), un problema que continúa afectándonos hoy en día. Su descripción recuerda la del comportamiento que John Dewey había calificado de «patología social» treinta años antes, una patología que se manifestaba en forma de «una queja continua, un impotente "dejarse llevar", una desaforada atención a las distracciones, una idealización de lo ya establecido desde hace tiempo, un optimismo superficial que se lleva encima como una capa» ([1927] 1954,

p. 170). Preocupado por «la dejadez, la superficialidad y el recurso a las sensaciones como sustituto de los ideales», Dewey también dejó claro que «cuando el pensamiento se ve privado de su curso normal, se refugia en el escepticismo académico» (p. 168). Para Arendt, el remedio radica en «pensar lo que hacemos». Es decir, necesitamos practicar y enseñar la autorreflexión que se origina en la vida situada, la vida de las personas en su pluralidad, abiertas unas a otras en sus ambientes característicos, participantes en un diálogo mutuo. Provocada por el espectáculo en torno al nazi Adolf Eichmann, Arendt volvió a mencionar el tema en una advertencia dirigida contra «los tópicos, las frases hechas [y] la adhesión a códigos convencionales y estandarizados de expresión y conducta [que tienen] la función socialmente reconocida de protegernos de la realidad, es decir, de la llamada a nuestra atención pensante que todos los acontecimientos y hechos realizan por el mero hecho de existir» (1978, p. 4). Pero su aviso no era un llamamiento a un nuevo intelectualismo o a concentrarse de nuevo en las habilidades de orden superior. Lo que ella pedía era un modo de buscar claridad y autenticidad ante tanta irreflexión, y yo personalmente creo que también nosotros debemos pedir lo mismo si deseamos de verdad abrir a nuestros jóvenes a las artes (es decir, si estamos comprometidos con la liberación de la imaginación).

Necesitamos reflexión para resistirnos a los mensajes de los medios con la seriedad sugerida por Eco, puesto que resulta difícil imaginar que las imaginaciones juveniles puedan liberarse sin que esos jóvenes alumnos descubran antes el modo de adoptar un enfoque crítico y reflexivo ante los simulacros, las realidades fabricadas, que les presentan los medios de comunicación. Cuando pensamos con relación a lo que hacemos, nos hacemos conscientes de nuestro esfuerzo por crear significados, por dar sentido crítico a lo que otras voces autorizadas ofrecen como objetiva y autorizadamente «real».

Quedarnos con una imagen de lo que es objetivamente «un hecho» tiene el efecto de cosificar lo que experimentamos y de hacer que nuestra experiencia sea resistente a la reevaluación y al cambio, en vez de abierta a la imaginación. Para mí, en la enfermedad en la que se centra la trama de *La peste* de Camus (1948) está presente una metáfora de esa cosificación que debe ser vencida. La plaga que azota la ciudad de Orán (inmersa en el hábito y ocupada en «hacer negocios») impulsa a la mayoría de sus habitantes a la resignación, el aislamiento o la desesperación. A medida que se les va revelando como inexorable e incurable, la enfermedad inmoviliza a las personas: simplemente, está *ahí*. Al mismo tiempo, el Dr. Rieux lucha contra la peste al principio por el más abstracto de los motivos: porque es su trabajo (es una reacción tan lógica como que dos y dos son cuatro). Sólo más adelante, cuando las tragedias inenarrables que presencia le hacen *pensar* en lo que está haciendo, reconsidera su práctica y se da cuenta de que lo más importante que puede hacer es no aceptar la plaga, porque eso equivale a ser cómplice de la misma.

Del mismo modo, Tarrou reconoce que la peste puede ser interpretada como una metáfora de la indiferencia, el distanciamiento o (añadiría yo) la irreflexión de las personas. En su empeño por ser un «santo sin Dios», reúne el ingenio y, también, la imaginación para organizar a la gente en brigadas sanitarias para luchar contra la enfermedad y (lo que es de crítica importancia) para convertirla en la preocupación moral de todos, porque todo el mundo es portador del microbio de la peste del cuerpo y el potencial de la plaga de la indiferencia, como le dice a Rieux, es algo natural. Con ello quiere decir lo mismo que quisieron decir Arendt, Dewey, Eco y otros que oponen resistencia a una sociedad falta de atención, de interés. Las fuentes de la plaga moral que él tiene en mente son las evasiones de los problemas complejos, las formulaciones excesivamente superficiales de las dificultades humanas, las soluciones convencionales... factores todos ellos que, en mi opinión, son obstáculos en el camino hacia el pensamiento imaginativo y la implicación imaginativa en las artes. «La salud, la integridad, la pureza, si usted quiere, son un resultado de la voluntad humana», dice Tarrou, «de una vigilancia que no debe detenerse nunca». Por supuesto, el mensaje para nosotros (y para quienes son nuestros estudiantes) es que debemos contar con oportunidades para elegirnos a nosotros mismos como personas íntegras, personas que se preocupan. Tarrou también sospecha hondamente del lenguaje ampuloso que eclipsa las realidades de las cosas y que tan a menudo sustituye los detalles concretos por abstracciones. Ésa también es una de las formas de la irreflexión a la que Arendt nos insta a poner remedio. Ella anhela un «lenguaje llano y claro» y quiere (como Tarrou) que las personas presten atención a lo que les rodea: «que se paren a pensar» (1978, p. 4). Camus y Arendt afirman que esa conciencia y esa apertura al mundo son las que nos permiten darnos cuenta de las posibilidades alternativas y estar dispuestos (tras reconocer esas posibilidades) a arriesgarnos a encuentros con las «mujeres llorando» de Picasso, con la *Medea* de Eurípides, con *Moby Dick*, con *El hijo pródigo* de Balanchine o con *La canción de la tierra* de Mahler.

Hay otra novela que permite a sus lectores hacerse una idea de cómo el camino de la imaginación se ve a menudo obstaculizado por el lenguaje que, en nuestra actual era tecnológica y de la información, se utiliza en las aulas. Como en el caso de *La peste*, recurro a esta otra novela no para añadir nuevos conocimientos a los ya poseídos ni para hallar en ella alguna verdad enterrada, sino porque, como obra de arte literaria que es, me ha hecho ver a lo largo del tiempo lo que posiblemente nunca habría visto en mi propio mundo vivido. Me ha impulsado a lanzarme a fondo, por así decirlo, en busca de recuerdos (y de reflexiones y pérdidas) olvidados o reprimidos y a ordenarlos según el texto. Me ha involucrado en «la reescritura del texto de la obra dentro del texto de [mi] vida» (Barthes, 1975, p. 62).

La novela *Accidente: noticias de un día*, de Christa Wolf, me ha llevado a clarificar mis propias reacciones a lo que de técnico y abstracto tiene mi experiencia. Puede que sea porque trata de cómo una mujer escritora, madre y abuela, habitante de la Alemania Oriental rural, vive y reacciona ante el accidente nuclear de Chernóbil (ocurrido hace unos años). La protagonista se siente preocupada tanto por la operación de neurocirugía a la que someten a su hermano el mismo día del accidente del reactor nuclear como por las consecuencias de ese accidente para sus nietos y para los niños de todo el mundo. No dedica tiempo alguno a preguntarse cuál ha sido su reacción o cómo responderá ante una crisis de esa magnitud; su preocupación sólo tiene como objeto a otras personas (tanto aquéllas a las que quiere como otras –desconocidas– a las que no puede olvidar ni por un instante) en un mundo de beneficio y perjuicio tecnológicos simultáneos. Resulta de especial interés, dentro del contexto de una ética de la preocupación o de la atención, incluir durante un momento en nuestra propia experiencia un agente moral como Tarrou, que trata de ser un «santo sin Dios», y una madre joven asustada que se imagina lo que es tirar miles y miles de litros de leche por temor a que pueda envenenar a los niños de Alemania cuando «hay niños en el otro extremo de la tierra que se están muriendo por falta de un alimento como ése» (1989, p. 17).

También es interesante comparar su reacción con otras dos imágenes muy distintas (inmediatamente humana e individual una, más abstracta la otra). Cuando la narradora pide a su hija que le hable de sus nietos, se entera «de que la pequeña había estado dando saltos por la cocina con la mano en alto y una tuerca de mariposa en el pulgar. Soy una marioneta. Soy una marioneta. Aquella imagen me hizo estremecer». Pero, en contraste con ese estremecimiento, una secuencia distinta de imágenes mentales le hace pensar que «hay que reconocer la precisión de relojería con la que todo encaja: el deseo de llevar una vida cómoda que tiene la mayoría de personas, su tendencia a creer lo que les dicen los altavoces desde los estrados o los hombres de bata blanca. La adicción a la armonía y el temor a la contradicción de los muchos parece corresponderse con la arrogancia y el hambre de poder, la dedicación al lucro, la exagerada curiosidad sin escrúpulos y el encaprichamiento de sí mismos de los pocos». Pero, si tan admirable resulta, se pregunta, «¿qué fue lo que estropeó esta ecuación?» (p. 17). Esa labor de imaginación y cuestionamiento es, precisamente, la que puede verse impedida por la preocupación por el rendimiento de primera línea mundial y por los recursos humanos que se hace evidente en la Goals 2000.

No tiene que ser así. Es mucho más probable que sean la pregunta que se hace la abuela sobre «esa ecuación» y la extrañeza que le produce la tendencia de las personas a creer a los hombres de bata blanca las que provoquen la aventura y la indagación cognitivas más que el mejor de los marcos curriculares o la más responsable y «auténtica» de las evaluaciones. Cuando se ponen las imaginaciones de los estudiantes en movimiento en respuesta a un texto como el de Wolf, es muy posible que se les esté obligando a escoger a un nivel fundamental, es decir, a elegir entre el deseo de armonía (la respuesta fácil) y la implicación en la búsqueda de posibilidades alternativas. La narradora de Wolf, casi como si fuera una de las mujeres que lloran, alza la vista hacia el azul del cielo (parafraseando una fuente que no cita) y dice: «Horrorizadas, las madres buscan en el cielo los inventos de los hombres doctos» (1989, p. 27). Empieza a reflexionar sobre el lenguaje y la dificultad de superar la barrera impuesta por términos como «media vida», «cesio» o «nube» (en lugar de lluvia contaminada). Y, de nuevo, puede ayudarnos el hecho de sentir la necesidad de superar la perplejidad que nos causa la tecnología y el lenguaje a que ha dado lugar (la necesidad, en suma, de luchar contra la tendencia a «desconectarse» del saber, del habla).

Cuando la narradora de Wolf sopesa los motivos de quienes idearon los procedimientos para el «uso pacífico de la energía nuclear», recuerda una protesta contra una central nuclear y las reprimendas de que fueron objeto los manifestantes por no creer que aquella utopía científica era posible. Luego enumera para sí las actividades a las que los hombres de ciencia y tecnología «presumiblemente no se dedican o que, si fueran obligados a hacerlas, considerarían una pérdida de tiempo: cambiar los pañales a un bebé; cocinar o hacer la compra con un niño del brazo o en su cochecito; hacer la colada, extenderla, recogerla, doblarla, plancharla, zurcirla; barrer el suelo, fregarlo, encerarlo, pasarle la aspiradora; limpiar el polvo; coser; hacer calceta; hacer ganchillo; bordar; lavar los platos; lavar los platos; cuidar de un hijo enfermo; inventarse cuentos para explicárselos; cantar canciones. ¿Y cuántas de esas actividades considero yo misma una pérdida de tiempo?» (1989, p. 31).

Cuando leemos esto y dejamos que induzca en nosotros una nueva batería de preguntas, nos resulta ineludible considerar el papel que esas particularidades pueden desempeñar en la conversación en el aula y en nuestros esfuerzos por despertar a las personas para que hablen de lo que deberían ser las cosas. La narradora de Wolf cree que la «monstruosa creación tecnológica en expansión» puede funcionar como sustituto de la vida en sí para muchas personas (como una gratificación vicaria). Es perfectamente consciente de los aspectos benignos de la tecnología: después de todo, su hermano se está beneficiando de los avances de la neurocirugía mientras ella espera... y piensa. Pero piensa en algo en lo que muy bien podríamos pensar nosotros en referencia a nuestras escuelas: acerca de las consecuencias más y menos benignas de la tecnología para nuestros seres queridos. Puede que su pensamiento nos recuerde una vez más lo importante que sigue siendo para nosotros mantener vivas ideas e imágenes de todo aquello que amamos. Si lo hacemos (o eso, al menos, quiero creer), puede que seamos capaces de crear los climas apropiados en las clases para que los jóvenes se sientan inducidos a hallar esperanza de nuevo y para que, incluso en los espacios reducidos, empiecen a reparar.

Esto me trae de vuelta a mi defensa de las artes, tan inconscientemente desatendidas en el debate de los objetivos educativos para el año 2000. Necesitamos reconocer que los hechos de los que se componen las experiencias estéticas ocurren dentro (y por medio) de las transacciones con nuestro entorno que nos sitúan en el tiempo y el espacio. Hay quien dice que los encuentros participativos con los cuadros, la danza, los relatos y todas las demás formas artísticas hacen posible que recobremos una espontaneidad perdida. Si traspasamos los marcos de las presuposiciones y las convenciones, tendremos la posibilidad de recobrar los procesos por los que nos vamos haciendo de un modo u otro. Si reflexionamos sobre las historias de nuestras vidas, nuestros proyectos, es posible que seamos capaces de resistirnos a convertir la revolución tecnológica en una «divinidad» y que adquiramos una perspectiva más realista de los hombres de bata blanca o, incluso, de nuestros propios deseos de retirada y armonía. Si nos percibimos a nosotros mismos como interrogadores, como creadores de sentido, como personas implicadas en la construcción y reconstrucción de realidades junto a las personas que nos rodean, puede que comuniquemos a los estudiantes la noción de que la realidad son múltiples perspectivas y que la construcción de la misma nunca es completa, que siempre hay más. Esto me recuerda los diversos cuadros en los que Paul Cézanne pintó el monte St. Victoire: el pintor sugería así que el objeto debía ser visto desde diversos ángulos, desde múltiples perspectivas, para poder ser abarcado como fenómeno en nuestra conciencia.

Cézanne dio mucha importancia a la inserción del cuerpo en los paisajes que él hacía visibles, algo que, en sí, puede sugerir una dimensión de la experiencia en la que basar nuestro pensamiento y el de aquéllos y aquéllas a quienes enseñamos. Hay quienes dicen que la estética de la danza, por ejemplo, nos sitúa ante la pregunta de lo que significa ser humanos. Arnold Berleant escribe que, «al establecer un territorio humano mediante el movimiento, el bailarín participa (junto con el público) en el acto básico del que surgen toda la experiencia y todas nuestras interpretaciones humanas del mundo. [...] Se trata de la negación directa del más pernicioso de todos los dualismos: el de la división entre el cuerpo y la conciencia. En la danza, el pensamiento cobra todo el protagonismo en el punto mismo de la acción. No hablamos de un reflejo de la mente contemplativa, sino del intelecto suspendido en el cuerpo; no hablamos de la consideración deliberada de posibilidades alternativas, sino del pensamiento que, en pleno proceso, reacciona ante el cuerpo en acción y lo guía íntimamente» (1991, p. 167). La atención recae sobre el proceso y la práctica; la habilidad en construcción está encarnada en el objeto. Además, la danza proporciona oportunidades para el surgimiento del yo integrado. Parece evidente que esta concepción del yo debiera ser tenida en cuenta en una época como la actual, tan especialmente tecnificada y academicista.

Los comentarios de Berleant guardan relación con la pintura también, siempre que la veamos (como, por cierto, la deberíamos ver) con relación al cuerpo físico de su creador y de su perceptor en su orientación en el espacio y en el tiempo. Si tomamos un punto de vista participativo, podemos introducirnos en el paisaje, la estancia o la calle que en ella se muestran. Obviamente, cada pintor o pintora (Rafael, Delacroix, Cézanne, Picasso, Edward Hopper, Mary Cassatt) exige de nosotros un modo de percepción distinto, pero gracias a ello ampliamos nuestra sensibilidad a las formas, los colores y los espacios percibidos. Jean-Paul Sartre recalcaba la importancia de la preocupación por la función del arte en el despertar de la imaginación del modo siguiente:

> *La obra nunca se limita al objeto pintado, esculpido o narrado. Del mismo modo que cada uno de nosotros sólo puede percibir las cosas sobre el trasfondo del mundo, los objetos representados por el arte se nos aparecen sobre el trasfondo del universo. [...] Si el pintor nos ofrece un campo o un jarrón de flores, sus pinturas son ventanas abiertas al mundo entero. Nosotros seguimos la senda roja enterrada entre el trigo mucho más lejos de hasta donde Van Gogh la ha pintado, a lo largo de otros trigales, bajo otras nubes, hasta el río que desemboca en el mar, y hacemos llegar hasta el infinito, hasta la otra punta del mundo, la profunda finalidad que sostiene la existencia del campo y de la tierra. De tal modo que, a través de los objetos diversos que produce o reproduce, el arte creativo aspira a la renovación total del mundo. Cada cuadro, cada libro, es una recuperación de la totalidad del ser. Cada uno de ellos regala esa totalidad a la libertad del espectador. Y es que ése es el objetivo final del arte: recuperar este mundo dándolo para que sea visto como es, pero como si su fuente radicara en la libertad humana.* (1949, p. 57)

La reflexión de Sartre resume en muchos sentidos la importancia que los encuentros con las artes tienen para aquellas aulas en las que se impulsa a los jóvenes a imaginar, a extenderse y a renovar. Seguramente nada puede haber más importante que localizar la fuente del aprendizaje, no en la demanda extrínseca, sino en la libertad humana.

Lo que he tratado en este capítulo concierne directamente al que hoy en día se describe como aprendiz activo, concebido aquí como aquél que está despierto para buscar significados y para dotar de significado la historia de su vida. Cierto es que una de las tendencias en la educación actual es la de moldear a los maleables jóvenes a fin de que se ajusten a las necesidades de la tecnología en la sociedad posindustrial. Pero también hay otra tendencia que tiene que ver con el crecimiento de las personas como tales, con la educación de las personas para que sean diferentes, para que encuentren sus voces y para que desempeñen papeles participativos y elocuentes en una comunidad en construcción. Los encuentros con las artes y las actividades pertenecientes al terreno artístico pueden nutrir el crecimiento de personas que se busquen en los claros de su experiencia y traten de estar de un modo más ardiente en el mundo. Si finalmente se reconoce la significación de las artes para el crecimiento, la inventiva y la resolución de problemas, puede que superemos el grave estancamiento actual y crezca la esperanza (la esperanza de la posibilidad sentida). El poema «Elegy in Joy» («Elegía de dicha») de Muriel Rukeyser insinúa a la perfección la sensación de posibilidad que podríamos experimentar:

> *De nuestra vida los ojos vivos*
> *ven que se ha hecho la paz a nuestra imagen y semejanza,*
> *y que hemos sido capaces de dar sólo lo que podemos dar:*
> *a caballo entre dos días como la medianoche. «Vivid»,*
> *invita el momento: la noche precisa de*
> *promesa, esfuerzo, amor y elogio.*
> *Ahora ya no hay mapas ni magos.*

Ni más profetas que el joven profeta: el sentido del mundo.
El don de nuestro tiempo, el mundo por descubrir.
Con todos los continentes emitiendo sus diversas luces,
con el mar, único, y el aire. Y todo reluce. ([1949] 1992,
p. 104)

El arte ofrece vida, ofrece esperanza, ofrece la perspectiva del
descubrimiento, ofrece luz. Si resistimos, puede que logremos
convertir la enseñanza de la experiencia estética en nuestro
credo pedagógico.

11
Textos y márgenes

El crítico Denis Donoghue nos recuerda cuántas personas
continúan considerando el arte como mero entretenimiento
sin uso práctico alguno. Y, como él mismo admite, «es cierto que
las artes no curan un dolor de muelas [ni] son de gran ayuda
a la hora de superar las presiones a las que nos somete el
mundo material».

> *Pero en un sentido distinto, resultan de capital importan-*
> *cia, puesto que proporcionan espacios en los que podemos*
> *vivir en absoluta libertad. Imaginemos por un momento*
> *que [la vida] fuese una página. El texto principal ocupa*
> *el lugar central: es el texto de la necesidad, del alimento*
> *y el cobijo, de las preocupaciones y los trabajos cotidianos,*
> *el que hace que las cosas sigan funcionando. Ese texto se*
> *negocia principalmente por convención, rutina, hábito,*
> *obligación: es muy poco lo que podemos elegir del mismo.*
> *Mientras nos mantenemos en ese texto, simplemente coinci-*
> *dimos con nuestro yo corriente. Sin embargo, si se tomara*
> *la página en su conjunto (texto incluido), tendríamos que*
> *vivir según sus ritmos no convencionales, incluso en nues-*
> *tras horas de ocio, que también están sujetas a convencio-*
> *nes.* (1983, p. 129)

Donoghue llega a la conclusión de que las artes se encuentran
en los márgenes de la vida de muchas personas. El «margen»
sería «el lugar de aquellos sentimientos e intuiciones que no
tienen cabida en la vida diaria y que, de hecho, ésta parece
reprimir». Pero quienes optan por vivir «dentro de las artes
[...] pueden hacerse un espacio y llenarlo de indicios de li-

bertad y presencia» (p. 129). La idea de hacernos un sitio, de experimentarnos en nuestra propia relación con nuestro entorno y de tomar iniciativas para desplazarnos por esos espacios, me parece de una importancia crucial. Como dijo Martin Heidegger, de vez en cuando ocurren cosas «más allá de lo que es», cuando aparece un espacio abierto: «Existe un claro, un resplandor», que va más allá de lo que estamos seguros de conocer (1971, p. 53). En el capítulo 10 he hablado de las formas mediante las que, en general, el arte libera la imaginación. En este capítulo desarrollo aún más esos argumentos y me fijo especialmente en nuestra necesidad de aprender una pedagogía que combine la educación artística y la estética de manera que seamos capaces de hacer posible que nuestros estudiantes vivan dentro de las artes, creándose claros y espacios para sí mismos. Hablo de nosotros, en plural, desde la esperanza de que exista (y pueda hablar de) una comunidad de educadores y educadoras comprometidos con la pedagogía emancipadora, especialmente en el ámbito del arte. Dicha comunidad debe incluir en su diálogo a mujeres y hombres de todas las clases, orígenes, colores y religiones, libres cada uno de ellos y ellas para hablar desde una perspectiva diferenciada y para, desde esa perspectiva, emprender la construcción de un mundo común. Y debe *compartir* además su amor incansable por el arte.

Muchos de los profesores y las profesoras que aspiramos a desafiar el formalismo, el didactismo y el elitismo vacíos, creemos que los choques de conciencia a los que las artes dan lugar nos dejan (*deberían* dejarnos) menos inmersos en lo cotidiano y nos impulsan más a preguntarnos por las cosas y a ponerlas en cuestión. No es inhabitual que el arte nos deje una sensación de incomodidad o nos saque del conformismo. Puede lanzarnos de vez en cuando a espacios en los que podemos imaginarnos otras formas de ser y reflexionar sobre lo que podría significar hacerlas realidad. Pero entrar en esos espacios requiere de voluntad para resistirse a las fuerzas que presionan a las personas hacia la pasividad y el conformismo. Requiere del rechazo a lo que Foucault llamó «normalización», cuyo poder impone la homogeneidad y permite que las personas «determinen los niveles, fijen las especialidades y hagan útiles las diferencias encajándolas entre sí» (1984*a*, p. 197). Resistirse a tales tendencias es ser consciente de que ciertas prácticas sociales dominantes nos encierran en moldes, nos definen con acuerdo a demandas extrínsecas, nos disuaden de ir más allá de nosotros mismos y de actuar guiados por la posibilidad.

En verdad, no veo de qué forma podemos educar a las personas jóvenes si no hacemos posible que se resistan, al menos a cierto nivel, a esa clase de tendencias y abran claros para comunicarse a través de las fronteras, para elegir, para ser diferentes en medio de las relaciones intersubjetivas. En parte, yo defiendo la implicación consciente en las artes de todas las personas como modo de que los individuos de esta democracia sean menos dados a circunscribirse al «texto principal» y a coincidir para siempre con lo que son. La mayoría de veces, lo considerado valioso o respetable en el texto principal de esta sociedad se identifica con los valores de la clase media blanca que durante tanto tiempo fueron asumidos como los genuinamente «americanos». El hecho de que hayan sido dados por descontado como tales ha hecho que rara vez se los haya tenido que nombrar; por consiguiente, no han sido objeto de examen o crítica. Pero ese texto tiene efectos serios en las minorías: hace que sus miembros se sientan extraños e invisibles a ojos de la cultura dominante. Cuando Herbert Marcuse (1977, pp. 10-11) se refería a las cualidades del arte (que le permiten condenar la realidad establecida y evocar imágenes de liberación), estaba probablemente sugiriendo (como yo lo hago aquí) la relevancia del arte para superar la incapacidad de ver a otras personas.

Por otra parte, a la hora de incorporar la implicación en las obras de arte (o en el mundo del arte en general) en nuestra pedagogía, es también importante que hagamos caso del recordatorio que hacía Arthur Danto: «no puede haber un mundo artístico sin teoría, puesto que el mundo artístico depende lógicamente de la teoría». Una teoría del arte desliga los objetos del mundo real y los hace «parte de un mundo diferente, un mundo *del arte*, un mundo de cosas *interpretadas*» (1981, p. 135). El mundo del arte es un mundo *construido* y, por tanto, debemos acordarnos de verlo siempre como contingente y abierto a la crítica. Debemos considerarlo siempre abierto a la expansión y la revisión. El canon, tradicionalmente definido por un determinado número de hombres del pasado, debe concebirse siempre desde el escepticismo y debe mantenerse abierto para que dejemos de ignorar lo nuevo y lo diferente que pueda aparecer. Cada vez es más evidente que formular una definición de «arte» que satisfaga a todo el mundo o tomar una decisión universalmente aceptable sobre qué constituye una obra de arte o no, plantean problemas insolubles. No podemos seguir limitando plácidamente las elecciones del aula a obras cuya grandeza ha sido determinada por grupos limitados. Pero tampoco podemos limitarnos a enumerar muestras que nosotros consideremos «representativas» de otras tradiciones y bautizar el conjunto resultante con el título de «multiplicidad». Hoy en día, debemos permitir que se oigan las voces que sabemos que han estado largo tiempo silenciadas: las voces de las mujeres, de las minorías étnicas, de los poetas y los músicos reconocidos fuera del mundo occidental, y debemos dejar espacio para lo no probado y lo inesperado. Creo que, seleccionando lo que han llegado a valorar por sí mismos, los profesores pueden ofrecer a sus estudiantes oportunidades de transformar la experiencia.

De todos modos, mi interés por el canon no se circunscribe al hecho de que hagamos posible que las personas se impliquen de manera auténtica y con espíritu aventurero en las obras de una serie de artistas. También me interesa la posibilidad de explorar una serie de medios: no sólo el lenguaje escrito u oral (a pesar de su vital importancia como material del que están hechos los enigmas, las poesías y los relatos, y mediante el que se explican los sueños, se inventan las ficciones y se da forma a las novelas), sino también la pintura, los pasteles, la arcilla y la piedra, las melodías, las disonancias y las cadencias de sonido que conforman la música, y el cuerpo en movimiento en la danza (creando formas, haciendo un esfuerzo, expresando visiones y desplazándose en el espacio y en el tiempo).

A través de la escultura, la pintura, la danza, el canto o la escritura, se puede ayudar a un gran número de personas en la búsqueda de sus propias imágenes, de sus propias visiones de las cosas. Esto puede capacitarlas para que se den cuenta de que una de las maneras de descubrir qué ven, sienten e imaginan, es transmutar todo eso en algún contenido al que luego den forma. Al hacerlo, puede que experimenten toda clase de nuevos espacios sensoriales abiertos. Puede que inesperadamente perciban en el mundo que les rodea pautas y estructuras de cuya existencia nunca sospecharon. Puede que al abrirse el telón de la inatención descubran toda una serie de nuevas perspectivas. Puede que reconozcan algunas de las formas que tienen las conciencias de tocarse, refractarse e implicarse entre sí, así como los modos en los que las conciencias particulares pugnan por captar la apariencia de las cosas.

Cuando a los individuos (incluso a los más jóvenes) les sucede esto, se encuentran claramente más preparados para comprender el esfuerzo de Alvin Ailey por transmitir una sensación de celebración a la orilla de un río, para captar los cuentos entrelazados que relata el personaje que da nombre a la novela *Eva Luna* de Isabel Allende (1989), para entender la interpretación que hizo Stravinsky del rápido revoloteo y el colorido del turpial, para interpretar la exploración del sentimiento abrasador de ser madre, de sacrificarse como tal y de enfrentarse ante el abismo creado con ello que se observa en *Beloved*, de Morrison, para asimilar los dibujos de formas simples, sin adornos, de Keith Haring, o la impresión de obras relacionadas que dejan los artistas del *graffiti* en las puertas y los muros de las ciudades. Cuando los estudiantes pueden compartir el aprendizaje del lenguaje de la danza moviéndose como lo hacen los bailarines, o la introducción en el sistema de símbolos de la escritura de novelas y de la redacción de relatos componiendo sus propias narrativas con palabras, o el uso de los sonidos del cristal o de las baterías para descubrir lo que significa moldear el sonido como medio, se están implicando de forma inmediata en el arte y, con ello, están propiciando un conocimiento y un compromiso participantes con las formas artísticas. La educación estética debería incluir aventuras de este estilo, como también debería incluir esfuerzos intencionados para promover encuentros cada vez más informados y apasionados con las obras de arte. Debería incluir (y no por casualidad) el planteamiento de preguntas (de carácter estético) que surgen en el transcurso de las experiencias artísticas: ¿Por qué siento que esta obra me habla y esa otra me excluye? ¿Hasta qué punto encarna realmente esta canción la pena de Mahler? ¿Qué tiene la «Oda a la alegría» de Beethoven que me hace sentir como si entrara en contacto con una realidad trascendente? ¿De qué modo refleja, refracta, explica, interpreta, la historia colombiana la novela *Cien años de soledad* (1970), de García Márquez? ¿Hasta qué punto es «real» la isla de las Indias Occidentales descrita por Jamaica Kincaid en *Lucy* (1990)? Plantearse interrogantes estéticos hace que la propia experiencia estética sea más reflexiva, crítica y resonante. Mediante la respuesta a esas preguntas la educación artística se profundiza y se amplía al mismo tiempo.

Por «educación artística» entiendo, obviamente, todo un espectro en el que se incluyen la educación en la danza y en la música, la enseñanza de la pintura y de otras artes gráficas y (deseablemente) la de ciertos tipos de composición literaria. Por «educación estética» entiendo los esfuerzos deliberados por fomentar encuentros cada vez más informados e implicados con el arte. El objetivo de permitir que nuestros estudiantes se impliquen en el arte como creadores y como experimentadores de obras existentes es el de liberarlos para que se hallen más plenamente presentes en, por ejemplo, un cuadro urbano de Edward Hopper, un paisaje de Cézanne, una composición de *jazz*, una canción popular de Béla Bartók o una novela de Joyce.

Lograr esa meta es, en parte, lo que me lleva a proponer que la educación artística esté infundida de esfuerzos por llevar a cabo una educación estética. Nos hacemos plenamente presentes en el arte cuando entendemos lo que hay que apreciar de la obra en cuestión, cuando liberamos nuestras imaginaciones respectivas para poner orden en el campo de lo que percibimos y cuando permitimos que nuestros sentimientos informen e iluminen aquello de lo que debemos ser conscientes. Me gustaría que una pedagogía se incorporara a la otra: la pedagogía que los capacita para atender (y, quizás, para apreciar) y viceversa. Me gustaría que ambas pedagogías procedieran desde la concepción de que tanto el alumno como el enseñante buscan e interrogan: ambos son personas conscientemente «condenadas al significado» (Merleau-Ponty, [1962] 1967, p. xix) y, por consiguiente, reflexionan sobre su proceso de elección enfocadas hacia el espacio abierto que pueden tener (o no) ante sí. Los fines posibles son múltiples, pero entre ellos están, sin duda, la estimulación de la imaginación y la percepción, la sensibilidad ante los diversos modos de visión y de creación de sentido, y la cimentación en las situaciones de la vida vivida.

Aunque la mayoría de críticos y profesores coinciden actualmente en la improbabilidad de dar con una definición fija de *arte* en la que estén contenidas todas las formas artísticas que han existido y que existirán, muchos de nosotros y nosotras estaríamos con Marcuse, cuando afirmaba que el arte «abre una dimensión inaccesible al resto de la experiencia, una dimensión en la que los seres humanos, la naturaleza y las cosas ya no están sometidas a la ley del principio de la realidad establecida». Cuando se libera a las personas para que puedan poner atención y concentrar sus energías en el arte, los lenguajes y las imágenes de las obras artísticas hacen «perceptible, visible y audible lo que ya (o todavía) no se percibe, dice u oye en la vida cotidiana» (1977, p. 72). Todos y todas guardamos en la memoria experiencias que validan la afirmación de Marcuse. Yo recuerdo, por ejemplo, la subversión de los órdenes tradicionales de la realidad que lograron Braque y Picasso cuando hicieron posible que tantas personas apreciaran la significación de mirar el mundo vivido a través de múltiples perspectivas. Me acuerdo de las impactantes revelaciones que me causó la contemplación de la decena de visiones de la catedral de Rouen pintadas por Monet en tres meses. Como los álamos o los graneros de las otras pinturas en serie de Monet, la catedral revela formas cambiantes e, incluso, significados cambiantes de la estructura a medida que cambian los momentos del día, la combinación de las sombras y la inclinación de la luz. Cuando contemplamos los cuadros de los graneros, es posible que sintamos un ritmo cambiante y expresivo de relaciones, una interacción entre un pequeño y modesto granero y otro, dominante y protector, o entre la sombra proyectada por las pilas de grano y el resplandor del cielo. Para nosotros y nosotras no sólo tiene valor el hecho de ver algo en el mundo visible cuya existencia no habríamos siquiera sospechado de no ser por Monet, sino también el reconocer que la visión –y el significado y el pulso– son funciones de un cierto modo de atención por nuestra parte. A fin de cuentas, Monet no nos proporcionó un escaparate a una serie de paisajes que se hallaban objetivamente ahí fuera y que eran de apariencia directamente «impresionista». Como en la poesía o en la pintura, los significados son formas de relacionarse con las cosas. Los significados de esos paisajes de Monet (como los del *Papa Inocencio X* de Velázquez, las calles urbanas solitarias de Edward Hopper, o *Los desastres de la guerra* de Goya) no residen en el tema en sí, en el lienzo colgado en la pared o en nuestras subjetividades cuando nos enfrentamos a ellos. El significado *se produce* en (y mediante) el encuentro con una pintura, con un texto, con una actuación de ballet. Cuanto más informado es nuestro encuentro –en términos de familiaridad con el medio en cuestión, de empleo de cierta lente crítica de observación y de conciencia de la existencia de un mundo del arte (Danto, 1981, p. 5)–, más probable resulta que apreciemos y que la obra tenga significado. Si en nuestro interior laten preguntas acerca de si se puede (o no) definir algo como buen o mal arte, acerca de cuál es la relación entre el contexto y la obra de arte, y acerca de cuáles son buenos motivos, es probable que nos preguntemos y percibamos aún más.

Ninguno de nuestros encuentros puede tener lugar, no obstante, sin la liberación de la imaginación, sin la capacidad de mirar *a través de* las ventanas de lo real, de hacer existir los «como si» en nuestra experiencia. La imaginación crea nuevos órdenes al «reunir las partes cercenadas» (Woolf, 1976, p. 72) gracias a la conexión que realiza entre la conciencia humana y las obras de arte visual, literario, musical y de danza. La imaginación puede constituir nuestro medio primario de formación de una interpretación de lo que sucede bajo el epígrafe de «realidad»; la imaginación puede ser responsable de la textura misma de nuestra experiencia. Si desechamos las separaciones habituales entre lo subjetivo y lo objetivo (lo

interior y lo exterior, las apariencias y la realidad), puede que
seamos capaces de dar a la imaginación la importancia debida y de entender lo que significa situarla en el centro mismo
de la comprensión o el conocimiento. El poeta estadounidense Hart Crane se refirió a la imaginación calificándola de
«razonable agente de conexión con nuevos conceptos y evaluaciones más inclusivas» (1926, p. 35). Por su parte, el poeta
Wallace Stevens habló de cómo la imaginación acentúa la sensación de realidad al sancionar «el poder de la mente sobre las
posibilidades de las cosas» (1965, p. 31). Mary Warnock ha
escrito que la imaginación está ligada a las emociones pero
que, aun así, resulta necesaria «para aplicar pensamientos o
conceptos a las cosas» (1978, p. 202). Según ella, debemos
reconocer que la imaginación y las emociones, incluido el
gusto y la sensibilidad, pueden y deben ser educadas. Mi
argumento en este sentido es que una forma especialmente
poderosa de educarlas es mediante la iniciación en los ámbitos artístico-estéticos.

A pesar de sus intenciones científicas en lo relacionado
con el estudio de los efectos de la luz sobre la apariencia de
las cosas, Monet no hubiese podido ver sin imaginación la
fachada de la catedral de Rouen de tantas formas distintas:
como la adusta encarnación de una fe oscura, como una
danzante pantalla radiante de promesa, como un delicado
velo de encaje. Tampoco nuestra conciencia podría apreciar
esas visiones diferenciadas si no gozara de cierta capacidad
para transformar esas pinceladas, esos blancos, dorados y
azules marinos, en la imagen de una catedral. Cuando lo
hacemos, es muy probable que cambiemos alguna dimensión de nuestra percepción y, con ello, alguna dimensión de
nuestra vida.

La poesía de Wallace Stevens retrata el lugar central que
ocupa la imaginación con peculiar agudeza, de la que quizás
sean especialmente conscientes quienes han intentado alguna

vez escribir poemas. Cuando Stevens compara la imaginación con una «guitarra azul» que (ante la desesperación de algunos oyentes) no «toca las cosas como son» ([1937] 1964, p. 165), no puede menos que evocar una resonancia en quienes saben lo que es mirar las cosas como si pudieran ser de otro modo y en quienes aprecian la singularidad de una guitarra de color azul, cuyas cuerdas pueden reproducir una infinidad de sonidos. Cuando Stevens hace referencia en otro poema a «seis paisajes significativos» y, dando rienda suelta a su imaginación, se da cuenta de las posibilidades inesperadas que depara una flor azul y blanca de espuela de caballero al filo de una sombra, o una charca que brilla «como una pulsera / agitada al bailar», o la luna vestida de blanco, con sus pliegues «llenos de luz amarilla / [...] Su cabello lleno / de cristalizaciones azules / de estrellas / no muy lejanas» ([1916] 1964, pp. 73-74), crea nuevas conexiones entre las conciencias individuales y las cosas, y traza de nuevo los mapas de los paisajes de los lectores. Los extraordinarios versos que siguen recuerdan a los lectores que las cosas están moldeadas y esculpidas y que:

> *ni los afilados cuchillos de las farolas,*
> *ni los escoplos de las largas calles,*
> *ni los mazos de las cúpulas*
> *y las torres altas*
> *pueden esculpir*
> *lo que una estrella*
> *al brillar por entre las hojas de parra.* (pp. 74-75)

No se necesita ser escultor para compartir la sensación de descubrimiento que se experimenta al entrar en ese nuevo espacio en el que se reúnen imágenes de cuchillos, escoplos y mazos para convertir a la estrella en una talladora, una escultora, al atravesar las hojas con su resplandor. Es posible que no sea sólo nuestra manera de pensar en la luz estelar la que cambie gracias a esa clase de obra figurativa, sino también la idea o imagen que tenemos del escultor, que se convierte en la imagen de alguien o algo que crea formas imprevisibles. En la última estrofa del poema, Stevens deja que ese significado llegue a una especie de culminación y explote:

> *Los racionalistas, que llevan sombreros cuadrados,*
> *piensan, en habitaciones cuadradas,*
> *mirando hacia el suelo,*
> *mirando hacia el techo.*
> *Se confinan a sí mismos*
> *en triángulos rectángulos.*
> *Si probasen los romboides,*
> *los conos, las líneas onduladas, las elipses*
> *(como, por ejemplo, la elipse de la media luna),*
> *los racionalistas llevarían sombreros mexicanos.* (p. 75)

Todo este significado se forja también a partir de la metáfora y de la revelación de relaciones inesperadas que aporta algo nuevo al mundo del lector. Tanto si se experimenta el poema desde dentro como si se hace desde fuera, el lector no puede menos que sentirse liberado de un confinamiento y una unidimensionalidad dependientes de la adopción de un punto de vista racionalista. Cuando los racionalistas son retados a probar los romboides y los conos, se sienten tentados a dejar que sus líneas y sus cuadrados se desplacen a lo largo y ancho de un espectro de formas hasta llegar a la elipse de la media luna. No se les pide que abandonen la reflexión o que desatiendan sus textos, sino que cambien sus birretes por sombreros mexicanos (al menos, de vez en cuando). Se les desafía a que presten atención a cosas con un mayor componente de juego y gracia, de dialéctica entre luna y habitación cuadrada y entre margen y texto.

Son muchas las personas que pueden evocar experiencias análogas si se permiten aventuras ocasionales por los márgenes, si sueltan amarras a través de la elección y la acción, a través de la «pertenencia al mundo» (Merleau-Ponty, [1962] 1967, p. 456). No estoy sugiriendo que la implicación en las artes deba llevar a que nos neguemos a hacer el trabajo que tengamos que hacer ni a que nos distraigamos del mismo. Tampoco quiero decir que los márgenes de la experiencia sean lugares en los que entregarse a la indulgencia y los extremos sensuales. Tal y como las veo, las artes ofrecen oportunidades para la perspectiva, para la percepción de formas alternativas de trascender y de estar en el mundo, para el rechazo del automatismo que anula la elección.

Puede que estas formas alternativas resulten crudas y, a primera vista, feas. Puede que adopten la forma de imágenes como las que recogió Elizabeth Bishop en «Night City»:

No hay pie que pueda resistirlo,
las suelas son demasiado finas.
Vidrios rotos, botellas rotas,
ardiendo apilados. ([1976] 1983, p. 167)

Y donde las lágrimas y la culpa queman, hay un magnate que «llora solo» y «una luna ennegrecida». Pero ésa (se nos recuerda) es una vista contemplada desde un avión, a través de un cielo apagado, y el poema concluye de forma inquietante, con un paréntesis: «(Aun así, hay criaturas, / que, con mucho cuidado, por encima nuestro, / posan los pies y caminan, / verdes, rojos, verdes, rojos)» (p. 168).

Al igual que los niños vejados de las novelas de Charles Dickens, las mujeres maltratadas de las obras de Charlotte Perkins Gilman, los pequeñuelos atormentados en el mundo de Dostoyevsky –en el que, como le dice Iván Karamazov a su hermano, «la afición por torturar a los niños (y sólo a los

niños) es una peculiar característica de muchas personas»
([1880], 1945, p. 286)–, la ejecución de los guerrilleros en *Los
desastres de la guerra* y las fotografías del horror del
Holocausto, hay imágenes y figuras que despiertan directamente nuestra indignación (una dimensión de nosotros mismos mediante la que conectamos con las demás personas).
Nos abren los ojos, nos remueven la carne, puede que incluso
nos inciten a reparar nuestro mundo.

Vi no hace mucho un cuadro en el que aparecía retrata-
da la terrorista alemana Ulrike Meinhof, tendida boca arriba
tras su aparente suicidio. Su perfil, tenue y pálido, y su cuello
roto aparecen en un escenario sin aire donde no hay claridad
ni espacio para respirar. El pintor es Gerhard Richter, quien
trabajó a partir de fotografías para la producción de una obra,
a la que llamó *Batallón rojo*, en la que mostraba a los miembros (fallecidos todos ellos) de la banda Baader-Meinhof. «El
arte siempre trata en gran medida de la necesidad, la desesperación y la desesperanza [...] y solemos desatender ese contenido dándole demasiada importancia a su vertiente formal
y estética en exclusiva» (Kuspit, 1990, p. 129). Donald Kuspit
comenta que la «dialéctica entre lo concreto y lo vagamente
insinuado» en el tenue retrato que Richter hizo de la realidad
fotografiada «expresa de forma enfática el dato principal con
respecto a aquellas muertes: su incomprensibilidad, la sospecha que las rodea. [...] Eso es lo que las hace catalíticas de una
mórbida especulación "infinita", que incluye la observación
pesimista de cómo imágenes aparentemente "abiertas" de los
acontecimientos pueden ser efectivamente utilizadas para
reescribir la historia cerrándola. Esa incomprensibilidad
mana en la atmósfera escurridiza, oculta, de los cuadros»
(pp. 131-132). El propio Richter, al parecer, veía una amenaza
mortal en todas las ideologías y en muchas creencias y consideraba que la banda Baader-Meinhof fue víctima de la conducta ideológica en sí. Miramos, nos sorprendemos y nos sentimos

asaltados por las preguntas. Puede que imágenes como las de Richter evoquen tanto una especie de indignación (cuando vemos lo que la ideología y el terror acaban exigiendo de nosotros) como una duda fundamental (una reacción ante una pálida muerte sin sentido).

Una de las funciones del arte es hacer no sólo que veamos «según nuestro merecimiento» (Conrad, [1898] 1967), que cambiemos de un modo u otro nuestra vida cotidiana, sino también que subvirtamos nuestra irreflexión y nuestras complacencias, nuestra certeza sobre (incluso) el propio arte. Dados como somos a oponer la experiencia estética a los controles y las limitaciones impuestos por el tecnicismo, es más que probable que hallemos ocasiones para refugiarnos en el arte, mera realización del deseo inmediato. Como nosotros y nosotras enseñamos a niños y niñas cuya espontaneidad queremos preservar a toda costa, optamos demasiado a menudo por buscar solamente pureza y resplandor en ámbitos que tocan tanto las profundidades como las alturas del hecho de ser humano en el mundo.

Precisamente porque considero muy importante que quienes nos dedicamos a la docencia tengamos esto muy presente, es por lo que valoro especialmente los encuentros con artistas como Joseph Beuys, Robert Wilson, Philip Glass, William Balcon, Toni Morrison, Martha Clarke o John Quare. El que se les asocie con la vanguardia o con el posmodernismo no es lo que de verdad importa, sino, aparte de la compleja calidad y, a menudo, sobrecogedora belleza de cada una de sus obras, la problemática encarnada por cada una de las mismas, la impaciencia ante los límites que demuestran, la sensación que hay en ellas de cierto tipo de aproximación a «la elipse de la media luna». Pienso, por ejemplo, en Jenny Holzer (cuya obra le valió recientemente un premio en la Bienal de Venecia) y, en concreto, en sus mensajes móviles de neón con los que esculpió no hace mucho la espiral del museo Guggenheim: letreros luminosos de color rojo y blanco con frases y palabras que, al chocar entre sí, se superponían haciendo que los significados surgieran y se deshicieran con la misma rapidez. Los truismos resultantes eran anunciados a través de los tubos fluorescentes de manera que aparecían inscritos sobre bancos de mármol. Se trataba de truismos que, en ocasiones, podían ser tan vagos como las imágenes de Richter, pero, en otras, podían resultar asombrosa y turbadoramente claros. Había frases –«La familia tiene los días contados», «El abuso de poder no sorprende a nadie»– que parodiaban y simplificaban las que aparecen normalmente en las paredes de los edificios y en las paradas de autobús (Waldman, 1989). Pero había otras que eran mensajes introspectivos en primera persona a los que ella llamó «Lamentos»: «Me adentro en los días con la sola protección de mi mente», «Lo que temo está en una caja forrada de piel para amortiguarlo. Cada día que pasa no hago nada importante porque el miedo me deja en blanco y me da pereza» (p. 18).

Cuando observaba aquellos mensajes brillantes que se desplazaban, que pasaban a ser tópicos, que formaban un *collage*, que se convertían en arte conceptual, en arte mínimo, también observaba un lenguaje de signos que hacían invisible el mundo visible en un momento en el que yo estaba celebrando el lento surgimiento a la visibilidad de mi propio mundo. «No intento», asegura Holzer, «hacer un arte completamente aleatorio o descuidado, pero eso no significa que no tenga que tener una parte salvaje. Para escribir hay que proyectarse hasta la estratosfera y luego volver a la tierra. Eso es precisamente lo que me gusta: que las cosas salgan fuera de control pero que luego te veas atraída de nuevo a donde estabas para que esas cosas estén ahora disponibles para ti. Quiero que sean accesibles, pero no tanto que las deseches en sólo uno o dos segundos» (Waldman, 1989, p. 15). A pesar de lo mucho que aprecio ese deslizamiento de Holzer entre azar y control, así como su uso del lenguaje para moverse más allá de lo tangible, me siento atrapada de nuevo en preguntas relacionadas con el significado y la referencia, y considero esos interrogantes casi tan importantes como los momentos de revelación. Surgen preguntas similares (soy consciente de ello) cuando trato de penetrar en las partes secretas, míticas, de la novela *Beloved* de Toni Morrison o cuando releo el relato «El oso» de William Faulkner, o cuando reconsidero lo que significaban los términos *confidence* y *trust* (dos clases distintas de «confianza») en su extraño cuento titulado «The Confidence Man».

Obviamente, necesitamos recurrir a la crítica, aunque sólo sea para que nos ayude a elucidar, a apreciar lo que hay que apreciar, pero también tenemos que asumir lo que los críticos asumen individualmente: ¿a través de qué perspectivas críticas estamos mirando las obras que tratamos de clarificar? Tenemos, al mismo tiempo, que resistirnos a la atracción de los conocimientos y ser conscientes de fenómenos como el «bombo» publicitario, la creación de fetiches y las formas que tiene el mercado de determinar el valor y la elección del consumidor. Actualmente, los profesores tenemos el deber de estar alerta ante cualquier intento de determinar desde «arriba» (o desde algún apócrifo centro de las cosas) lo que es aceptable en el mundo del arte y lo que ha de ser considerado inaceptable por haber sido tachado de, por ejemplo, pornográfico, irreverente, homosexual, antipatriótico u obsceno. Publicar edictos como los que hemos podido leer recientemente contra ciertas obras de arte, proscribir y prescribir, pueden ser actos que se ajusten a la ley. Pero si somos de la opinión que la experiencia siempre ofrece más de lo predecible y la imaginación abre oportunidades a lo impredecible, es inevitable que sintamos un escalofrío ante las implicaciones de las recientes prohibiciones. Cuando nos damos cuenta, además, de que los encuentros creativos y apreciativos con las artes dependen de las energías imaginativas, es lógico que no podamos prever de dichas prohibiciones otra cosa que una consecuencia adormecedora y limitadora, antieducativa en el sentido más hondo del término. Es inevitable que reflexionemos, tan auténtica y críticamente como podamos, acerca del significado que una exposición de Robert Mapplethorpe y su prohibición pueden tener para nosotros. ¿Qué significado tienen para nosotros las obras de autores como Andrés Serrano o Karen Finley o quienes queman la bandera en sus espectáculos, cuando son cuestionadas de ese modo? Puede que *Marat/Sade* y el musical *Hair*, obras en las que se exhibían cuerpos desnudos en el escenario, nos hayan hecho reflexionar de manera similar. No es que queramos exponer necesariamente a los niños a Mapplethorpe o a Finley, si bien es más que posible que haya modos adecuados de hacerlo. Lo que sí queremos, en cualquier caso, es aprender a formarnos opiniones (y que los niños aprendan a formárselas) sobre la base de la experiencia vivida y, al mismo tiempo, con relación a las normas de la comunidad. Tratando de abrir a los estudiantes a lo nuevo y lo múltiple, también nosotros queremos superar las cortezas de la convención, las distorsiones del fetichismo, el mal sabor de boca de las creencias estrechas.

Esa apertura nos obliga a estar en una búsqueda continua de nosotros mismos, aun cuando también nos obliga a hacer lo que podamos para lograr que el mayor número de jóvenes posible pueda descifrar los códigos que impiden a tantos de ellos implicarse en las obras de arte. Es difícil que las conciencias no instruidas puedan comprender los cuadros, las novelas y las piezas musicales, cuando estas obras de arte aparecen únicamente en enclaves aislados, en un ámbito esotérico o atemporal, que se asume fuera del alcance de muchos y de muchas. John Dewey dijo que las obras de arte son presentadas con demasiada frecuencia como si carecieran de raíces en la vida cultural: como si fueran especímenes del reino de las bellas artes y nada más. Los objetos de arte se hacen así remotos a las personas normales y corrientes, como ocurre también con muchas excelentes obras de ficción que van más allá de nuestros horizontes cotidianos y de buena parte de la música que trasciende nuestra gama acostumbrada de sonidos. Colocadas sobre pedestales reales o figurados, las formas de arte son así alejadas «del alcance de la vida común o de la comunidad» (Dewey, 1934, p. 6), y cuando son apartadas deliberadamente de la experiencia corriente, sirven sobre todo de «insignias del gusto y la certeza» (p. 9). Confirman a las personas en su elitismo; sirven a los intereses del poder social. Walter Benjamin, con prácticamente la misma idea en mente, escribió acerca de conceptos como el *valor eterno* y el *misterio* que se asocian al arte y del «aura» de distancia, singularidad y tradición ([1955] 1978, pp. 222-223) que han hecho inaccesibles las obras de arte a la mayoría de personas. También John Berger ha escrito sobre los modos en que las obras de arte están «envueltas en una atmósfera de religiosidad completamente falaz. Se habla de las obras de arte y se las presenta como si fueran reliquias sagradas que son la primera y principal prueba de su propia pervivencia» (1984, p. 21). Berger señala también que las artes visuales han estado siempre recluidas en una especie de coto vedado (mágico, sagrado o físico), pero con el tiempo, además, «el coto del arte se hizo social. Se introdujo en la cultura de la clase gobernante cuando ésta se apartó y se aisló en sus palacios y mansiones. Durante toda esta historia, la autoridad del arte fue inseparable de la autoridad particular del coto» (p. 33).

El arte está separado de la mayoría de personas no sólo por la distancia establecida cuando el arte está localizado en un «coto» determinado, sino también por la distancia creada por la mercantilización, por el esotericismo, por las falsas pretensiones de realismo, por mistificaciones artificiales que excluían a las mujeres, a las personas de color y a los pobres. Esa separación está causada también por la inocencia o la ignorancia personal y por la confianza en otras personas que son inocentes, ignorantes o que están excesivamente condicionadas por los medios. Tampoco es probable que las artes se abran fácil y naturalmente a personas jóvenes que han sido sistemáticamente degradadas y excluidas de lo que otros valoran como «bienes» en su propio mundo. Berger, por ejemplo, ataca duramente la idea de que las artes pueden ser entendidas espontáneamente diciendo:

> *La idea de inocencia tiene una doble vertiente. Quien se niega a participar en una conspiración, es inocente de la misma. Pero ser inocente puede significar también ser ignorante. El dilema que se establece no enfrenta a la inocencia y al conocimiento (o a lo natural y a lo cultural), sino a un enfoque total del arte que trata de relacionarlo con todos los aspectos de la experiencia y al enfoque esotérico de unos pocos expertos especializados que ejercen de administradores de la nostalgia de una clase gobernante en declive. (En declive no ante el proletariado, sino ante el nuevo poder de las grandes empresas y el Estado.) La pregunta que realmente hay que hacerse es: ¿quiénes son los dueños más apropiados del significado del arte del pasado: aquéllos y aquéllas que lo pueden aplicar a sus propias vidas o una jerarquía cultural de especialistas en reliquias?* (1984, p. 32)

Esa clase de opiniones informan mi defensa de una pedagogía que integra la educación artística y la educación estética. Sí, debería tratarse de una educación destinada a obtener una conciencia más informada e imaginativa, pero también debería educar en aquellas transacciones críticas que capacitan a los estudiantes para resistirse tanto al elitismo como al objetivismo, que les permiten leer y nombrar, escribir y rescribir sus propios mundos vividos.

Ni que decir tiene que también puede obtenerse un gran disfrute de la música, la pintura, las películas, la danza y (en menor medida) la literatura captadas en momentos de inmediatez, sin la interacción de las visiones exteriores e interiores imprescindibles para dar vida en un sentido pleno a las obras de arte. También es más que evidente que siempre existe el riesgo de imponer criterios alienantes, de sugerir una única forma «correcta» de mirar un paisaje de álamos de Monet, de discernir al rey y a la reina reflejados en el espejo que hay detrás del artista en las siempre problemáticas *Meninas* de Velázquez, de dar sentido a la loca de *Jane Eyre*, de interpretar la película *El tercer hombre*. Pero adoptar una perspectiva opuesta y enseñar dando a entender que, a fin de cuentas, todo es subjetivo (una cuestión de gustos) es lo equivalente a la clase de permisividad que conduce al relativismo sin sentido. Juzgar el valor de *Guerra y paz* en función de la fidelidad con la que reproduce las guerras napoleónicas, o *Un tranvía llamado deseo* por lo más o menos fielmente que retrata Nueva Orleans o por la «verdad» que pueda reflejar a propósito de ciertos tipos de patología, significa eludir las potencialidades estéticas de cada obra, rechazar la ilusión y tratar la obra como una ventana más al mundo.

Dewey solía recordar a sus lectores lo necesario que para sus energías imaginativas y perceptivas era el acercarse a un cuadro o a una poesía siempre que éstos fuesen transmutados en un objeto estético *para* quien los percibía. También insistía en que lo estético no es un intruso venido de fuera, una especie de cuestión propia «de momentos extraños» (1934, p. 54). Donoghue habla de una «burocracia apreciativa» y de la tentación de asimilar, administrar o domesticar el arte (1983, p. 71). Desde su punto de vista, el «Estado» o quienes tienen el control parecen decir que los artistas pueden hacer lo que

les plazca, porque a nadie le importará nada de lo que hagan
(p. 74). Y, todo sea dicho, lo cierto es que los artistas no lograrán nada de importancia para nadie si las personas se limitan
simplemente a revisar apresuradamente cuadro tras cuadro, si
se duermen en los auditorios de conciertos, si no hacen más
que leer por encima las obras de ficción, si entran en contacto con las diversas formas de arte sin implicarse, como si las
obras de cada uno de esos diversos ámbitos no fuesen más que
mercancías. Dewey escribió sobre la importancia de prestar
siempre una *atención* activa, de ordenar los detalles y las particularidades que se van haciendo gradualmente visibles a
medida que estudiamos las pautas integrales o las «totalidades
experimentadas». Él sostenía que «quien percibe la obra también realiza un trabajo y no sólo el artista. Si alguien es demasiado perezoso o vago, o está demasiado endurecido por la
convención, como para realizar su parte del trabajo, no podrá
ver ni oír. Su "apreciación" será una mezcla de unos cuantos
retazos de aprendizaje con un conformarse a las normas de la
admiración convencional y con una confusa excitación emocional, aun siendo ésta auténtica» (1934, p. 54). Puede que
haya un reconocimiento, decía; puede que se asignen las
etiquetas correctas; pero no se producirá el encuentro vigori-
zante que contrarresta la pasividad. Los perceptores no se
entregan entonces a la creación de significados, a las interpretaciones fundadas que contribuyen al despertar de la conciencia.

La mayoría de nosotros y nosotras reconocemos el delicado equilibrio que debe lograrse entre la espontaneidad (el
éxtasis desbocado, incluso) de la reacción inicial ante un cuadro, una actuación de danza o una obra de ficción, y el trabajo
necesario para comprender la pintura, la danza o la ficción.
Lo que nosotros, como profesores, podemos comunicar acerca de ese trabajo y de las energías que han de ser liberadas son
las cuestiones cruciales para nosotros (y no necesariamente la

alfabetización cultural generalizada o la habilidad de identificar a los grandes artistas y sus obras). Aprender a vencer la pasividad y la insensibilización, y aprender a apreciar lo que hay que apreciar, pueden conducir a una revelación tras otra. Jean-Paul Sartre lo dijo con gran claridad refiriéndose a la literatura: si el lector «está distraído o cansado, o es estúpido o irreflexivo, se le escaparán la mayoría de relaciones. Nunca logrará entender el objeto. [...] Extraerá algunas frases de las sombras, pero no parecerán más que trazos casuales» (1949, p. 43). Por el contrario, cuando leemos con la mejor de nuestras capacidades, proyectamos un tema o un significado más allá de las palabras. A través del lenguaje nos damos cuenta de algo que nunca viene dado en el lenguaje (tanto si es el de un poema de Emily Dickinson o el de una obra teatral de Sartre). Nos ayuda a ver que el artista trata de obligar al lector o al espectador a crear lo que el artista revela, a convertirse en un cómplice en libertad del artista (un cómplice en la liberación de posibilidades). Esta clase de acción es la que se halla en el centro mismo de la educación estética. Esa clase de acción es la que puede (desde mi punto de vista) salvar nuestras vidas humanas.

Si podemos hacer posible que más personas jóvenes se despierten de ese modo, den sentido a lo que ven y oyen, y pongan atención a las obras desde la particularidad de las mismas, puede que empiecen a experimentar el arte como una forma de comprensión o conocimiento. Si bien solemos diferenciar la racionalidad analítica y abstracta que asociamos con el conocimiento de la actividad relacional especial que nos pone personalmente en contacto con las obras de arte, podemos considerar el arte una forma de conocimiento. La experiencia y el saber obtenidos a partir de esta forma de conocer abren para nosotros nuevas modalidades en el mundo vivido; nos pone en contacto con nuestros paisajes primarios, nuestros actos de percepción originales.

Dado que los encuentros con las artes no pueden ser nunca puntos finales, es posible que nos desafíen a nuevos encuentros en la experiencia. Puede que tengamos entonces la vivencia que Merleau-Ponty describió al hablar de «una ruta» que nos era dada, «una experiencia que se va clarificando poco a poco, que se va rectificando paulatinamente y avanza a través del diálogo consigo misma y con otras» (1964*a*, p. 21). Me resulta difícil imaginar un mejor argumento a favor de la importancia del arte en la escuela, sobre todo, si es cierto, como tantas personas creen, que el aburrimiento y sensación de inutilidad son dos de los mayores obstáculos para el aprendizaje. Sentirse en camino, sentirse en un lugar donde hay siempre posibilidades de claros, de nuevos espacios abiertos: eso es lo que debemos comunicar a los jóvenes si queremos despertarlos a sus situaciones vividas y permitir que den sentido (y nombre) a sus mundos.

En el punto central de mi petición (dentro del ámbito de la enseñanza del arte y la estética) yace una sensación de *agencia* o, incluso, de poder. La pintura, la literatura, el teatro o el cine, pueden abrir puertas e inducir a las personas a la transformación. Queremos hacer posible que toda clase de personas jóvenes se den cuenta de que tienen derecho a hallar significado en las obras de arte sobre el trasfondo de sus propias vidas vividas. Además, puesto que el mundo que las artes iluminan es un mundo compartido y puesto que las realidades a las que las artes dan lugar surgen a través de actos de comunicación, los encuentros que posibilitamos que los estudiantes busquen no son nunca autónomos o privados del todo. Al desplazarnos de las exploraciones propias del espacio pictórico a un encuentro consciente con un cuadro de Braque, al levantar la vista de un poema propio para leer uno de Robert Frost o de Muriel Rukeyser, siempre se puede entrar en diálogo con quienes nos rodean. Se pueden explorar los lenguajes, se pueden dar motivos, se pueden celebrar los momentos de epifanía, se pueden articular los diferentes ángulos de observación. Las comunidades de los despiertos y las despiertas pueden así tomar forma, incluso en los pasillos de las escuelas.

Si queremos hacer que los márgenes sean realmente visibles y accesibles, si queremos alentar los movimientos dialécticos para que salten del margen al texto y del texto al margen, debemos abrir lugares de encuentro cada vez más amplios en las escuelas. Debemos extendernos hacia fuera y establecer talleres, estudios y otros espacios en los que componer y ensayar música, en los que leer poemas y relatos, en los que elaborar dibujos, pinturas y esculturas. Puede que se produzcan nuevas colaboraciones entre todas esas personas que se plantean ahora preguntas e interrogantes: puede que los profesores y los estudiantes participen en viajes perceptivos, capten obras y palabras como acontecimientos en contextos de significado, y emprendan búsquedas comunes de sus propios lugares y significación en una historia a la que también pertenecen y que inventan e interpretan al vivir.

El hecho de que un número cada vez mayor de seres vivos descubran lo que se siente al crear una forma o una imagen, al idear una metáfora o al contar un relato, por el simple hecho de hallar sus propios espacios abiertos en el ámbito de las artes, puede (y debe) enriquecer sus vidas. Por muy alienantes o impactantes que sean algunas de las imágenes y afirmaciones con las que se encuentren (o a las que sean instados a enfrentarse), deben aprender que esas obras no pueden ser equiparadas con realidades como los niños heridos por las guerras, los jóvenes abandonados en las cunetas, los cuerpos llenos de marcas de torturas o los ojos de las personas que se encuentran entre rejas, pero todo esto debe servir también para confirmar que no debemos eludir, negar o asumir esas realidades sin más, que no debemos estar dispuestos a permanecer pasivos, a coincidir para siempre con nosotros mismos.

No debemos dejar pasar el tiempo sin buscar nuevas conmociones de conciencia, nuevas exploraciones, nuevas aventuras del significado, nuevas formas activas e incómodas de participar en la búsqueda interminable de la comunidad humana.

Tercera parte
Comunidad
en construcción

12
Las pasiones del pluralismo

En Estados Unidos siempre ha habido inmigrantes; siempre ha habido forasteros. En nuestras aulas siempre ha habido personas jóvenes a las que la mayoría de profesores eran incapaces de ver u oír. Sin embargo, en los últimos años, se ha producido un rechazo a esa invisibilidad desde muchos frentes. Los viejos silencios han saltado hechos añicos; las voces tanto tiempo reprimidas se están haciendo oír. Sí, estamos en plena búsqueda de lo que John Dewey llamó «la gran comunidad» ([1927] 1954, p. 143), pero, al mismo tiempo, nos vemos desafiados como nunca antes a abordar la pluralidad y la multiplicidad. Incapaces de negar u ocultar la realidad del pluralismo, nos vemos inducidos a elegirnos a nosotros mismos con respecto a diversidades inimaginables. Hablar de pasiones en un contexto de este tipo no es lo mismo que hablar de las intensas emociones de rechazo que a muchas personas les puede provocar lo que ven como confuso o cacofónico. Se trata más bien de tener en mente el ámbito central en el que funcionan las pasiones: «el reino de las relaciones cara a cara» (Unger, 1984, p. 107). Parece claro que cuanto más continuos y auténticos pueden ser los encuentros personales, menos probables resultan la categorización y el distanciamiento, y más difícil es que las personas sean tratadas instrumentalmente (que quienes las rodean las consideren «otros»). En este capítulo hablo del pluralismo y del multiculturalismo, pero con compromisos concretos en mente (reales e imaginados): compromisos con personas (jóvenes y mayores) que padecen exclusión, que se sienten impotentes, que viven en la pobreza, la ignorancia o el aburrimiento. Hablo teniendo en mente la imaginación, la metáfora y el arte.

Hablar de pasiones, compromisos e imaginación puede ser un modo de hablar de una comunidad en expansión que toma forma cuando personas diversas, hablando en calidad de *quiénes* son y no de *lo que* son, se reúnen tanto de palabra como de obra para constituir algo en común entre ellas. «La pluralidad» es «la condición de la acción humana porque todos somos lo mismo, es decir, humanos, pero de forma que nadie es nunca igual que ninguna otra persona que haya vivido o viva jamás». Aunque compartimos un terreno común, ocupamos diferentes posiciones sobre ese terreno y cada uno o una «ve u oye desde una posición diferente» (Arendt, 1958, p. 57). Cada objeto –un aula, una calle del vecindario, un campo de flores– se muestra de manera diferente a cada espectador. La realidad de dicho objeto surge de la suma total de sus apariencias para todos los que lo ven. Si pienso en esos espectadores como participantes en un diálogo en marcha, hablando cada uno desde una perspectiva distinta aunque abierta a quienes los rodean, me encuentro con una especie de paradigma de la idea que tengo en mente. Descubro otro en la obra de Henry Louis Gates, Jr., para quien «el desafío al que se enfrenta Estados Unidos en el próximo siglo será el de la conformación, por fin, de una cultura pública realmente común, una respuesta a las tanto tiempo silenciadas culturas de color» (1992, p. 176). Gates ha evocado más recientemente al filósofo Michael Oakeshott y su noción de conversación con distintas voces. La educación, según sugiere Gates, podría ser «una invitación al arte de esta conversación mediante la que aprendemos a reconocer las voces, condicionada cada una de ellas por una percepción diferente del mundo». Después de todo, «el sentido común dictamina que no se puede dejar de lado al 90% de la herencia cultural mundial si lo que realmente se pretende es aprender más del mundo» (1991, pp. 711-712).

Pero lo que para Gates es de sentido común, para muchos de nosotros representa un ataque a la coherencia de lo que concebimos como nuestra herencia, nuestro canon. La noción de prestar atención a las diferentes voces condicionadas por perspectivas distintas nos evoca el espectro del relativismo y éste, según Clifford Geertz, es «la Grande Peur [el Gran Pánico] intelectualista». Hace que la gente en general se sienta incómoda porque parece subvertir la autoridad atacando lo que está concebido como objetivamente real. «Si esta forma de pensar se extiende por el mundo», se pregunta Geertz poniéndose en el lugar de los incomodados, «¿qué nos garantiza su generalidad, su objetividad, su eficacia o su verdad?» (1983, p. 153). Es apreciable la ironía con la que suena aquí la voz de Geertz. Él sabe que «tanto durante nuestra época actual como más adelante, la idea de una orientación, perspectiva o *Weltanschauung* general, surgida de los estudios humanísticos (o, si se quiere, de loa científicos) para determinar la dirección de la cultura, es una quimera». Y sugiere que la «variedad radical de nuestra actual manera de pensar» significa que para que esta sociedad tenga una vida cultural integrada «las personas que habitan mundos diferentes deben tener la posibilidad de influirse auténtica y recíprocamente» (p. 161). La vivencia continuada de ataques a lo que nos resulta familiar, de «la irrupción de la alteridad, de lo inesperado» (Clifford, 1988, p. 13), puede permitirnos descubrir una capacidad de tolerancia de lo insospechado que esté directamente relacionada con nuestra tolerancia del multiculturalismo.

Por todo ello, los profesores y las profesoras debemos ser muy conscientes de que Arthur Schlesinger, Jr. (entre otros que deben ser también tomados en serio), prevé un proceso (ya en ciernes) de «desunión de América» (1992) si se resquebrajan los compromisos compartidos o si perdemos el contacto con la idea democrática. A los proponentes del llamado «civismo» (Pratte, 1988, p. 104) les preocupa que el pluralismo amenace la existencia de una cultura democrática que trascienda todas las diferencias. Esa cultura (o *ethos*) abarca los principios de la libertad, la igualdad y la justicia, así como el respeto de los derechos humanos. Y se teme que ese nuevo relativismo y particularismo subvierta la fe común. Luego hay una serie de autores, como E.D. Hirsch, Jr., que consideran que la diversidad y el énfasis multicultural ponen en peligro el concepto de un conocimiento previo compartido por las distintas personas al distraernos de lo que, según ellos, todos y todas deberíamos tener en común. Cuando se socava lo que ellos llaman alfabetismo cultural, la propia comunidad nacional se debilita como tal (Hirsch, 1987). Obviamente, no faltan las posturas extremas de quienes, desde la derecha radical, ven una conspiración en el cuestionamiento del llamado canon eurocéntrico y en su interpretación de lo «políticamente correcto», entendido como una nueva campaña de ortodoxia construida sobre la hipersensibilidad a las cuestiones multiculturales (D'Sousa, 1991, p. 239). En cuanto a la derecha religiosa integrista, uno de los motivos que impulsan a hombres como Jesse Helms, según Robert Hughes, es el de establecerse como defensores de lo que definen como el «American Way», precisamente ahora «que su cruzada original contra la Amenaza Roja ha devenido nula» (1992, p. 21). No sólo defienden su «estilo» (*Way*) frente a las subvenciones que el National Endowment for the Arts destina a artistas de vanguardia, sino que también atacan «desviaciones» como el multiculturalismo. Es importante tener esto muy presente cuando tratamos de elaborar una concepción del pluralismo que nos permita hacer nuestra propia afirmación de la lucha para alcanzar esa vida de «comunión libre y enriquecedora» que para John Dewey era la democracia ([1927] 1954, p. 189).

El profeta de esa vida de comunión, según Dewey, fue Walt Whitman. Whitman escribió acerca de las múltiples formas que surgían en el país durante su época: «las formas de las puertas que permitían muchas salidas y entradas» y «formas de democracia [...] proyectando continuamente a su vez

otras formas». En «Canto de mí mismo» (y en total contradicción con la versión fundamentalista del «American Way»),
escribió:

> *Voces desde hace largo tiempo enmudecidas me recorren,*
> *voces de interminables generaciones de cautivos y de escla-*
> *vos,*
> *voces de enfermos y desahuciados, de ladrones y de enanos,*
> *voces de ciclos de gestación y de crecimiento,*
> *y de los hilos que conectan las estrellas, y de los úteros y de*
> *la savia paterna,*
> *y de los derechos de los pisoteados [...]*
> *Voces prohibidas me recorren.* ([1855] 1931, p. 53)

Whitman era, a juzgar por todas las apariencias, el profeta de
una comunión que surgía a partir de «muchas formas», a partir de la multiplicidad. No hay sugerencia alguna de crisol
(*melting pot*) en ello, ni temor a la pluralidad.

Para algunos de nosotros, la nueva sensación de que vale
la pena explicar nuestras historias, los recuerdos de las voces
«largo tiempo enmudecidas» y las referencias a «los derechos
de los pisoteados» no hacen más que llamar nuestra atención
sobre las ausencias y los silencios que forman tanta parte de la
historia de la humanidad como las voces bien expresadas, los
rostros brillantes y las imágenes de surgimiento y éxito.
Bartleby, el escribiente que «prefiere no» hacer nada, podría
convertirse de pronto en un buen ejemplo (Melville, [1853]
1986). ¿Qué pasa con aquéllos y aquéllas que dijeron que
no, que no hallaron su lugar, que no dejaron huella? ¿Acaso no
dicen algo de una sociedad que cerró demasiadas puertas,
que permitió que se abandonara a las personas como «restos
de un naufragio en medio del Atlántico»? ¿Qué ocurre con
alguien como Tod Clifton, el antaño líder juvenil, que acaba
vendiendo muñecas negras frente a la biblioteca pública en

El hombre invisible de Ralph Ellison? Cuando la policía intenta desalojarlo de allí, él protesta y lo matan. El narrador, que observa la escena, se pregunta: «¿Por qué optó [Tod] por sumergirse en la nada, en el vacío de las caras sin rostro, de las voces sin sonido, fuera de la historia? [...] Se dice que todo queda debidamente registrado: todo lo importante, deberíamos precisar. Pero ni siquiera eso, porque sólo lo conocido, lo visto, lo oído, y sólo los hechos que el cronista considera importantes, quedan recogidos. [...] Pero el policía acabó siendo el historiador, el juez, el testigo y el verdugo de Clifton» (1952, p. 379).

La comunidad es más pequeña debido a las muchas personas que, de manera parecida, han acabado quedando «fuera de la historia»; ha quedado un espacio vacío dentro de ese terreno común y ha quedado sin definir un aspecto de la realidad. Es cierto que no podemos conocer a todos los ausentes, pero su ausencia debe estar presente de algún modo. Después de todo, la ausencia señala un vacío, un hueco que llenar, una herida que curar, una deficiencia que reparar. Imaginémonos el paisaje de negación pintado por E.L. Doctorow al principio de *Ragtime*.

Teddy Roosevelt era presidente. La población se congregaba habitualmente en gran número al aire libre para desfiles, conciertos públicos, sardinadas, comidas campestres políticas y salidas sociales, o en espacios cerrados en salas de reuniones, teatros de vodevil, óperas y salones de baile. No parecía haber forma de entretenimiento en la que no participara una multitud de personas. Los trenes, los vapores y los tranvías los llevaban de un sitio a otro. Aquél era el estilo dominante; así vivía la gente. Las mujeres de entonces eran más corpulentas. Visitaban la flota llevando unos parasoles blancos. Todo el mundo vestía de blanco en verano. Había muchos desmayos por

motivos sexuales. No había negros. No había inmigrantes.
(1975, pp. 3-4)

Esta imagen incita nuestro asombro, pero también nuestra indignación; exige algún tipo de reparación. Doctorow escribe sobre New Rochelle en 1906, pero el pasado que dibuja se extiende hasta el presente, hasta *nuestro* presente, aunque hayamos dejado de ir en tranvía. El relato gira en torno a un digno e inteligente hombre negro llamado Coalhouse Walker, a quien engañan, nunca reconocen, nunca comprenden y apenas *ven*, y que inicia su propia estrategia de venganza, condenada al fracaso desde el principio, que acaba cuando, tras no ser respetadas las promesas que le habían hecho, es abatido a tiros a sangre fría. ¿Por qué no se le ve? ¿Por qué no hay negros ni inmigrantes? Lo más probable es que sea por el estado de las mentes de quienes ocupan el poder, mentes que confirieron a muchas otras personas la misma invisibilidad con la que topa el narrador de Ellison. Pero ese estado mental debió de deberse, en parte, al juego del poder en el discurso, al menos tanto como a las disposiciones sociales del momento. Puede que incluso ahora nos preguntemos qué significaba la asimilación o la iniciación pretendida por tantos educadores de la época cuando había tantos espacios borrados de un plumazo: «no había negros [...] no había inmigrantes», en muchos casos, incluso, no había tampoco mujeres adultas en el sentido pleno del término.

Si miramos hacia atrás, hacia los huecos de nuestras propias experiencias vividas, puede que acudan a nuestra mente silencios como aquéllos en los que Tillie Olsen pensaba al definir la historia literaria como «oscurecida por los silencios», los «silencios antinaturales» de mujeres que trabajaban demasiado duro o estaban demasiado avergonzadas para expresarse por sí mismas (1978, p. 6) y de otras personas que carecían de las palabras o del dominio de las formas apropia-

das de conocimiento. Podemos reflexionar sobre las dificultades de las jóvenes mujeres isleñas, como la Lucy de Antigua de
Jamaica Kincaid, obligada a tener «dos caras» en una escuela poscolonial: «por fuera yo aparentaba ser de un modo,
pero por dentro era de otro; por fuera, falsa, por dentro, auténtica» (1990, p. 18). Durante años no hemos sabido más de
personas como ella (que veía «pena y amargura» en el aspecto de los narcisos por culpa del poema de Wordsworth que le
habían obligado a aprenderse) que de los barbadenses de los
que habla Paule Marshall ([1959] 1981): personas que viven
sus vidas fragmentadas en Brooklyn. Hemos tenido muy
poca conciencia de «la frontera» en la que Gloria Anzaldua
(1987) nos explica que viven tantos latinos, pero tampoco
hemos sabido apenas de los inmigrantes cubanos de *Los reyes
del mambo tocan canciones de amor,* músicos cuya música
jamás se oye fuera de sus locales, de su mundo cerrado
(Hijuelos, 1989). ¿Cuántos de nosotros nos hemos preguntado de verdad por los constructores de los ferrocarriles, aquéllos
a quienes Maxine Hong Kingston llama «hombres de China»,
talando árboles en las «Montañas del Sándalo» [nombre que
los chinos daban a Hawai] y en la Sierra Nevada? ¿Cuántos de
nosotros podríamos llenar los huecos dejados por alguien
como Ah Goong, cuya mera «existencia fue ilegalizada por las
Leyes de Exclusión de los Chinos»? Su familia, escribe
Kingston, no llegó nunca a «comprender sus logros como
antepasado estadounidense, que ocupó estas tierras e hizo de
ellas su hogar. Su documentación (legal o ilegal) se quemó
en el terremoto y posterior incendio de San Francisco; hizo su
aparición en Estados Unidos a tiempo para convertirse en ciudadano y en padre de ciudadanos. También se le vio sacar a
un hijo del incendio, un hijo suyo a pesar de las leyes que le
prohibían casarse. Su sudor había servido para construir
todo un ferrocarril; ¿por qué no iba a bastar su anhelo para
tener un hijo estadounidense?» (1989, p. 151). ¿Hicimos caso

a una persona como Michelle Cliff, una mujer afrocaribeña que tenía la sensación de que hablar con palabras que no eran las suyas propias era una manera de enmudecer (1988)? ¿Cuántos de nosotros hemos estado alguna vez dispuestos a leer y sufrir con las experiencias recogidas en un número del cómic *Maus*, de Art Spiegelman, publicado recientemente en dos volúmenes, en el que Spiegelman habla de su padre, el malhumorado Vladek, superviviente de Auschwitz, y de sus recuerdos del Holocausto, compartidos a regañadientes con su hijo? Todos los personajes del cómic son animales: los judíos, ratones; los alemanes, gatos; los polacos, cerdos. Esa representación es un recordatorio no sólo de la disolución de una cultura en particular, tras la que todo lo que queda de «los padres de Anja, sus abuelos, su hermana mayor Tosha, la pequeña Bibi y nuestro Richieu, son las fotos» (1991, p. 115), sino también de la necesidad de admitir que todo es posible, algo que las personas normales (incluidos los maestros y las maestras de escuela) o bien no saben o bien no quieren saber.

Abrir nuestra experiencia (y, claro está, nuestros planes de estudio) a posibilidades existenciales de múltiples tipos es extender y profundizar lo que cada uno de nosotros y nosotras pensamos cuando hablamos de una comunidad. El hecho de que alteremos y superemos nuestro equilibrio y nuestra uniformidad superficiales no implica que una tradición étnica o racial concreta vaya a (o tenga que) reemplazar a la nuestra. Toni Morrison, por ejemplo, escribe que ella busca su libertad como escritora en un «mundo "generizado", sexualizado, completamente racializado», pero que esto no le impide desarrollar un proyecto crítico «sin trabas de sueños de subversión o de gestos heroicos de acometida contra los muros de la fortaleza» (1992, pp. 4-5). En su caso, ese proyecto comporta explorar las diversas formas que tenemos de concebir nuestra «americanidad» como una respuesta (en muchos sentidos) a una presencia africana negada durante demasiado tiempo. Lo que le interesa a Morrison no es sustituir una dominación por otra, sino mostrar a otras personas lo que ella ve desde su propia perspectiva y, con ello, enriquecer la comprensión que todas esas otras personas tienen no sólo de su propia cultura, sino de ellas mismas. Habla de temas que nos resultan familiares a todos y a todas: «el individualismo, la masculinidad, la implicación social frente al aislamiento histórico, las graves problemáticas morales y los problemas de ambigüedad moral, las temáticas de la inocencia mezclada con una obsesión por las figuraciones de la muerte y el infierno». Morrison se pregunta de qué están alienados los estadounidenses, de qué son inocentes, de qué son diferentes. «En lo que se refiere al poder absoluto, ¿sobre quién se ejerce, a quién se le niega, en quién se deposita? Las respuestas a tales interrogantes radican en la presencia –poderosa y reforzadora del ego– de una población africanista» (p. 45). Al mismo tiempo, incluso, que los primeros estadounidenses definían su identidad moral por contraposición a lo salvaje, estaban también definiendo su «blanquitud» por contraposición a lo que Melville llamó «el poder de la negritud» (p. 37) y concibiendo su libertad por contraposición a la esclavitud. Tanto si los estadounidenses blancos deciden ver su historia de ese modo como si no, Morrison introduce una visión que sólo ella podía crear y nos ofrece a todos nosotros ángulos de observación del mundo alternativos. De hecho, las tensiones que sienten muchas personas ante el multiculturalismo podrían deberse en parte (sospecho) a que todos nos definimos en un momento u otro por contraposición a una oscuridad indeterminada y desconocida (de muchas formas, no sólo del color de la piel), una «alteridad» que preferimos rechazar y someter, en vez de comprenderla. A este respecto, Morrison afirma algo que a mí me resulta imposible de contestar: «Mi proyecto es un esfuerzo por desviar la mirada crítica del objeto racial y diri-

girla hacia el sujeto racial: de los que son descritos e imaginados a quienes los describen y los imaginan, de los sirvien-
tes a los servidos» (p. 90).

Optar por esta perspectiva no significa dar a entender
que los currículos deberían ser diseñados a medida de grupos
culturales específicos de personas jóvenes. Tampoco equivale
a sugerir, como hacen los afrocentristas, que se tenga que
poner el énfasis en las experiencias, la cultura y las perspectivas singulares de los afroamericanos y en su vínculo con sus
raíces africanas. Es incuestionable que debe restaurarse aquello que la historia ha pasado por alto o ha distorsionado –ya
esté relacionado con los afroamericanos, los hispanos, los asiá-
ticos, las mujeres, los judíos, los nativos americanos, los irlan-
deses, los polacos o con quien sea–, pero las exclusiones y
las deformaciones no han impedido que artistas como
Morrison, Ellison y James Baldwin se hayan zambullido en el
aprendizaje de las obras literarias occidentales más de lo que
ha impedido a académicos como Gates, Cornel West y Alain
Locke trabajar en pos de mayores y más fecundos intercambios entre las culturas afroamericana y euroamericana. Por
ejemplo, Morrison comienza su nuevo libro con un verso de
T.S. Eliot y rinde también en él homenaje a Homero,
Dostoyevsky, Faulkner, James, Flaubert, Melville y Mary
Shelley. Resulta difícil olvidar que James Baldwin lee a
Dostoyevsky y frecuenta la biblioteca pública; o desviar nuestra
atención de las críticas literarias que hace West de Emerson; o
ignorar que Ellison escribe sobre Melville y Hemingway aun
denunciando lo que él llama «el estereotipo negro», que era,
«en realidad, una imagen de las fuerzas irracionales y sin organizar en la vida americana» (Ellison, 1964, p. 55). Podemos
pensar también en Maya Angelou, en los años de silencio que,
de niña, se impuso a sí misma y en las lecturas que hizo a lo
largo de todo ese tiempo. Podemos recordar a Alice Walker,
sumergida en Muriel Rukeyser y en Flannery O'Connor, extra-

yendo de ellas energía incluso mientras se lanzaba a la búsqueda de Zora Neale Hurston, Bessie Smith, Sojourner Truth y Gwendolyn Brooks. A Walker también le «fascinaban Ovidio y Cátulo [...] los poemas de e.e. cummings y de William Carlos Williams» (Walker, 1983, p. 257). Y somos conscientes de que, con el paso de tiempo, la literatura afroamericana (y la de las mujeres y la de los estadounidenses hispanos) está diversificando cada vez más nuestra experiencia y está cambiando nuestras ideas acerca del tiempo, la vida, el nacimiento, las relaciones y la memoria.

Lo que pretendo afirmar con todo esto es que necesitamos tanto apertura y variedad como inclusión. Necesitamos evitar lo fijado, incluso los estereotipos ligados al multiculturalismo. Cuando se ve a una persona como «representativa» en cierto sentido de la cultura asiática (una etiqueta bajo la que, con demasiada frecuencia, se agrupan las culturas de los japoneses, los coreanos, los chinos y los vietnamitas, ignorando además las diferencias particulares entre cada una de ellas), o de la hispana, la afroamericana o la euroamericana, se presupone la existencia de una realidad objetiva llamada «cultura», una presencia homogénea y fija que *puede* ser aptamente representada por los sujetos existentes. Pero ¿acaso los personajes maternales de Amy Tan (1989) representan la misma realidad que la «mujer guerrera» (1989) de Maxine Hong Kingston? ¿Significa lo mismo el Bigger Thomas de Richard Wright en *Hijo nativo* (1940) que la Srta. Celie de *El color púrpura* (Walker, 1982)? Ninguno de nosotros *conoce* a la persona que se sienta en la primera fila de la clase, o la que comparte con nosotros la balsa, o a la que bebe a nuestro lado en el bar, por su afiliación cultural o étnica.

El trasfondo cultural tiene un efecto indudable a la hora de formar la identidad, pero no la determina. Puede dar lugar a diferencias que deben ser respetadas, puede causar estilos y orientaciones que deben ser entendidos, puede originar gustos, valores e incluso prejuicios que deben ser tenidos en cuenta. Es importante saber, por ejemplo, sin abochornarla ni exotizarla, por qué una persona como Lucy, la antigüeña de Jamaica Kincaid, se siente tan distante de un poema de Wordsworth y si es necesario o no (y contra qué normas) convencerla de lo erróneo de su aversión a los narcisos. Es importante darse cuenta de por qué, como queda reflejado en *Jasmine* (1989), de Bharati Mukherjee, hindúes y sijs están tan enfrentados entre sí, incluso en este país, y buscar vías mediante las que (teniendo en cuenta el que consideramos como principio de justicia occidental) puedan convencerse de dejar a un lado las hostilidades. O quizás, en un esfuerzo por comprender lo que sienten, podamos comunicar nuestra propia preocupación por su bienestar de un modo tal que los lleve provisionalmente a reconsiderar las opiniones que tienen los unos de los otros. Freire señala que toda persona debería, hasta cierto punto, apreciar su propia cultura, pero sin que ésta adquiriera nunca el rango de un absoluto que cerrara a la persona a la nueva cultura que se pueda desarrollar a su alrededor. Si esto ocurre, «resultaría incluso difícil aprender cosas nuevas que, puestas al lado de nuestra historia . personal, pudieran tener un significado» (Freire y Macedo, 1987, p. 126).

Ahora bien, lo que sí queremos cada uno de nosotros y nosotras es la sensación de ser dueños de nuestra historia personal. En el seno de la cultura dominante en Estados Unidos, y debido a su racismo brutal y persistente, los jóvenes afroamericanos han tenido siempre extraordinariamente difícil afirmar y sentirse orgullosos de una historia personal elegida por ellos. La pobreza, la desesperanza, la descomposición de las familias y las comunidades, y la omnipresencia de las imágenes de los medios de comunicación, han complicado enormemente la posibilidad de que estos jóvenes situaran las cosas nuevas sobre el trasfondo del pasado, un pasado que se les ha hecho creer lleno de victimismo, sombras y vergüenza. Aún empeora más las cosas la mistificación procedente de todos lados y que da lugar a una metanarrativa de lo que significa ser respetable y triunfar en Estados Unidos; una metanarrativa que frecuentemente parece condenar a las minorías a vivir en los márgenes más exteriores o, como escribió Toni Morrison en *Ojos azules*, «al aire libre», donde no hay ningún lugar al que ir: «Vivir al aire libre era el final de algo, un hecho físico irrevocable, definitorio y complementario de nuestro estado metafísico. Éramos una minoría como casta y como clase, y nos desplazábamos de todos modos por el dobladillo de la vida, luchando por consolidar nuestras debilidades y aguantar, o por arrastrarnos de uno en uno hacia arriba, en busca de los pliegues principales de la prenda» (1970, p. 18).

En *Ojos azules*, la autora, gracias a su empleo del primer párrafo del manual de lectura básica *Dick and Jane*, dramatiza como en muy pocas obras el efecto coactivo y deformador de la historia oficial de la cultura dominante, la metanarrativa de la vida familiar suburbana. A medida que se va desarrollando la novela, todo lo que ocurre es el anverso de la historia del manual de lectura y de sus temas (la casa bonita, la familia cariñosa, el juego, la risa, la amistad, el gato y el perro). En la conclusión del prefacio de la historia principal, claramente escrita después de que el bebé y el padre violador de Pecola hayan muerto, de que las semillas plantadas por Pecola no hayan florecido y de que ésta haya enloquecido, la narradora, Claudia, dice: «Realmente no hay nada más que explicar, excepto el porqué. Pero como el *porqué* es difícil de manejar, debemos buscar refugio en el *cómo*» (p. 9). Mientras explica el cómo desde su propio punto de vista (el de una niña muy pequeña al principio y el de una jovencita algo más mayor después), Claudia ordena también los materiales de su propia vida –su propia impotencia, sus propios anhelos–, disponiéndolos con arreglo a Pecola, a quien no pudo ayudar, y con arreglo a las semillas que no florecerán y a quienes la rodean «en el dobladillo de la vida». Teje su narración de modo que establece una importante conexión con el pasado y reinterpreta su propia etnicidad, en parte, a través de lo que Michael Fischer llama «las artes de la memoria» (1986). Todo el significado que logra extraer de las conexiones que va estableciendo se incorpora a una ética que puede ser significativa en el futuro, una ética que la lleva más allá de su propio sentimiento de culpa al ver a Pecola removiendo la basura: «Me refiero a que *no* planté las semillas a demasiada profundidad, a que fue culpa del terreno, de la tierra, de nuestro pueblo. Ahora pienso, incluso, que la tierra de todo el país fue hostil a las caléndulas aquel año. [...] Hay semillas que no prenden y fruta que no se da, y cuando la tierra mata porque quiere, nosotros asentimos y decimos que la víctima no tenía derecho a vivir. Nos equivocamos, claro, pero eso no importa. Ya es demasiado tarde». Como ya han escrito tanto Charles Taylor como Alasdair MacIntyre, cuando comprendemos nuestras vidas, lo hacemos de forma narrativa, y está claro que nuestras historias, aun siendo diferentes, se hallan relacionadas por la misma necesidad de dar sentido, de crear significado, de hallar una dirección.

Ayudar a que los estudiantes diversos que conocemos articulen sus historias no sólo es ayudarles a perseguir los significados de sus vidas (a descubrir *cómo* ocurren las cosas y a seguir planteándose preguntas en torno al porqué), sino que también es incitarlos a aprender las nuevas cosas de las que hablaba Freire, a buscar las competencias y las capacidades, la destreza requerida para ser plenos participantes en esta sociedad, y a hacerlo sin que pierdan la conciencia de quiénes son. Pero eso no es todo. Historias como la que explica Claudia deberían poder abrirse camino en lo que consideramos que es nuestra tradición o nuestra herencia. Y lo harán si nosotros podemos conseguir lo que Cornel West tiene en mente cuando se refiere a la importancia de que reconozcamos las «prácticas políticas y culturales diferenciadas de las personas oprimidas» sin resaltar tanto su marginalidad que las marginemos aún más. West llama la atención, por ejemplo, sobre la resistencia de los afroamericanos y de otras personas largo tiempo silenciadas frente a la cultura dominante, y sobre las múltiples aportaciones de los afroamericanos a esa cultura dominante a lo largo de generaciones (sin ir más lejos, la música –*gospel, jazz, ragtime*–, las iglesias negras o el movimiento de defensa de los derechos civiles y las filosofías y los sueños que le dieron forma); reflexionando y echando la vista atrás y hacia nuestro alrededor, evocaríamos imágenes de valentía, de supervivencia. West va más allá: «Las prácticas culturales negras surgen de una realidad que no les puede ser *des*conocida (los irregulares bordes de lo real, de la necesidad), una realidad históricamente construida por las prácticas supremacistas blancas en Norteamérica. [...] Estos bordes irregulares (en los que no se tiene para comer, ni dónde cobijarse, ni cuidados médicos) están inyectados en las estrategias y los estilos de las prácticas culturales negras» (1989, p. 93). Dicho de otro modo, ahora que buscamos el multiculturalismo, la cultura afroamericana en toda su diversidad *no* debería estar principalmente definida en términos de opresión y discriminación. Si bien uno de los muchos motivos para abrir espacios en los que los afroamericanos puedan narrar sus propias historias es que ellos –mucho más que los miembros de otras culturas– pueden explicar de qué modo la pobreza y la exclusión han intervenido en su propia conciencia del pasado, y si bien es también cierto que las experiencias de dolor y abandono han conducido a una búsqueda de las raíces y, en ocasiones, a una revisión de la historia registrada, lo crucial es que existan oportunidades para que se cuenten *todas* las historias diversas, para que se interprete la afiliación o pertenencia además de la etnicidad, para que las hebras de la experiencia hiladas en el tejido de la pluralidad estadounidense resulten ineludibles.

En presencia de un Tercer Mundo cada vez más potente, sobre el trasfondo de unas voces poscoloniales (y, ahora, también postotalitarias) cada vez más elocuentes, no podemos fingir que los «bordes irregulares» son una excepción. No podemos seguir hablando de totalidades de una pieza como las aludidas con expresiones como «mundo libre», «libre mercado», «igualdad» o, incluso, «democracia». Como el «naufragio en medio del Atlántico», como las «caras sin rostro», como los «silencios antinaturales», las ausencias y las privaciones han de ser convertidas en aspectos de nuestra pluralidad así como de nuestra identidad cultural. Después de todo, los públicos se van conformando en respuesta a las necesidades insatisfechas y a las promesas incumplidas. Los seres humanos tenemos tendencia a actuar por reacción a una sensación de injusticia o a la capacidad de la imaginación para mirar las cosas como si pudieran ser de otro modo. La comunidad democrática –una comunidad siempre en construcción– no depende tanto de lo que se ha logrado y consolidado en el pasado. Se mantiene viva, vigorizada e irradiada, por la conciencia de una posibilidad futura. Desarrollar una visión de dicha posibilidad, una visión de lo que podría y debería ser, significa muy a menudo adquirir conciencia de las deficiencias y los defectos actuales. Las semillas no florecieron; Pecola y su bebé no pudieron salvarse. Pero puede que cada vez más personas, si prestan atención, se muevan más allá del conformismo. Puede que digan, como Claudia, «nos equivocamos, claro», y, aun así, logren vencer la creencia de que «ya no importa». En ese momento, puede que vayan más allá de sí mismos, se escojan a sí mismos según lo que son y dirijan luego sus miradas a lo común con ánimo de reparación.

Al hacerles aprender a mirar a través de perspectivas múltiples se puede ayudar a que las personas jóvenes construyan puentes entre sí; al hacer que atiendan a una variedad de historias humanas, puede que se sientan animadas a curar y a transformar. El hecho de afirmar la pluralidad y la diferencia y, al mismo tiempo, trabajar para crear comunidad conllevará evidentes dificultades. Desde los tiempos de Tocqueville, los estadounidenses se han preguntado cómo abordar el conflicto entre el individualismo y la tendencia a conformarse. Se han preguntado cómo reconciliar las voces apasionadas de las culturas que aún no forman parte del todo con las exigencias de la conformidad, y también se han preguntado cómo no perder la integridad de esas voces en el proceso, cómo impedir que la tendencia a la conformidad determine lo que suceda finalmente. La comunidad a la que muchos de nosotros aspiramos ahora no ha de ser identificada con la conformidad. Como queda patente en la manera de expresarse de Whitman, es una comunidad atenta a la diferencia, abierta a la idea de pluralidad. Lo que la diversidad tiene de afirmador de vida ha de ser descubierto y redescubierto una y otra vez, al tiempo que lo que se comparte en común se va haciendo crecientemente multifacético, abierto e inclusivo, y va siendo atraído hacia las posibilidades todavía no exploradas.

Nadie puede predecir con exactitud el mundo común de posibilidades en el que habitaremos en el futuro, ni puede justificar de manera absoluta un tipo de comunidad por encima de otro. Muchos de nosotros, sin embargo, a pesar de todas las tensiones y los desacuerdos que nos rodean, desearíamos reafirmar el valor de principios como la justicia, la igualdad, la libertad y la defensa de los derechos humanos, puesto que sin ellos no podemos siquiera pedir que todo el mundo sea bienvenido. Sólo cuando un número cada vez mayor de personas encarnan esos principios, deciden vivir según los mismos y participan en un diálogo de acuerdo con ellos, tenemos posibilidades de forjar un pluralismo democrático sin disgregarnos en medio de la violencia y el desorden. Incapaces de proporcionar una fundamentación objetiva para tales esperanzas y pretensiones, todo lo que podemos hacer es hablar de justicia, atención, amor y confianza con otras personas con toda la elocuencia y la pasión con que podamos. Como Richard Rorty y aquéllos a quienes llama pragmatistas, no podemos más que formular nuestro deseo de un acuerdo intersubjetivo tan amplio como sea posible: nuestro «deseo de extender la referencia al "nosotros" todo lo lejos que podamos» (Rorty, 1991, p. 23). Pero mientras lo hacemos, no hemos de dejar de ser conscientes de los miembros diferenciados de esa pluralidad que se presentan los unos a los otros con sus propias perspectivas de lo que es común a todos, y cuyas historias penetran en la historia de la cultura, modificándola con el paso del tiempo. Queremos que nuestras aulas sean justas y atentas, rebosantes de concepciones diversas del bien. Queremos que sean centros de diálogo articulado que incluya a todas las personas posibles, cada una de ellas abriéndose a las demás, abriéndose al mundo. Y queremos que nuestros niños y nuestras niñas se interesen los unos por los otros, a medida que aprendemos a interesarnos por ellos. Queremos que traben amistad entre sí, al tiempo que cada uno de ellos y de ellas va adquiriendo un mayor sentido de destreza y de conciencia (una conciencia renovada de valía y de posibilidad).

Las voces y la necesidad de visibilidad me hacen pensar en la llamada de Muriel Rukeyser a la solidaridad humana. En su visión, se nos insta a «ampliar el panorama y ver, / por encima de los mitos identitarios de la tierra, nuevas señales, procesos».

Llevar al exterior la necesidad urgente, la escena,
para fotografiar y extender la voz,
para hablar de este significado.
Voces que nos hablen directamente. Mientras nos movemos.
Mientras enriquecemos —creciendo en amplitud de movimiento—
esta palabra, este poder. (1938, p. 7)

Sí, necesitamos buscar este poder, el poder inexplorado del pluralismo y el prodigio de una comunidad en expansión.

13
Estándares, aprendizajes comunes y diversidad

El rigor académico, los elevados niveles de exigencia, el aprendizaje común, la competencia técnica, la excelencia, la equidad y el autodesarrollo son temas que han surgido y resurgido una y otra vez desde la fundación inicial de la escuela pública. Cuando consideramos dichos temas en el actual momento de esperanza teñido (eso sí) de ansiedad, los profesores nos vemos (al menos, en ocasiones) impelidos a reflexionar sobre la naturaleza de nuestra sociedad democrática y a preguntarnos por el futuro de nuestro mundo. No nos engañemos: continúan existiendo las definiciones claras de la Goals 2000, pero hay también una cacofonía de voces a nuestro alrededor. Públicos diversos desafían nuestras enseñanzas, buscando a menudo chivos expiatorios. Exigen no sólo mejoras, sino también garantías: quieren que las cosas sean estables y predecibles; quieren que las escuelas reparen las deficiencias culturales; quieren que se aseguren sus propios intereses. Es habitual que hasta la propia pobreza sea atribuida a una escolarización ineficaz, dejando a un lado la discriminación étnica, los factores de clase, la mala vivienda y las separaciones familiares. Otras veces, se considera que las escuelas –especialmente, las de los barrios pobres– son inefectivas ante tales obstáculos. A pesar del tremendo optimismo de los movimientos de reforma (ese momento de esperanza entre los educadores al que me acabo de referir), la desesperanza se apodera a menudo de los administradores del sistema y de los alumnos.

Como sugería en el capítulo 12, Estados Unidos se llama a sí misma la mayor de las potencias, el paradigma de las economías de libre mercado, la representante designada del mundo occidental libre. Pero no podemos por menos que tomar nota de la intranquilidad que atosiga a nuestro sistema educativo. ¿Por qué se producen esas intensas llamadas de alarma a propósito de nuestras escuelas? ¿Por qué se agita el temible fantasma de la «mediocridad»? ¿Por qué se teme tanto al multiculturalismo? ¿Por qué se racionaliza tanto la censura? ¿Por qué se ven tantos esfuerzos oficiales por prohibir los debates de valores, la educación sexual y la educación moral? ¿Por qué esas interminables campañas a favor del rezo en las escuelas? ¿Por qué tanta preocupación en tiempos como los actuales de lenguaje integral y evaluación por *portafolios* de una competencia cuantificable? En ocasiones, parece como si los magos de la medición hubiesen unido sus fuerzas con las encarnaciones contemporáneas de los divinos puritanos en un intento por defenderse de una salvaje y cada vez más incisiva jungla, por mantener a los demonios bajo control.

La jungla tiene muchos aspectos, por supuesto; también los demonios tienen muchas caras. Lo que ocurre actualmente me hace ansiar con aún más ganas que se produzca un auténtico diálogo entre educadores. Ya es hora de que nuestras voces se oigan con mayor claridad, las voces de aquéllos y aquéllas que nos implicamos con los jóvenes en su especificidad y particularidad. Los relatos y los diarios de los niños y de los maestros están venciendo la despersonalización de las aulas. Somos ya menos dados a hablar de los niños de nuestras escuelas como un conjunto. Pero ese cambio no se ha abierto camino hasta el espacio público común, en el que rara vez se pide el testimonio de los profesores, quienes, además, se sienten aún menos inclinados a hablar voluntariamente por sí mismos. Todo el mundo necesita oír a los profesionales preguntar en público cuáles deberían ser realmente los objetivos de la educación estadounidense en nuestros tiempos, qué *significa* interesarse por el futuro de los niños y las niñas y «deci-

dir si amamos a nuestros niños lo suficiente para no expulsarlos de nuestro mundo y abandonarlos a su suerte, para no
arrebatarles la oportunidad de emprender algo nuevo, algo
imprevisto para nosotros, sino para prepararlos por adelanta-
do para la tarea de renovar un mundo común» (Arendt, 1961,
p. 196). ¿Cómo hemos de comprender esa tarea, ese «mundo
común»? Nuestros debates sobre estándares y marcos curriculares y resultados no han llegado todavía a tocar en serio la
cuestión de nuestros objetivos como sociedad: la respuesta a qué
significa educar a personas de carne y hueso, capacitar a los
jóvenes no sólo para ganarse la vida y contribuir al bienestar
económico de la nación, sino para vivir y, junto a otras personas, reconstruir sus propios mundos.

Sean cuales sean nuestras inclinaciones personales, los
maestros (muy especialmente) no podemos seguir borrando
las voces diversas, que no se avergüenzan de su particularidad,
que pronuncian historias vitales y culturales enfrentadas (o
desdeñosas) a veces con las escrituras sagradas de la vida
mayoritaria dominante. Tampoco puede nadie seguir ocul-
tándose de una inquietante realidad: las sociedades industria-
lizadas y tecnológicas han resultado ser fundamentalmente
desiguales en la distribución de estatus y recompensas, y asig-
nan oportunidades de vida también desiguales. Ahora nos
damos cuenta de que el éxito depende sólo ocasionalmente
de la capacidad o, siquiera, del mérito. Nos damos cuenta de
lo mucho que depende de la ventaja original de la que parten
algunos individuos, de la contingencia o de la suerte. Así,
pues, ¿cómo pueden las escuelas públicas –dedicadas presumiblemente a la igualdad en medio del pluralismo– igualar el
terreno de juego? ¿Cómo pueden proporcionar más oportunidades para el crecimiento personal diferenciado? ¿Cómo
podemos, como profesores, que vivimos advertidos de no pensar en términos de predicciones y predeterminaciones, moti-
var a todos nuestros estudiantes para que aprendan a apren-

der en un mundo que tanto nosotros como ellos sabemos que no es igualitario ni justo?

A pesar de la infrecuente atención científico-académica y administrativa al ámbito de las escuelas públicas, el discurso de cada uno de esos dos campos se ha visto afectado por todos esos interrogantes. En las disciplinas propias de las humanidades, cada día más especializadas y esotéricas, los académicos se preguntan actualmente cómo pueden abrir mutuamente sus respectivos enclaves cerrados de estructuralismo, deconstruccionismo y hermenéutica. Reflexionan sobre la naturaleza de su limitado público y llegan a veces a la conclusión de que la gran mayoría de personas deben quedarse, después de todo, en el nivel del alfabetismo funcional: el que les permite disfrutar de las librerías de aeropuerto, los programas televisivos y la MTV. O especulan en torno a lo que sucedería en sus vidas académicas específicas si tuvieran que hacer el esfuerzo de ir un poco más allá y extendieran sus objetos de estudio hasta incluir (y puede que incluso absorber) «la imagen en movimiento» («Moving Image», 1985) o la cultura del *rock*. A veces, reflexionan sobre los desafíos crecientes a su canon, al control de los hombres blancos sobre todo aquello que es definido como tradición. A medida que van apareciendo más académicos afroamericanos e hispanos, los eruditos tradicionales se preguntan qué significará este cambio para su concepción del alfabetismo, tradicionalmente identificado como algo que aglutina a la cultura bajo una apariencia de coherencia. Los científicos y los expertos técnicos tratan de legislar las formas de alfabetismo científico y técnico que deberían esperarse de los ciudadanos normales y corrientes, pero estos intentos rara vez alcanzan las escuelas, como no sea en forma de prescripciones para situaciones de crisis. Puede que haya quien murmure si se debe confiar a personas legas y desinformadas las decisiones sobre la investigación con ADN, los genomas, los transplantes de corazón, la venta de armamento, los sistemas de respiración artificial, la sanidad, el control de armas, el SIDA. ¿Acaso no se les debería enseñar a confiar en aquellas personas con conocimientos demostrados en cada campo, en aquellos individuos que pueden comprender las metodologías y las notaciones, que saben calcular los riesgos? ¿Qué clase de alfabetismo científico debería entonces distribuirse? ¿Hasta dónde debería enseñarse?

Resulta inevitable que las respuestas a esas preocupaciones afecten a nuestras perspectivas sobre la educación y sobre la democracia. Permítaseme afirmar, de nuevo, que los profesionales reales en sus comunidades de diversidad deberían plantear sus propios interrogantes sobre lo que deberían significar la educación y la ciudadanía democráticas en la era posmoderna. A fin de cuentas, ¿qué se exige de las personas en una época de terror aleatorio, masacres y violaciones de inocentes? Estamos empezando a descubrir que las competencias técnicas superiores, como las propias habilidades básicas, son insuficientes en presencia de holocaustos, hambrunas, déficit presupuestarios billonarios, control de una riqueza inimaginable por parte de los intereses empresariales (tanto en el mundo del espectáculo y el deporte como en los negocios y las industrias tradicionales). ¿Qué tipos de inteligencia se requieren para remediar la falta de vivienda y las adicciones? ¿Qué necesitamos saber, qué tienen que enseñar las escuelas para superar las divisiones y la hostilidad de grupo? Sólo tenemos que recordar los disturbios de Los Ángeles para preguntarnos qué clase de investigaciones podemos realizar para evitar que vuelvan a estallar. ¿Y qué decir de las simulaciones mediáticas, la lluvia constante de imágenes, la confusión de lo ilusorio con lo generalmente aceptado como real? ¿Qué ocurre con el imperio de la ley cuando la culpabilidad o la inocencia son votadas, hasta cierto punto, por una audiencia televisiva? ¿Qué le está sucediendo a la democracia cuando los programas de entrevistas y llamadas de los oyentes suplantan el diálogo democrático? Insisto, ¿cómo aprendemos a pensar sobre ello? ¿Cómo enseñamos a otras personas a pensar sobre ello? Seguramente no es suficiente (ni siquiera decente) conformarse con equipar a aquéllos y aquéllas a quienes consideramos «deltas» (por emplear el término utilizado por Huxley, [1932] 1950) con una serie limitada de capacidades cerradas, reservando al mismo tiempo las habilidades cognitivas superiores para los pocos sobresalientes, para los ostensiblemente dotados. Tampoco tiene sentido restringir lo que llamamos excelencia meramente a lo contrastable o sugerir que lo que se logrará incrementando los niveles de exigencia para todos los jóvenes será motivarlos a ellos y a sus profesores para que produzcan de tal manera que su producto asegure la supremacía técnica, militar y económica de esta nación.

Obviamente, creo que debemos hacer todo lo que podamos para acabar con la mala calidad, la desatención, la pasividad y la falta de estilo. Pero estoy convencida de que mediante una docencia reflexiva y apasionada podemos hacer mucho más en cuanto a alentar y estimular a muchos tipos distintos de personas jóvenes para que busquen más allá de sí mismas, para que creen significados, para que miren –a través de perspectivas más amplias y más informadas– las realidades de sus vidas vividas. Me parece de una claridad diáfana que regresar a un único criterio de medida del éxito y a una definición unidimensional de lo común no sólo provocaría graves injusticias a los hijos y las hijas de las personas pobres y desplazadas, los niños en situación de riesgo, sino que también desgastarían nuestra vida cultural y dificultarían cada vez más la existencia y el mantenimiento con vida de un mundo auténticamente común. Cierto es que la multiplicidad de perspectivas complica sobremanera la definición de unos objetivos coherentes dentro de la que muchos creen que es una cultura peligrosamente fragmentada, desprovista de directrices significativas y de normas generalmente aceptadas. La multiplicidad hace más difícil, además, pensar en cómo podemos amar a nuestros niños y niñas, siguiendo los términos utilizados por Arendt, y permanecer fieles a lo que hemos aprendido como profesionales.

Ya que tanto de lo que hacemos depende del contexto (percibido e interpretado), puede resultarnos de utilidad recurrir a algunas obras de la literatura imaginativa que nos permitan evocar imágenes de las demandas reales que se formulan sobre nuestras escuelas hoy en día. Evidentemente, las fuentes periodísticas y de las ciencias sociales son muy abundantes; existen numerosas descripciones de los ecosistemas y de los sistemas sociales que «interfieren» con el sistema educativo. Pero esas descripciones son posiblemente demasiado numerosas y nos resultan ya demasiado familiares. Puede que ya no hagan que nos preguntemos acerca de lo que nosotros vemos y sentimos personalmente. En su lugar, las metáforas, los mundos, ofrecidos por ciertas novelas contemporáneas pueden liberar las imaginaciones de algunos y algunas de quienes las leemos. Cuando eso ocurre, esos lectores y lectoras pueden sentirse inducidos a pensar con un nuevo enfoque y en sus propios términos acerca de cuestiones tales como el rigor y el nuevo currículo, acerca de la posibilidad de liberar a los jóvenes para que se hagan diferentes, para que vayan más allá de donde están. Creo que todo el mundo admitirá que la imaginación no ha sido apenas aprovechada en los largos debates y discusiones celebrados a propósito de las «reformas» educativas. Los participantes, salvo raras excepciones, han funcionado dentro de los límites del lenguaje oficial; han aceptado la conceptualización generalmente asumida por todos y no se han preguntado apenas si las cosas podrían haber sido diferentes a como estaban propuestas.

Las tres novelas que quiero mencionar no son utópicas o, siquiera, políticas, ni tocan el tema de la educación en sí.

Simplemente tienen la capacidad de hacer que cada uno de nosotros y nosotras «vea» y halle en ellas «ánimo, consuelo, miedo, hechizo... todo lo que pidas, y puede que también ese destello fugaz de la verdad por la que te habías olvidado de preguntar» (Conrad, [1898] 1967, pp. ix-x). Lo primero que hay que «ver», de forma breve, puesto que ya la habíamos visto anteriormente, es la imagen de la «nube nociva» de la novela de Don DeLillo *Ruido de fondo* (1985). Una nube invisible de un producto químico letal lleva a la población de la ciudad universitaria del Medio Oeste sobre la que se ha posado a enfrentarse cara a cara con la muerte y a sentir un peso que no puede interpretar ni entender. Pero tras el primer momento de pánico y de huida precipitada a los refugios, su reacción posterior es la de vivir más o menos como había venido haciéndolo hasta entonces, aun sabiendo que los efectos de la nube (cualesquiera que sean) se pueden dejar sentir en cualquier momento. Realistas o no, es muy posible que las imágenes de esta novela nos induzcan a algunos de nosotros a reflexionar sobre lo que se puede hacer para permitir que los jóvenes se alfabeticen científicamente lo suficiente como para que sepan actuar ante amenazas invisibles tales como las nubes tóxicas, la radiación y la contaminación. No me refiero necesariamente a formar jóvenes expertos en física, sino a familiarizar a los estudiantes con la forma de pensar que obliga a respaldar lo que se dice, a consultar la evidencia disponible, a extraer inferencias y a vincular lo que se descubre y lo que se infiere con conceptos de adecuación, dignidad, justicia y humanidad. Algunos lectores (como yo), al pensar en los vecinos de la localidad dibujada por DeLillo que, al final de la novela, «esperan juntos» en la cola del supermercado con los carros de la compra abarrotados de productos y de titulares de tabloides para pasar el rato (p. 596), se preguntarán qué se puede hacer para despertar a los jóvenes del consumismo, de la pasividad y de las fantasías extraterrestres (al menos, hasta el punto de hacer que diseñen proyectos significativos para sí mismos que les llamen a trascender lo que hay y a buscar un mejor orden de cosas).

Otra imagen que tengo en mente se puede hallar en *El turista accidental* (1985) de Anne Tyler. El personaje principal, Macon, es un hombre tan desconectado, tan inmerso en lo familiar, tan temeroso de lo extraño, que vive arropado en un mundo a modo de caparazón donde sólo se juegan viejos juegos de niños y sólo se habla el lenguaje de una familia anquilosada que se ha reunido de nuevo en la edad adulta para ocultarse en lo mundano. Macon escribe guías de viaje para hombres de negocios que no quieren sentirse lejos de casa cuando viajan por motivos de trabajo. Macon encuentra para ellos todos los McDonald's que hay en Londres y en París, los hoteles Holiday Inn, los lugares donde nadie tiene que enfrentarse a nada desafiante o extraño. De no ser por el inmanejable perro de Macon y las inesperadas aventuras que hace pasar a su dueño, Macon continuaría siendo por siempre el paradigma mismo de lo que Christopher Lasch llama el «yo mínimo» (1984), encogido, privatista, carente de sentido alguno de *agencia*.

Los lectores y lectoras que reconozcan esa imagen de adultez atenuada, de vida vivida en una esfera totalmente privada, pueden sentirse movidos, como yo, a preguntarse cómo podemos educar a los niños para que descubran en las situaciones vividas oportunidades abiertas que no sean para la mera acomodación. ¿Cómo podemos enseñar para incitar al cuestionamiento de lo ya asumido, el mismo cuestionamiento que implica al mismo tiempo un pensamiento crítico y creativo, por un lado, y una implicación atenta en las diversas realidades, por el otro? ¿Cómo pueden los jóvenes Macons que nos rodean despertarse a la participación en espacios públicos para que creen algo común entre ellos mismos, algo que haga que el aprendizaje valga personal e intersubjetivamente la pena? No me refiero solamente al aprendizaje disciplinario ampliado (aunque siempre espero que se produzca), sino también a los esfuerzos coordinados por resolver perplejidades reales, a la unión de fuerzas para mejorar un vecindario, para abrir un parque, para dar vivienda a personas sin hogar, para organizar un concierto al aire libre, para ayudar en una guardería, para inventar un programa de tutorización. Nada de esto, obviamente, puede realizarse de forma mecánica y sin sentido si se pretende que sea efectivo. Cada esfuerzo requiere la activación de una serie de capacidades, incluso alfabetizaciones. No se trata simplemente de hallar alternativas a un McDonald's o a un Holiday Inn cuando alguien se encuentre en un lugar distante, ni tampoco de leer periódicos (cosa que Macon y su familia se negaban a hacer) y mantenerse en contacto con las noticias del mundo. Se trata, más bien, de ir intencionadamente en busca de algo y de explorar las formas de comprensión necesarias para esa búsqueda, para ir en pos de lo que todavía no se conoce. En esa búsqueda, siempre será preciso renunciar a lo cómodo, a permanecer sumido en la cotidianeidad. La alternativa puede ser en muchos casos el aburrimiento, la sensación de futilidad o incluso la desesperación; puede ser, pues, el convertirse inadvertidamente en un turista accidental que evite implicarse deliberadamente en la vida. Todo currículo o modo de enseñanza significativo debe, a mi entender, tener en cuenta todas las ideas planteadas por esta imagen.

La tercera imagen que tengo en mente proviene de *La insoportable levedad del ser* (1984) de Milan Kundera. Se trata de la polaridad entre dos tipos de vida: un modo de vida inquieto, no comprometido, descontextualizado, «leve» (el modo, en muchos casos, del refugiado político, del trotamundos), y otro vivido bajo un *peso*. Puede que ese peso sea el de la doctrina oficial o lo que Kundera llama la «gran marcha» de lo doctrinario. O puede que sea el peso de las devociones, los eslóganes y los estereotipos sentimentales. Ambos pesos están relacionados con el *kitsch* y los rechazos, es decir, con los «biombos desplegados para protegerse contra el miedo a la muerte». El *kitsch* totalitario, nos dice Kundera, prohíbe hablar a las personas; el *kitsch* democrático puede arrullar y desconcertar hasta tal punto que deja a los individuos sin nada auténtico que decir. Somos testigos de los efectos de ese *kitsch* democrático cada vez que escuchamos la palabra «guay» como sustitutiva de una opinión más formada de los jóvenes, cada vez que nos damos cuenta de cómo se está erosionando la conversación entre las personas adultas. No es por accidente que en los países totalitarios las voces y los libros que hablan seriamente de la libertad o de los derechos humanos sean los libros de la disensión: las expresiones de los hombres y de las mujeres conscientes de los límites y de las fronteras que afirman su propia humanidad resistiéndose, tratando de traspasar y superar. En nuestro propio país, sin embargo, con la salvedad de algunas escritoras negras, pocos portavoces articulan un gran interés por los derechos humanos o por la libertad en ningún sentido concreto. Las personas tienen generalmente la sensación de que *son* libres y nuestros temas más recurrentes suelen estar relacionados con una especie de vagabundeo, de vida en el límite. En las películas, en la ficción literaria y en la vida normal, los jóvenes (al menos, los que no son miembros de sectas o de religiones integristas) se sienten libres para teñirse el pelo, tener relaciones sexuales, probar drogas, experimentar la pornografía. No conocen límites; se relajan y tienen la sensación de que no hay nada realmente importante que decir. Fenómenos como los conciertos de Live Aid y las muestras de solidaridad con las víctimas lejanas del hambre no son para mí señales de una auténtica superación de la «levedad»; tampoco significan compromisos serios ni lo que los existencialistas llaman la «valentía de ser».

Leer a Kundera puede llamar nuestra atención sobre la
división existente en nuestra propia sociedad; en nuestro
caso, una división entre el fundamentalismo (o, quizás, los
valores y las actitudes de la mayoría moral) y un modo de existencia descontextualizado, no comprometido y reacio a tomar
partido, en el que las personas dan tumbos alrededor de los
límites de las cosas sin tener un fin determinado en su horizonte. Kundera puede hacer pensar a los lectores también en
el vacío moral del lenguaje coste-beneficio de los portavoces
oficiales, en el que los factores presupuestarios y los déficit
ocupan el lugar de la preocupación por la privación, la
humillación y la necesidad humanas. Hay ocasiones en las que
el autor checo me hace apreciar la conexión existente entre el
joven de peinado *punk* que pasa por al lado de la tienda de
artículos para el consumo de droga (por muy bien intencionado que sea y por muy alejado de las drogas que esté el joven
en el que estoy pensando en este momento) y el economista
o el encargado de cuadrar el presupuesto del gobierno (por
muy preocupado que esté por el «bienestar» nacional). A ninguno de los dos le preocupan los valores; a ninguno de los dos
les importan. Pero en esos momentos también me acuerdo de
hasta qué punto el debate sobre los valores ha sido tomado
hoy en día por aquéllos que –en nombre de los valores familiares, de las virtudes domésticas y de la pureza– se manifies-
tan contra el aborto, el control de la natalidad y la construcción de centros locales para el tratamiento con metadona o de
residencias para enfermos de SIDA. Los argumentos de quienes propugnan (o dicen propugnar) «la responsabilidad
colectiva de cara a los más desfavorecidos» (Norton, 1985), o
los programas de acción afirmativa, o el incremento de las
ayudas a la educación y a las artes, suelen ser demasiado abu-
rridos o esquemáticos. Rara vez alcanzan la energía y la con-
creción necesarias para despertar a los jóvenes y hacerles salir
de sus enclaves cerrados: para hacer que les importe.

La levedad y el peso –la ausencia de valores y el exceso de dogma– son los polos extremos del diálogo en el que deberíamos estar inmersos. ¿Cómo podemos crear situaciones en el aula en las que se pueda alentar de nuevo un diálogo significativo (la clase de comunicación viva de la que pueda surgir cierta conciencia de interdependencia y el reconocimiento de diversos puntos de vista)? En la tradición deweyana, como bien sabemos, se hace especial hincapié en el diseño de situaciones en las que se puedan revelar libremente las preferencias. Éstas difieren de los impulsos o de los meros deseos irreflexivos: la idea es que si los jóvenes tuvieran la oportunidad de identificar posibilidades alternativas y de escoger entre ellas según lo que consideraran más preferible, podrían tener *motivos* para aprender a aprender por su propia iniciativa, motivos para investigar si el mundo es tan predefinido como se ha querido dar a entender. Dewey escribió que «el yo no es algo precocinado, sino que está en continua formación a través de la elección de la acción» (1916, p. 408). Y sabemos que la acción (a diferencia del comportamiento) se define como la toma reflexiva de iniciativas, la creación de nuevos comienzos, el ir en pos de lo que no puede predecirse con exactitud, pero que ha sido a menudo concebido como una posibilidad.

Hay, por supuesto, profesionales preocupados por lograr que estudiantes de potenciales muy diferentes descubran formas de actuar apropiadas mediante las que puedan dar forma a sus propias identidades. Hallar la acción correcta de cada uno puede equivaler a descubrir en su yo a un sujeto con una sensación de *agencia*, es decir, al autor de una vida vivida entre otras personas y no a un mero observador pasivo o a un turista accidental o a un miembro más de la multitud. Si los jóvenes se reconocen a sí mismos situados en un lugar particular dentro de un mundo social, si se les dan oportunidades para descubrir lo que puede surgir de la comunicación con los demás, puede entonces que tengan la posibilidad de huir

tanto del peso del *kitsch* como de la insoportable levedad.
Puede que se sientan inesperadamente capaces de tratar con
las fuerzas que parecen determinarlo y condicionarlo todo,
que les hacen sentirse impotentes (y, desde su impotencia,
irresponsables y desconectados). La libertad es un logro que
se consigue en medio de la vida y junto a otros seres humanos.
Las personas alcanzan toda la libertad que pueden a través de
una transacción crecientemente consciente y lúcida con todo
lo que las rodea e incide en ellas, y no saliéndose sin más de
su contexto y actuando como respuesta al impulso o al deseo.
Y parece claro que la mayoría de personas descubren quiénes
son sólo después de haber desarrollado un mínimo de poder
para actuar y elegir a la hora de hacer frente a un mundo
determinado. Como los defensores de los derechos civiles descubrieron no mucho tiempo atrás, como las mujeres continúan descubriendo y como las minorías descubren una y otra
vez, la libertad ha de lograrse de forma paulatina y ha de
nutrirse de situaciones que, aun habiéndose hecho por fin
inteligibles, han de seguir siendo continuamente nombradas
y comprendidas. Las implicaciones pedagógicas de esta perspectiva son múltiples y es difícil imaginarse un conjunto de
objetivos educativos en el que no se incluya la preocupación
por la libertad humana y por el sentido de *agencia* en un
mundo cada vez más controlado y administrado.

Las nubes nocivas y las amenazas ilegibles, el consumismo,
el privatismo y la contracción del yo, el vacío del desarraigo y de la libertad negativa, el peso de los dogmas y las
devociones, la ausencia de diálogo, la pérdida de un espacio
público: ¿qué tienen todos ellos que ver con los aprendizajes
comunes, el rigor académico, las jerarquías e incluso la excelencia? Catharine Stimpson escribe que «la excelencia en las
humanidades –tanto en las obras en sí como en nuestro estudio de esas obras– debería revelar una alianza latente entre
la conciencia y la vitalidad». (Por lo cual se entiende que la

autora está más preocupada por «la conciencia y la vitalidad» que por la competencia técnica y las habilidades cuantificables.) Ella espera que «la búsqueda de excelencia generará, no una tradición monolítica que podamos organizar en una jerarquía de los excelentes, los meritorios, los mediocres y los pésimos, sino una tradición múltiple que juzgaremos, disfrutaremos y juzgaremos de nuevo» (1984, p. 8). Espero que tenga razón.

Resulta tentador contrastar este enfoque optimista con lo que estamos descubriendo acerca de los miles de recién llegados (y recién llegadas) que están entrando ahora en nuestras escuelas: inmigrantes procedentes de un sinfín de culturas, con sus propios sistemas simbólicos diferenciados, sus propias formas de ver y de estar en el mundo. También estamos tentados a contrastarlo con lo que hemos venido aprendiendo últimamente sobre las «inteligencias múltiples» (Gardner, 1983), que van desde la lógico-lingüística hasta la matemática, la literaria y la kinestésico-corporal hasta la musical: todos ellos son modos potenciales de conocer y de abordar las apariencias de las cosas y el mundo experimentado. No hay duda de que alguien comete un error cuando se desatienden todos esos potenciales porque no están recogidos en los planes de estudio corrientes (potenciales, además, que no parecen contribuir al crecimiento de la tecnología ni provocan logros fácilmente medibles). Pienso, por ejemplo, en el oficio y el «arte» requeridos para convertirse en un cantante de ópera (Howard, 1982); las interacciones entre actividad motriz y perceptiva y la creación de formas en el espacio y el tiempo que identifican la «alfabetización» de un bailarín o bailarina; el pensamiento que guía las manos de los ebanistas y de los mecánicos de motos y de los maquinistas, personas que están muy relacionadas con la madera, los recambios de metal y los interiores de máquinas complejas, respectivamente.

Yo, como toda una serie de otros investigadores educativos y filosóficos, prefiero la pluralidad y la multiplicidad a las jerarquías. Por ello, trataría de buscar en nuestras escuelas múltiples excelencias e intentaría concebir el rigor académico vinculado a la cultivación de cualidades mentales en diversos terrenos. Me sigue pareciendo especialmente fructífero considerar la mente –como hiciera Dewey– no como un sustantivo, sino como un verbo que denota «todas las formas en las que tratamos consciente y expresamente con las situaciones en las que nos encontramos» (1934, p. 263). Nuestra manera de tratar las situaciones, por supuesto, está influida por la cultura a la que pertenecemos y por nuestras preconcepciones culturales, así como por el mundo que compartimos (y que podemos compartir por muy diferenciadamente que pueda ser interpretado por cada uno de nosotros): el mundo que tenemos que crear y recrear en común mientras trabajamos (y ayudamos a otras personas a trabajar) para decodificarlo. De todos modos, aun cuando prestemos especial atención a cualidades concretas de la mente, podemos permitir e incluso loar la multiplicidad de perspectivas.

El filósofo británico Richard S. Peters ha escrito, refiriéndose a las excelencias, que éstas están «conectadas con el modo en que realizamos diversas actividades. Debatimos o pensamos críticamente, [...] pintamos o cocinamos creativamente y mostramos integridad en nuestra vida moral o en una obra de arte» (1975, p. 121). O, dicho de otro modo, las capacidades que se pueden especificar con exactitud, cuando llegan a ser plenamente desarrolladas, se *convierten* en excelencias: pensar críticamente, por ejemplo, trabajar creativamente, ser previsor, persistente y tener fuerza de carácter. Las cualidades que he nombrado en este capítulo y que tienen potencial para convertirse en excelencias son la provisionalidad, la consideración de las pruebas, el pensamiento crítico y creativo a la vez, la apertura al diálogo y la sensación de *agencia*, compromiso social e interés. Tienen también el potencial de «la conciencia y la vitalidad».

Preocuparnos por «el modo en que realizamos diversas actividades» no es lo mismo que preocuparnos principalmente por un mismo sustantivo cuantificable o medible para todo el mundo. De todos modos, al igual que Peters (entre otros), me inclino a creer que las cualidades de la mente que apreciamos pueden desarrollarse al máximo no en el vacío, sino a través de tipos específicos de experiencias, en la mayoría de casos, con materias lectivas y asignaturas de por medio. No resulta en absoluto descabellado establecer una relación entre el desarrollo gradual de un sentido personificado de lo que deberían ser las cosas, de un posible logro (dentro de un campo de conocimiento, una disciplina o un estilo de vida), y la aparición de una conciencia de agencia, de una existencia consciente y responsable en el mundo.

Sin embargo, dudo que insistiendo en una visión de una realidad común y normalizada –que sea aceptada y conocida por todo el mundo de la misma manera– se incite en las personas jóvenes el deseo de trascender, de ser (como individuos) lo mejor que sepan ser. Además, la mayoría de nosotros somos ahora conscientes de la exclusividad de lo que creíamos la tradición o el patrimonio heredados. La tradición ya no puede ser tratada como si fuese naturalmente del norte, occidental y masculina. Cuando se adopta, aunque sólo sea por un momento, la perspectiva de un joven alumno de una cultura distinta a la propia del profesor, se reconoce la naturaleza provisional de nuestra concepción de la historia humana, del tiempo, de la muerte, del poder, incluso del amor. Muchos profesores no hispanos descubrieron a García Márquez, a Carlos Fuentes, a Jorge Amado, a Manuel Puig e, incluso, a Jorge Luis Borges sólo unos años atrás, y, seguramente, realidades ficticias como la presentada por García Márquez en *Cien años de soledad* o como las múltiples incluidas por Borges en sus *Ficciones* nos han conmocionado hasta hacernos tomar conciencia de nuestra unidimensionalidad, cuando no de hasta qué punto vivimos en una realidad social construida. Probablemente se puede decir lo mismo de quienes leen las literaturas y las culturas de Extremo Oriente o de la India. Cuando los jóvenes rostros vietnamitas, chinos, tailandeses y africanos se encuentran con profesores blancos (o de cualquier herencia distinta a la de sus estudiantes), debemos saber que ya no podemos confinar lo que llamamos las humanidades o la historia a las formas y los acontecimientos occidentales. Muchos de nosotros, además, tanto mujeres como hombres, hemos sido inducidos a cambiar nuestras formas de ver gracias a la introducción de las historias y las experiencias vitales de las mujeres en las explicaciones de la historia, la cultura y el desarrollo económico. No sólo ha cambiado la composición de las imágenes que se nos transmiten (además de sus contornos, sus colores e, incluso, los medios mediante los que son transmitidas), sino esos nuevos ángulos de observación han traído consigo (y continuarán trayendo) reconceptualizaciones fundamentales de la herencia de la nación, del auténtico alfabetismo cultural y de nuestro currículo emergente.

El currículo necesita incuestionablemente una ampliación y una profundización que permitan la inclusión de un número cada vez mayor de opciones en lo referente al estudio de textos, imágenes y formulaciones. Los profesores son crecientemente conscientes de la necesidad de permitir que más estudiantes puedan estar personalmente presentes en sus propios procesos de aprendizaje y puedan ser más autorreflexivos con respecto a los mismos. Los enfoques interpretativos del conocimiento, tan evidentes actualmente en las ciencias sociales y naturales, así como en las humanidades, están empezando a resultar también relevantes en la docencia y el aprendizaje. La interpretación, obviamente, se centra en la revelación de significados *para* materias particulares (o para investigadores o estudiantes) en campos específicos. Puede tratarse también de significados intersubjetivos, representativos de visiones de las personas entendidas como miembros de comunidades. Pueden moverse de forma continuada entre lo local, lo inmediato y lo que Clifford Geertz llama «la más global de las estructuras globales», en una constante búsqueda de contextos cada vez más amplios. Geertz, como otros autores que ponen el énfasis en la multiplicidad como «la característica central de la conciencia moderna», reclama una «especie de etnografía del trabajo pensado [...] [que] ahondará aún más en nuestra conciencia de la diversidad radical de nuestro actual modo de pensar, puesto que extenderá nuestra percepción de dicha diversidad más allá de los terrenos meramente profesionales de la materia de estudio, el método, la técnica, la tradición académica, etc., al marco más general de nuestra existencia moral» (1983, p. 161). También él está preocupado por la vida del significado y por la interpretación; igualmente, está convencido de que los diferentes intereses y preguntas constituyen aberturas por las que diferentes personas pueden introducirse en los sistemas de símbolos existentes.

Seguramente, todos y todas tenemos recuerdos de cómo nuestros mundos se abrieron hacia el exterior gracias a encuentros que tuvimos con otros seres humanos, con textos diversos, con obras de arte, con juegos y con disciplinas estructuradas. Si fuimos afortunados, fuimos capaces de desarrollar capacidades abiertas, es decir, capacidades que nos permitieron movernos por nuestra cuenta de unos textos particulares a otros textos y a otros modos de representación. Debe haber ejemplos análogos en esa experiencia a lo que les puede ocurrir a las personas jóvenes diversas de hoy en día, estudiantes que deberían tener la posibilidad de afirmar y nombrar sus propios mundos locales a través de sus encuentros y, al mismo tiempo, ir más allá de los mismos y en pos de lo que no conocen todavía. No es absolutamente necesario que todas las personas lean *Hamlet* o *Middlemarch*, o *Las vidas de la célula,* de Lewis Thomas (aunque yo me lo pensaría mucho antes de retirar ninguno de esos ejemplos del programa). Lo que importa es que, se escoja lo que se escoja, sea para ser leído y tratado con atención e integridad, con pensamiento crítico y creativo, con persistencia y teniendo en cuenta lo que ese trabajo debería ser para que pudiera integrarse en un conocimiento más amplio y, en última instancia, en situaciones en las que los jóvenes se puedan enseñar a sí mismos.

En lo concerniente a los estándares (o niveles de exigencia) y el rigor, es de vital importancia comunicar a las personas jóvenes la conexión existente entre la disciplina o el esfuerzo que realizan y las posibilidades de visión. Recordemos lo que escribió Dewey acerca del esfuerzo y la comprensión que se necesitan realmente para aprehender la catedral de Notre Dame o un cuadro de Rembrandt, para ir más allá de la «mera visión» y de la mera asignación del nombre correcto a lo que se ve: «Quien percibe la obra también realiza un trabajo y no sólo el artista. Si alguien es demasiado perezoso o vago, o está demasiado endurecido por la convención, como para realizar su parte del trabajo, no podrá ver ni oír. Su "apreciación" será una mezcla de unos cuantos retazos de aprendizaje con un conformarse a las normas de la admiración convencional» (1934, p. 54). Otros críticos, educadores y filósofos han apuntado en la misma dirección: la de sacarnos de la despreocupación, de la estupidez, con la promesa de las muchas vistas que nos esperan si hacemos realmente el trabajo.

Superar el endurecimiento es importante también para otras formas de conocimiento que no son el estético o el interpretativo, y resulta obvio que los estudiantes han de ser iniciados en numerosas formas de explicación, valoración, esquematización, extracción de inferencias y análisis. Además, la validación de cualquier modo de indagación debería fundarse en su contribución a la vida del significado y a la comunicación en el mundo intersubjetivo. A la hora de sopesar diversos objetivos educativos, podríamos tener en cuenta la posibilidad de que el propósito central de la educación (en el contexto de una vida vivida) sea hacer posible que un ser humano se vuelva cada vez más consciente en lo que respecta a su situación vivida (y a las posibilidades todavía por explotar de ésta). Los lenguajes y sistemas simbólicos que ponemos a disposición de los estudiantes deberían proporcionar oportunidades para tematizar experiencias humanas muy diversas y, de manera nada casual, para iniciarse de modo diverso en la conversación entre personas que hace avanzar la cultura con el tiempo. Dado que los lenguajes disponibles deben cumplir ciertos niveles mínimos de exigencia para que quienes los utilicen puedan hacer inteligibles sus experiencias, debemos permitir que los estudiantes se introduzcan en los lenguajes necesarios de manera responsable y reflexiva para que puedan nombrarse a sí mismos y puedan nombrar sus mundos. Ese nombramiento, por supuesto, no puede nunca ser completo y parte del aprendizaje consiste precisamente en reconocer las insuficiencias y deficiencias que siempre hay que reparar y que obligan a cada persona a ir siempre más allá.

Lo que he denominado como «común» ha de ser, pues, continuamente creado y recreado. Podemos emplear textos y obras de arte representativas en ciertos momentos; podemos utilizar casos paradigmáticos en los diversos ámbitos; podemos incluso echar mano de las artes populares. Siempre hay un flujo de cosas e ideas de este mundo, y siempre existe la necesidad de atrapar ese flujo en redes de significado. Pero sea cual sea la red, conviene que se ponga un énfasis especial en desplazar lo ya fijado, en resistirse a la unidimensionalidad y en permitir que las múltiples voces personales se articulen en un diálogo cada vez más vital.

Arendt argumentó que el problema de nuestra cultura no radica tanto en la falta de admiración pública por la poesía y la filosofía como en que tal admiración «no constituye un espacio en el que se salvan las cosas de ser destruidas por el tiempo». Puede que hayamos llegado al punto en el que quienes nos dedicamos a la educación tengamos la responsabilidad de crear ese espacio. Arendt dijo además que la realidad de ese espacio dependerá:

> *de la presencia simultánea de las innumerables perspectivas y aspectos a través de los que el mundo común se hace presente y para los que nunca se podrá diseñar una medición o un denominador comunes. Y es que, aunque el mundo común es el punto de encuentro compartido de todos, quienes están presentes en él están ubicados en distintas posiciones. [...] El ser visto y oído por otras personas deriva su significación del hecho de que todo el mundo ve u oye desde una posición diferente. [...] Sólo donde las cosas pueden verse por muchos en una variedad de aspectos y sin cambiar su identidad, de manera que quienes se agrupan a su alrededor sepan que ven lo mismo en total diversidad, sólo allí aparece auténtica y verdaderamente la realidad mundana.* (1958, p. 57)

A mí me gusta ver esa «realidad mundana» como algo análogo a los aprendizajes comunes e identificar «las innumerables perspectivas» con las múltiples experiencias vitales de quienes esperamos que aprendan a aprender y que lo hagan con creciente entusiasmo, competencia y sentido de la exigencia y del estilo.

Pueden existir espacios de excelencia donde personas diversas se sientan impulsadas a buscar lo posible. Los individuos pueden, a través del ejercicio de la imaginación, adquirir ese sentido de significación que les permite darse cuenta de que «siempre hay más por experimentar y siempre hay más en lo que experimentamos de lo que podemos esperar» (Warnock, 1978, p. 202). Si se les hace conscientes de ello, las personas jóvenes pueden sentirse impulsadas a esforzarse, a sobrepasar, a trascender. En el diálogo sobre los objetivos educativos, tanto los estándares como los aprendizajes comunes pueden ser considerados como un resultado emergente de la elección humana. Puede que lo fundamental para nuestros propósitos sea, en última instancia, la consecución de la libertad humana dentro de una comunidad también humana. Eso está además claramente relacionado con nuestras preguntas sobre el futuro de nuestro mundo.

14
Voces múltiples
y realidades múltiples

Casi medio siglo ha pasado desde que Albert Camus nos declaró que, aunque anhelemos la claridad y deseemos un principio que explique todo lo que existe, sólo los racionalistas profesionales ofrecen certezas abstractas y generalizadas. Y cuando lo hacen, «esa razón universal, práctica o ética, ese determinismo, esas categorías que lo explican todo son suficientes para provocar la risa de un hombre decente. No tienen nada que ver con la mente» (1955, p. 21). En la actualidad, son muchas las voces que hablan acerca de la enorme multiplicidad de la conciencia moderna y que nos ayudan a ver que «la imagen de una orientación [...] general derivada de los estudios humanísticos (o científicos) [...] es una quimera. La base de clase para este "humanismo" unitario ya no existe; desapareció junto con otras cosas, como las bañeras adecuadas y los taxis confortables. Pero, más importante aún, desapareció también el acuerdo que antes existía sobre los fundamentos de la autoridad intelectual, los libros antiguos y las costumbres aún más antiguas» (Geertz, 1983, p. 161). Geertz espera, por supuesto, que podamos crear las condiciones necesarias para que se produzca la interacción de «una multitud desordenada de visiones no del todo conmensurables», lo más cercano a una conciencia general que podemos lograr. La esperanza radica en la posibilidad de que desarrollemos un vocabulario en el que puedan formularse nuestras múltiples diferencias, en el que «podamos dar una explicación creíble de cada uno de nosotros a los demás» (p. 161). Añado mi esperanza suplementaria de que esas explicaciones puedan ofrecerse desde los ángulos de observación de las experiencias vividas de las propias personas, desde lo que se ha dado en llamar el «mundo de la vida» de cada una de ellas (Husserl, 1962, pp. 91-100).

A fin de cuentas, es desde esos puntos de vista particulares desde los que adquirimos conciencia de los recién llegados que abarrotan como nunca antes las calles y las escuelas. También desde esos ángulos particulares nos hemos sentido impactados, la mayoría de nosotros, por la nueva conciencia adquirida de la existencia de unas voces a las que la mayoría de nosotros había apenas prestado atención anteriormente: no sólo las voces de las mujeres, de los miembros de los grupos minoritarios, de los homosexuales y de las personas con discapacidades, sino también las de los niños, los pacientes de los hospitales y las residencias, los adictos y los vagabundos: quienes buscan una cura o un poco de felicidad, de dicha. Aunque ya ha habido estudiosos de ciertos campos que han logrado realmente traspasar sus enclaves de especialización cerrada, hoy en día se hace cada vez más concebible una perspectiva multidisciplinar real de un mundo interminablemente multicolor. Ya sea por el impacto de la hermenéutica, por la reconceptualización de las ciencias humanas o por el reconocimiento de la heteroglosia por contraposición a la expresión monológica, nos hemos vuelto mucho más precavidos y precavidas con respecto a los lenguajes únicos de verdad y de categorías fijas. Nos hemos vuelto también más apreciativos con respecto a la narración como modo de conocimiento (Bruner, 1986, pp. 11 y siguientes), con respecto a la conexión entre ésta y el crecimiento de la identidad, y con respecto a la importancia de dar forma a nuestras propias historias y, al mismo tiempo, abrirnos a otras en toda su variedad y grados diversos de elocuencia.

Como ya he venido explicando, esta conciencia de la importancia de la historia y el relato, y de la comprensión más allá de la mera conceptualización, parece haber llevado a una serie de educadores (entre otros) a investigaciones en las que las perspectivas de las ciencias humanas han sido ahondadas y ampliadas por la literatura imaginativa. He recordado, por ejemplo, que podemos leer libros sobre la historia, la demografía y la economía de la esclavitud en este país, pero también podemos leer una novela como *Beloved*, de Toni Morrison, y, en el mismo proceso por el que la hacemos significativa para nosotros, alcanzar una nueva perspectiva sobre la esclavitud, puede que incluso una atónita indignación; quizás también lleguemos a saber más sobre nuestras propias vidas y experiencias de pérdida al tiempo que percibimos más acerca del mundo de la esclavitud al mirarlo a través de nuestras propias situaciones vividas. La literatura no sustituye la descripción histórica, pero al implicarse en ese tipo de obras, el lector activa en su conciencia toda clase de circuitos que le permiten ver la esclavitud en relación con vejaciones tan actuales como el maltrato infantil. Empezamos entonces a movernos adelante y atrás, entre la inmediatez y las categorías generales, como los profesionales reflexivos están obligados a hacerlo cuando tratan de dar sentido. Vemos, oímos, establecemos conexiones. Participamos en ciertas dimensiones que no podríamos conocer si no se despertara la imaginación. «Sólo la imaginación puede librarnos de la atadura del presente eterno inventando, formulando hipótesis, fingiendo o descubriendo un camino que puede seguir luego la razón y que conduce a una infinidad de opciones, una pista a través del laberinto de la elección, un hilo de oro –la historia– que nos lleva a la libertad que es apropiadamente humana, la libertad abierta a aquéllos cuyas mentes pueden aceptar la irrealidad» (Le Guin, 1989, p. 45). Una vez hayamos aceptado la «irrealidad», podemos regresar a las realidades sociales multicolor que compartimos y, quizás, encontrarlas mejoradas, ampliadas, corregibles.

No obstante, ninguna realidad novelística puede ser nunca completa ni plenamente coherente; tampoco puede resolver nada. Nos tenemos que quedar, pues, con nuestras preguntas abiertas (sobre la práctica, sobre el aprendizaje, sobre los estudios educativos, sobre la comunidad). Puede que se trate del tipo de preguntas que nos conduzcan a búsquedas de un alcance cada vez mayor.

También me he referido a quienes responden a las imágenes de multiplicidad con pesadillas de anarquía y cacofonía absolutas. Cuando esa clase de observadores miran a su alrededor y oyen las voces confrontadas, las interpretaciones en conflicto, sólo ven una decadencia lamentable, una sacudida de los cimientos. Estos observadores consideran que la comunidad lingüística está en peligro de muerte. Erigen muros de alfabetización cultural y planifican «redes de excelencia». Producen jeremiadas acerca del «cierre de la mente estadounidense» (Bloom, 1987) y llamamientos a desviar la atención de *nuestras* mentes y centrarla de nuevo en un terreno de supersensatez, a echar anclas en algo objetivo y duradero que trascienda la cacofonía y la heteroglosia, y que trascienda también al extraño que habita entre nosotros. Repican las voces federales y las empresariales lamentando la falta de formación técnica adecuada. Ignorando muy a menudo la exclusión, el abandono y la alienación sentida por los estudiantes, lanzan monólogos en los que claman por más monólogos, por centrarse en tipos específicos de desarrollo lineal de habilidades técnicas. Se centran en la competencia para la nueva era, en las aproximaciones reactivas a las nuevas tecnologías.

Sí, los profesores somos conscientes de las nuevas «demandas del mercado» que se espera que los jóvenes satisfagan. Nos damos cuenta de cuántos padres están ávidos de éxito y respetabilidad y de cómo guían a sus jóvenes hacia un conformismo seguro. Sí, tenemos que hacer frente a las drogas que tan horriblemente intervienen en las vidas de los jóvenes, a la epidemia del SIDA, a la falta de vivienda, al deterioro de las familias y los barrios, a los embarazos adolescentes, a los ritmos agotadores, al malestar. Pero incluso en medio de esa confrontación, estamos ansiosos por comunicar qué es lo que sentimos que vale la pena. Anhelamos compartir nuestras nociones de lo deseable con los jóvenes, sin que por ello dejemos de equiparlos con los rudimentos del aprendizaje y los trucos del oficio que necesitan para «alfabetizarse funcionalmente». Queremos que logren captar las *formas* de nuestra geografía, la *historia* de nuestra democracia. A menudo, queremos hacer accesible una forma artística determinada: unos fragmentos de una ópera de Rossini, un relato breve de Hawthorne, unos girasoles de Van Gogh o esos cuervos que se recortan sobre el cielo.

Pero la mayoría de nosotros y nosotras ya nos hemos dado cuenta de lo importante que resulta descubrir la impresión que producen en los jóvenes (tan distintos en muchos casos de la imagen que recordamos de nosotros mismos a su edad) las cosas que queremos enseñar. Escuchándoles, es habitual que nos veamos confrontados como nunca antes con nuestros propios prejuicios y preferencias, con las formas e imágenes que tanto hemos valorado a lo largo de casi toda nuestra vida. Lo que hemos aprendido a tratar como valioso, lo que damos por sentado, puede verse cuestionado de modos inesperados. Nos quedamos entonces inmovilizados y empezamos a hacernos preguntas, a quejarnos (a veces), a dejarnos llevar por la ira o el desprecio, a retirarnos de vez en cuando a pensar en nuestra propia forma de pensar. Una vez me reuní con un grupo de adolescentes, estudiantes de secundaria, que acababan de finalizar un proyecto de investigación sobre los museos de la ciudad de Nueva York. De pronto, la súbita pregunta de un adolescente afroamericano del Bronx me dejó literalmente parada: «¿Ha estado alguna vez en los "claustros" [medievales situados al norte de Manhattan], señora?». «Por supuesto», murmuré como correspondía (y, más que probablemente, con cierto aire de suficiencia). «Pues déjeme que le diga algo de los "claustros", señora», añadió. «Los "claustros" son una mierda». Mi reacción inicial fue de sorpresa y, estoy convencida, de cierta indignación. Los «claustros», pensé, la cúspide de la nostalgia y la fe medievales, la encarnación de una forma de belleza que yo había apropiado como *mía* hacía ya mucho tiempo. Inmediatamente después pensé que no había por qué asumir que los «claustros» tuvieran que ser interesantes para aquel chico. ¿Qué era para él un unicornio blanco? ¿O un hombre medieval con una armadura de hierro? ¿O las flores resplandecientes plantadas en círculo? ¿O el propio arte gótico? Mi tercera reflexión consistió en preguntarme si el hecho de que apreciara los «claustros» o no era realmente importante (y por qué era o no importante y para quién podía serlo). Se me ocurrió que yo podría hacer algo para hacerle los «claustros» más accesibles, para ayudarle a entrar en una luminosa antesala de *mi* mundo compartiendo algo con él, ofreciéndole una especie de carné de pertenencia a la sociedad informada dominante. Sólo más tarde me di cuenta (debo admitirlo) de que había cosas de su mundo –imágenes, movimientos, sonidos, historia– sobre las que le podría preguntar si él optara por escuchar, si le importara. Pero, mientras tanto, él se resistía y se negaba, y no estoy muy segura de en nombre de qué lo hacía. Ni siquiera sé si tenía en mente otras posibilidades alternativas.

Si las tenía (y me gustaría creer que era así), es muy posible que hubiera encontrado en los «claustros» un emblema del poder excluyente de la sociedad dominante. Si ése fuera el caso, sería muy importante entender cómo esa clase de imágenes emblemáticas son mediadas por la conciencia de quien se siente excluido, discriminado, avergonzado. Para Michel Foucault, el poder no se experimenta ni como algo que se posee ni como algo de lo que se carece, salvo –eso sí– ante la obstinación de las personas (1982, p. 221). Una persona no ve ni sobrevive plenamente a los efectos de la discriminación a menos que desee que la discriminación (o la pobreza o el abandono) le impidan realizarse. La relación de poder depende hasta cierto punto, según Foucault, de la libertad: las personas tienen que ser conscientes de uno u otro modo de la existencia de posibilidades alternativas que quieran seguir para poder sentirse bloqueadas o manipuladas. La mayoría de nosotros reconocemos ahora lo que Foucault quiere decir cuando se refiere a que estamos atrapados en una compleja interacción de mecanismos que describe como la «tecnología del poder» (1980, p. 159). El término no define el poder ejercido por uno o más individuos desde la cúspide de una estructura destinada a satisfacer sus propios intereses, sino que designa un modo de discurso en un momento concreto: un conjunto de procedimientos utilizados para la producción de frases y afirmaciones que acaban conformando aparentemente una determinada «verdad» o un determinado sistema de exámenes usados para determinar lo aceptable y lo obligado en todo individuo «normalizado». Foucault también señala que las relaciones de poder van tomando forma con el tiempo de manera poco sistemática. Por eso, lo que resulta de todo ello no es la homogeneización con la que solemos asociar la escolarización, sino «un complejo juego de apoyos en implicación mutua, mecanismos de poder diferentes que retienen su carácter específico. Así, pues, en lo que concierne a los niños de la actualidad, la interacción entre familia, medicina, psiquiatría, psicoanálisis, la escuela y la justicia no tiene el efecto de homogeneizar esas diversas instancias, sino de establecer conexiones, referencias cruzadas, complementariedades y demarcaciones entre ellas, que asumen que cada instancia retiene hasta cierto punto sus propias modalidades especiales» (1980, p. 159).

Si no se concibe el poder como una superestructura, si existen discontinuidades en la red tejida entre los diversos discursos e instituciones implicados, eso significa que no podemos ver a ningún individuo como si fuera simplemente un objeto totalmente condicionado por el todo. Hay brechas y esos espacios potencialmente abiertos pueden ser identificados como espacios para el pensamiento, que, según dice Foucault, «no es lo que habita en una determinada conducta y le da su significado, sino lo que permite a una persona distanciarse de esta forma de actuar o de pensar, hacérsela presente a sí misma como un objeto de reflexión e interrogación en cuanto a sus significados, sus condiciones y sus objetivos. El pensamiento es libertad con respecto a lo que uno hace, es el movimiento mediante el que uno se separa de ello, lo establece como objeto y reflexiona sobre ello como problema» (1984*b*, p. 388). Diciendo esto se pone el énfasis en la conciencia humana y en sus ángulos de observación. Ser capaz de «distanciarse» es tener la capacidad de romper con la inmersión en lo habitual, en lo cotidiano. Es similar, pero no idéntico, a lo que normalmente llamamos pensamiento crítico; también conecta con la idea freireana de «leer el mundo». Para Paulo Freire, «leer el mundo no está precedido simplemente por otras lecturas del mundo, sino por una determinada forma de *escribirlo* o *rescribirlo*, es decir, de transformarlo por medio del trabajo práctico y consciente» (Freire y Macedo, 1987, p. 35). Freire añade a ese punto de vista una importante condición: el «universo verbal» de quienes aprenden debería llenarse de los significados de sus propias experiencias existenciales y no de las de sus profesores. Los profesores y los formadores del profesorado, en su calidad de re-visores de los estudios educativos, tenemos que escoger por nuestra cuenta la relación entre pensamiento y acción transformadora, del mismo modo que estamos obligados a tomar una decisión con respecto al valor de inducir a los estudiantes a hablar con sus propias voces en un mundo donde son otras las voces que definen lo mayoritariamente dominante.

Si, de todos modos, nos tomáramos en serio la idea de separarnos de vez en cuando de lo que hacemos, romperíamos con lo que nosotros mismos damos por descontado, abriéndonos quizás a un pluralismo de visiones diversas. ¿Podemos hacer lo mismo por el adolescente del Bronx? ¿Podemos hacer posible que ponga nombre a su propia obstinación, que la vea en una relación dialéctica con las estructuras que se oponen (o parecen oponerse) a su realización? ¿Podemos adaptarnos lo suficiente a su universo verbal o crear condiciones en el aula que hagan audible ese universo? ¿Podemos, al menos, permitirle trazar el mapa de un campo de posibilidades para sí mismo y para aquéllos y aquéllas con quienes comparte un mundo? Soy consciente de que, hasta donde nosotros sabemos, su universo verbal está infundido de lenguaje mediático, eslóganes publicitarios, diálogos de telenovelas, letras de canciones de la MTV. Es muy posible que haya interiorizado la imagen del hombre de éxito (el jefe, el propietario, el casero, su opresor) como su ego ideal. ¿Podemos liberarle para que atienda a sus propios «miedos, ansiedades, demandas y sueños» (Freire y Macedo, 1987, p. 35), a su lectura auténtica y desinhibida de su mundo realmente vivido? Las mismas preguntas son aplicables a personas con raíces y esperanzas distintas: las personas que se sienten «con derecho» a todo lo que existe y de las que se dice que no les interesa nada y que padecen un aburrimiento casi patológico; las chicas jóvenes y las mujeres que han dudado (por vergüenza o falta de confianza) en consultar sus propias formas de conocimiento; las personas cuyos padres trabajaron tiempo atrás en las fábricas pero que se han visto ahora reducidas a un trabajo en el sector servicios que les hace sentirse desarraigadas en el mundo; los tailandeses, coreanos, laosianos, judíos rusos y haitianos recién llegados, cada uno con una historia de vida diferente, con un conocimiento de fondo acumulado distintivo, y con un deseo y un miedo en cuanto a leer el mundo.

Como es comprensible, dadas las inclinaciones científico-sociales de muchos de nosotros como profesores y como formadores del profesorado, nos hemos centrado en las conceptualizaciones a gran escala, interpretativas y funcionalmente racionales; hemos dedicado nuestra atención a los desarrollos históricos y sociales que afectaban a conjuntos agregados de seres humanos a lo largo del tiempo. Muchos de nosotros nos hemos sentido atraídos por las críticas de las ideologías; hemos pasado muchas horas contrarrestando las mistificaciones asociadas a los viejos mitos de la escuela común, la igualdad de oportunidades y la meritocracia. Nuestra re-visión nos ha puesto en contacto las más de las veces a lo largo de los años con las filosofías de la Europa continental. Hemos estudiado una variedad de teorías críticas y nos hemos esforzado por lograr que (tanto nosotros como los futuros profesores y profesoras) comprendiéramos de qué forma las instituciones educativas han estado al servicio de los intereses de las fuerzas socioeconómicas dominantes, cómo han tratado a los estudiantes como «recursos», como medios para fines ajenos a ellos mismos. Hemos estudiado las burocracias características de las sociedades administradas en las que vivimos; hemos observado los efectos de la cultura popular y los medios de comunicación en nuestra conciencia y en la de nuestros estudiantes. Hemos tenido que reconocer el poder de seducción de las promesas de la sociedad de consumo y la desagradable realidad de la extendida obediencia de los jóvenes a las demandas publicitarias. Sabemos lo suficiente como para entender las falacias de las explicaciones básicamente deterministas o funcionalistas de lo que ocurre en las escuelas; sabemos lo suficiente como para señalar las coacciones de las que la conciencia es objeto por todas partes, y no sólo en el terreno de la publicidad. Asimismo, nos damos mejor cuenta que antes de las desigualdades (muy extendidas todavía en nuestra sociedad) referidas a las inversiones en la educación adecuada para todos y todas. Los dantescos espectáculos de la injusticia y el racismo nos desaniman demasiado a menudo de la tarea de reflexionar sobre un mejor orden social y hacen que caigamos (o, en algunos casos, recaigamos) en el cinismo a propósito de la probabilidad de la democracia en una sociedad pluralista que sea, además, justa en una mínima medida.

Nuestra función dominante durante los últimos años ha sido –como ya fuera la función de los pensadores durante la Ilustración en Europa– analítica y crítica. Hemos desempeñado papeles similares a los de Locke, Hume, Voltaire, Montesquieu, Rousseau y Condorcet, quienes desafiaron las sofisterías y las supercherías más de dos siglos atrás. Las represiones que dejaron al descubierto fueron las derivadas de los excesos de las iglesias, los ejércitos y los reyes de su época. En «Londres» William Blake dejó brillantemente patente lo abiertas que eran aquellas vejaciones:

En el grito de cada hombre,
en el grito de terror de cada niño,
en cada voz, en cada prohibición,
siento las cadenas que nuestra mente ha forjado.
Siento que el llanto del deshollinador
consterna las iglesias sombrías,
y el suspiro del soldado desventurado
cae como sangre por muros de palacios. ([1793] 1958, p. 52)

Los *philosophes* de la Ilustración blandieron sus plumas convencidos de que los fríos filos de la lógica y la racionalidad cercenarían las supersticiones y las idolatrías que mantenían cautivas a las personas. Pensaron y hablaron en términos de categorías abstractas; trataron con esencias, con ideales que asumían como dados. Esto les permitió referirse a todos los hombres como si hubiesen sido dotados por su Creador de «ciertos derechos inalienables». Aquello hizo posible que los pensadores racionalistas hablaran de las «leyes» naturales y morales de un universo armonioso, visto en ocasiones como un macrocosmos en comparación con el microcosmos de la mente humana.

William Blake y los románticos que le siguieron (incluidos Schelling, Hegel y los otros filósofos sistemáticos) rechazaron los principios del deísmo y el racionalismo. Y, ciertamente, a partir de Kierkegaard, los pensadores existencialistas afirmaron y reafirmaron la significación de la subjetividad y la parcialidad de perspectiva. A pesar de ello, uno de los acontecimientos culminantes del siglo XX en todos los campos académicos ha sido el reconocimiento de la necesidad de reconsiderar la Ilustración o, como también podríamos decir, el «proyecto ilustrado» (MacIntyre, 1981, pp. 49-59). Nuestro interés por la Escuela de Francfort y la teoría crítica nos condujo a muchos y a muchas de nosotros a obras como *Dialéctica de la Ilustración* (Horkheimer y Adorno, 1972), que nos dejó examinar el «engaño masivo» de la «industria cultural» a través de los ojos de Horkheimer y Adorno, y que también nos hizo comprender de qué modo la Ilustración racionalizó los extremos iniciales del capitalismo y puede que fuera la generadora de las fuerzas que hicieron concebibles técnica y moralmente fenómenos como Auschwitz e Hiroshima. Algunos de nosotros nos sentimos impactados por las explicaciones de alienación y opresión que descubrimos en la literatura marxista; otros nos sentimos atraídos hacia una posición neomarxista, basada parcialmente en la toma de conciencia de que la racionalidad instrumental (Habermas, 1971) derivada del racionalismo era una característica tan normal en las sociedades socialistas modernas como en las capitalistas. Todo estaba burocratizado; todo era administrado; todo estaba aquejado de las tecnologías del poder descritas por Foucault. Los interrogantes planteados actualmente por el movimiento ecologista y por quienes tratan cuestiones de ecología humana hacen que nos cuestionemos las ideas de progreso, crecimiento y control de la naturaleza que tan fundamentales fueron para el pensamiento ilustrado. André Gorz e Ivan Illich no son los únicos que hablan de la «pobreza de la abundancia» y que aprecian la relación existente entre «vivir mejor y producir menos» (Gorz, 1980, p. 28), una relación que apunta tanto al corazón de las sociedades de consumo de hoy en día como a algunas de las principales preocupaciones predominantes a finales del siglo XVIII.

Theodor Adorno y Walter Benjamin fueron, durante años, sospechosos de lo que los autores posmodernos llamarían «metanarrativa» (Lyotard, 1987, p. 84): una metanarrativa representativa del deseo de explicación global y generalizada y que acaba por convertirse (como ocurrió a menudo con la narrativa de la Ilustración) en una especie de filtro prescriptivo por el que han de pasar todas las afirmaciones individuales. Se diferencia un tanto de la metanarrativa o relato general que pretende dar una interpretación «verdadera» de lo que se considera «real». Adorno escribió que «el todo es lo falso» (1974, p. 50). Benjamin, quien contemplaba la historia en una tensión sin fin con lo armonioso y lo mesiánico, sugirió que «lo histórico no puede ser relacionado por sí mismo con lo mesiánico. Por lo tanto, el Reino de Dios no es el *telos* de la dinámica histórica; no puede ser establecido como objetivo» ([1955] 1979, p. 312). Cuando Richard Rorty afirma la futilidad del empeño «en hallar fundamentos a los que aferrarse, marcos más allá de los cuales no debe uno aventurarse» (1979, p. 316), también él discrepa de la metanarrativa, de las metáforas globales y de las nociones de un «Reino de Dios». Como otros filósofos sociales actuales, Rorty cuestiona los esfuerzos para la formulación de racionalidades comunes que vinculen a todos los seres humanos (conjuntos de normas «que nos digan cómo alcanzar un acuerdo racional que resuelva los posibles conflictos entre afirmaciones aparentemente enfrentadas»). Aun así, muchos pensadores y pensadoras han apreciado la existencia de vínculos entre su propio rechazo de las visiones totalizadoras y las concepciones de solidaridad y relativismo de Rorty (1991). Puede que la revisión que se nos exige se centre en la reafirmación pragmática de la «justificación de la tolerancia y de la libre búsqueda de conocimiento y de una comunicación no distorsionada» (1991, p. 29) que ya hicieran los pragmatistas, y del convencimiento relacionado de que las personas que han experimentado situaciones distintas (como los húngaros o los alemanes orientales) nunca optarían por las seguridades del autoritarismo en detrimento de (su concepción de) la democracia, con sus pragmáticos hábitos mentales. Reconociendo el relativismo de su creencia, que él atribuye a hábitos derivados de la tendencia de la Ilustración a justificar las cosas por invocación de una razón trascendente y transcultural, Rorty afirma que lo mejor que podemos hacer es explicar nuestras historias desde la solidaridad y a la luz de las creencias compartidas. Es plenamente consciente de que los valores y las creencias de las que habla fueron forjados durante la Ilustración; pero asegura que podemos vivir con acuerdo a ellos sin tener por ello que regresar a los modos de justificación ilustrados. Esos valores y las esperanzas a que dan lugar no pueden y no tienen por qué ser demostrados para ser objetivamente superiores a otros valores. Lo que hay que intentar es vivir con acuerdo a ellos y hacer cada vez más inclusivo el número de personas al que nos referimos al hablar de «nosotros».

Habermas introdujo otra idea cuando se refirió al papel de la filosofía como promotora de la autorreflexión en las ciencias (1984). Más recientemente, ha hecho especial hincapié en la importancia del mundo de la vida y de la necesidad de alcanzar en ese mundo un entendimiento referido tanto a las interpretaciones cognitivas como a las expectativas morales. Ese entendimiento, no obstante, precisa «de una tradición cultural que cubra todo el espectro, y no sólo de los frutos de la ciencia y la tecnología». Para Habermas, la filosofía debe asumir el papel de intérprete en nombre del mundo de la vida y, al hacerlo, reiniciar una interacción entre «las dimensiones cognitivo-instrumental, moral-práctica y estético-expresiva, estancada en la actualidad» (1987, p. 313). Insistiendo en la necesidad de que la filosofía se mantenga como «guardiana de la racionalidad», Habermas sugiere que el pragmatismo y la hermenéutica han unido sus fuerzas para mediar entre el mundo cotidiano y la modernidad cultural. Y lo hacen atribuyendo «una autoridad epistémica a la comunidad de todos los que cooperan y hablan entre sí» (p. 314). Esto, desde mi punto de vista, evoca la idea de diálogo o «multílogo» que tan importante parece para lograr un entendimiento recíproco. Habermas, sin embargo, retorna a aquéllos a los que llama «maestros pensadores» y hace referencia a la fundamentación en normas racionales de la validez de lo que diferentes personas afirman incondicionalmente. Para él, la justificación no puede estar en función de los estilos de vida o las prácticas habituales. Es necesario regresar a una noción universal de la racionalidad procedimental.

Sin embargo, una posible alternativa a ese retorno podría consistir en una decisión compartida de vivir con acuerdo a normas también compartidas que sean continuamente reconstruidas y revisadas a la luz de perspectivas divergentes. Pienso en normas y principios (como la igualdad) mal empleados habitualmente por las instancias del poder, pero que pueden ser (y están siendo) reinterpretados a la luz de la experiencia presentemente vivida. En *Choosing Equality*, por ejemplo, se formula una acusación contra la antigua noción de que «la inclusión –el que a uno le permitan participar en la competición– constituye una oportunidad suficiente». Esa idea, según los autores del citado libro, se convierte en una lógica justificadora de la meritocracia y oculta lo limitada que resulta la inclusión en la práctica. Por ello, proponen establecer criterios distintos y medir nuestro compromiso con la igualdad en función de los resultados: «Desde una perspectiva plenamente democrática, pues, interpretamos los conceptos de *igualdad de oportunidades* y de *equidad* de un modo muy diferente. Tales conceptos deberían significar no sólo el derecho a ser incluido en el sistema, sino también el derecho a permanecer en el sistema y a disfrutar de las condiciones apropiadas para aprender. Si la igualdad de resultados es el objetivo, la igualdad de oportunidades requiere de un continuo ampliado de medios y de posibilidades, y no de una limitación de los mismos por medio de obstáculos al aprendizaje» (Bastian y otros, 1986, p. 30).

John Rawls reevalúa el concepto mismo de *justicia*, así como también el de *meritocracia*. Con una forma meritocrática de orden social, escribe Rawls, la cultura de las personas más pobres se empobrece aún más, «mientras que la de la elite tecnocrática y gobernante queda cimentada, firme y segura, en el servicio a los fines nacionales de poder y riqueza. La igualdad de oportunidades no significa entonces más que la posibilidad igual de dejar atrás a los menos afortunados en la búsqueda personal de influencia y posición social» (1972, pp. 106-107). Para Rawls, «debería buscarse el sentimiento de autovalía confiada de los menos favorecidos y eso limita las formas de jerarquía y los grados de desigualdad permitidos por la justicia». Por otra parte, los recursos educativos no deberían asignarse fundamentalmente en función de la tasa de retorno de las diversas aptitudes formadas, «sino atendiendo también a su valor a la hora de enriquecer la vida personal y social de los ciudadanos, incluidos los menos favorecidos» (p. 107). Nos encontramos con una reconsideración similar del valor de la libertad a medida que un número cada vez mayor de personas se distancia de la noción de libertad negativa y se aproxima a la libertad *para*, asociada esta última (como también lo estaba para John Dewey) con el poder de actuar y el poder de elegir, con la «capacidad de ser diferente» (1931, p. 293). Dewey también añadía que, «como todas las demás posibilidades, ésta tiene que materializarse, y, también como todas las demás, sólo puede materializarse a través de la interacción con las condiciones objetivas» (p. 297). Lo que quería decir era que había que crear las condiciones para que la potencialidad pudiera hacerse realidad: condiciones de cooperación, mutualidad y apoyo.

Digo todo esto a propósito de la posibilidad de los compromisos compartidos no porque crea que podemos anular el pluralismo o redescubrir una «orientación general» o una fe renovada en una «razón universal», sino porque creo que una re-visión debería implicarnos en la constitución y renovación continuadas de un mundo común siempre que seamos capaces de tener en cuenta que ese mundo puede crearse mediante un diálogo continuo que nosotros mismos podemos provocar y alimentar en medio del cambio. Hannah Arendt, desde el rechazo al conformismo y la igualación de cualquier índole, creía que era imposible mantener unida a una comunidad cuando las personas pierden el interés por un mundo común. «La educación es el momento en el que decidimos si amamos el mundo lo suficiente como para salvarlo de la ruina que, de no ser por la renovación, de no ser por la llegada de los nuevos y los jóvenes, resultaría inevitable. Y la educación, también, es el lugar en el que decidir si amamos a nuestros niños lo suficiente para no expulsarlos de nuestro mundo y abandonarlos a su suerte» (1961, p. 196). Como ya hemos visto, la propia Arendt dejó repetidas veces claro que ese mundo activo sólo se hace realidad cuando las personas se unen «de palabra y de obra», reteniendo su «capacidad para revelarse como agentes» (1958, p. 182) y hablando desde sus mundos de la vida. Y la acción (u «obra») siempre significa un nuevo comienzo, una nueva iniciativa, para que los marcos fijados y definitivos continúen siendo inconcebibles.

Los interrogantes centrales no dejarán de acecharnos. ¿Cómo podemos reconciliar las realidades múltiples de las vidas humanas con un compromiso compartido con las comunidades imbuido nuevamente de principios? ¿Cómo podemos hacerlo sin experimentar un retroceso, sin mitificar? ¿Cómo podemos inducirnos a nosotros mismos y a otras personas a afirmar, como el Tarrou de *La peste*, que «hay en este mundo plagas y víctimas y que hay que negarse tanto como le sea posible a uno a estar con las plagas» (Camus, 1948, p. 229)? ¿Cómo podemos, ante cualquier dificultad, «tomar el partido de las víctimas y evitar así mayores estragos» (p. 230)? Estas preguntas me recuerdan lo que aprendimos en los años sesenta acerca de la comunidad y del modo en que la individualidad está constituida por la pertenencia al grupo, por la unión con otras personas, y me hacen pensar en la necesidad que tenemos de pensar de nuevo en vencer nuestros particulares silencios (y los de otras personas) en lo que respecta a los compromisos. Necesitamos recuperar para nuestra re-visión algunas de las experiencias de unión colectiva que se produjeron durante los movimientos pacifista y de defensa de los derechos humanos. Necesitamos expresar elocuentemente lo que para algunos de nosotros significa apoyar a las personas enfermas de SIDA, dar comida y cobijo dignos a las personas sin techo, ofrecer apoyo durante todo el día a los más pequeños en escuelas improvisadas, hacer realidad comunidades de maestros y maestras en nuestros espacios de trabajo. Muchos de nosotros hemos aprendido cómo el acto mismo de estar juntos ha hecho posible que creáramos nuestras identidades como sujetos, y no simplemente como objetos de sentimientos y aspiraciones. Se trata, sin duda, de una idea que evoca la obra de los grandes pragmatistas como Dewey y George Herbert Mead, entre otros, pero que también se nos hace presente hoy en día a través de las investigaciones sobre las formas de conocer de las mujeres (Belenky, Clinchy, Goldberger y Tarule, 1986), tanto tiempo reprimidas en la literatura y la filosofía. El hecho mismo de que nos demos cuenta de que el individuo no precede a la comunidad puede evocar en nosotros imágenes de relación, de redes de atención y preocupación colectiva dentro de las que los profesores y las profesoras sigamos llevando a cabo nuestro trabajo y, mientras lo hacemos, sigamos creándonos y recreándonos a nosotros mismos. Cada vez somos más los que, a pesar de nuestras preocupaciones posmodernas, somos conscientes de lo necesario que es mantener esas visiones de posibilidad ante nuestros ojos y frente a la presencia de una despreocupación, una alienación y una fragmentación galopantes.

Todavía creo que sólo a partir de esta forma de pensar podrá abrirse el espacio necesario para una comunidad crítica dentro de nuestra actividad docente y dentro de nuestras escuelas. Sólo a partir de esa forma de pensar se podrán recuperar espacios públicos. Nuestro reto consiste en hacer que ese terreno sea palpable y visible para nuestros estudiantes, en posibilitar la interacción de múltiples voces, de «visiones no del todo conmensurables», en prestar atención a la pluralidad de conciencias (y a sus obstinaciones y resistencias, así como a sus afirmaciones, sus «cantos de amor»), y, también, en trabajar en pos de la receptividad a los principios de equidad, de igualdad y de libertad, que pueden todavía ser nombrados dentro de contextos de atención e interés. Los principios y los contextos han de ser *escogidos* por seres humanos vivos sobre el trasfondo de sus mundos de la vida y a la luz de sus vidas junto a otras personas; han de ser escogidos, en definitiva, por personas capaces de llamar, de decir, de cantar y –empleando sus imaginaciones, sacando partido de su coraje– de transformar.

Referencias bibliográficas

ADORNO, T. (1974): *Minima Moralia: Reflections from a Damaged Life*. London. New Left Books. (Trad. cast.: *Minima moralia: reflexiones desde la vida dañada*. Madrid. Taurus, 1987.)

ALLENDE, I. (1989): *Eva Luna*. New York. Bantam Books. (Original en castellano: *Cuentos de Eva Luna*. Barcelona. Plaza&Janés, 1989.)

ANZALDUA, G. (1987): *Borderlands/La Frontera: The New Mestiza*. San Francisco. Spinters/Aunt Lute.

ARENDT, H. *The Human Conditions*. Chicago. University of Chicago Press, 1958. (Trad. cast.: *La condición humana*. Barcelona. Seix Barral, 1974.)

—(1961): *Between Past and Future*. New York. Viking Penguin. (Trad. cast.: *Entre el pasado y el futuro: ocho ejercicios de reflexión política*. Barcelona. Península, 1996.)

—(1968): *Men in Dark Times*. Orlando, Fla. Harcourt. (Trad. cast.: *Hombres en tiempos de oscuridad*. Barcelona. Gedisa, 1992.)

—(1972): *Crises of the Republic*. New York. Harvest Books. (Trad. cast.: *Crisis de la república*. Madrid. Taurus, 1973.)

—(1978): *Thinking*, Vol. I. Orlando, Fla. Harcourt.

BAJTÍN, M.M. (1981): *The Dialogic Imagination*. Austin. University of Texas Press, 1981.

—(1984): *Problems of Dostoevsky's poetics*. Minneapolis. University of Minnesota Press. (Trad. cast.: *Problemas de la poética de Dostoievski*. México. Fondo de Cultura Económica, 1988.)

BARTHES, R. (1975): *The Pleasure of the text*. (R. Miller, trans.). New York. Hill & Wang. (Trad. cast.: *El placer del texto*, seguido por: Lección inaugural de la cátedra de semiología lingüística del Collège de France pronunciada el 7 de enero de 1977 por Roland Barthes. México, D.F. Siglo XXI, 1993.)

BASTHIAN, A. y otros (1986): *Choosing Equality*. Philadelphia. Temple University Press.

BELENKY, M.; CLINCHY, B.; GOLDBERGER, N.; TARULE, J. (1986): *Women's Ways of Knowing*. New York. Basic Books.

BENJAMIN, W. (1978): *Illuminations*. New York. Schocken Books. (Original publicado en 1955.) (Trad. cast.: *Iluminaciones*. Madrid. Taurus, 1972.)

—(1979): «Theologico-Political Fragment». *Reflections*. New York. Harvest Books. (Original publicado en 1955.) (Trad. cast.: *Reflexiones sobre niños, juguetes, libros infantiles, jóvenes y educación*. Buenos Aires. Nueva Visión, 1974.)

BERGER, J. (1984): *Ways of Seeing*. New York. Viking Penguin. (Trad. cast.: *Modos de ver*. Barcelona. Gili, 1975.)

BERLEANT, A. (1991): *Art and Engagement*. Philadelphia. Temple University Press.

BEYER, L.E.; LISTON, D.P. (1992): «Discourse or Moral Action? A Critique of Postmodernism». *Educational Theory*, Fall 1992, 42(4).

BISHOP, E. (1983): «At the Fishhouses». *The Complete Poems, 1927-1979*. New York. Farrar & Strauss & Giroux. (Original publicado en 1955.)

—(1983): «In the Waiting Room». *The Complete Poems, 1927-1979*. New York. Farrar & Strauss & Giroux. (Original publicado en 1975.)

—(1983): «Night City». *The Complete Poems, 1927-1999*. New York. Farrar & Strauss & Giroux. (Original publicado en 1976.)

BLAKE, W. (1958): «The Ecchoing Green», en BRONOWSKI, J. (ed.): *William Blake*. Hardmondsworth, England. Penguin. (Original publicado en 1789.)

—(1958): «London». en BRONOWSKI, J. (ed.): *William Blake*. Hardmondsworth, England. Penguin. (Original publicado en 1793.)

BLOOM, A. (1987): *The Closing of American Mind*. New York. Simon & Schuster.

BLOOM, H. (1994): *The Western Canon: The Books and School of the Ages*. Orlando, Fla. Harcourt Brace Jovanovich.

BOURDIEU, P. (1977): *Outline of a Theory and Practice*. Cambridge. Cambridge University Press.

BRUNER, J. (1986): *Actual Minds, Possible Worlds*. Cambridge, Mass. Harvard University Press.

BUBER, M. (1957): *Between Man and Man*. (R.G. Smits trad.). Boston. Beacon Press.

CAMUS, A. (1948): *The Plague*. (S. Gilbert, trad.). New York. Knopf.

—(1955): *The Myth of Sisyphus*. (J. O'Brien, trad.). New York. Knopf.

CLIFF, M. (1988): «A Journey into Speech», en SIMONSON, A.; WALKER, S. (eds.): *The Greywolf Annual*, Vol. 5: Multicultural Literacy. St. Paul, Minn. Greywolf Press.

CLIFFORD, J. (1988). *The Predicament of Culture*. Cambridge, Mass. Harvard University Press.

CONRAD, J. (1967): «Heart of Darkness». *Great Works of Joseph Conrad*. New York. HarperCollins. (Original publicado en 1902.) (Trad. cast.: *El corazón de las tinieblas*. Madrid. Alianza, 1988.)

—(1967): Prefacio a «The Nigger of the Narcissus». *Great Works of Joseph Conrad*. New York. HarperCollins. (Original publicado en 1898.) (Trad. cast.: *El negro del «Narcissus»*. Barcelona. Montaner y Simón, 1932.)

CRANE, H. (1926): *Poetry*. Oct, 1926.

DANTO, A.C. (1981): *The Transfiguration of Commonplace*. Cambridge, Mass. Harvard University Press. (Trad. cast.: *La transfiguración del lugar común: una filosofía del arte*. Barcelona. Paidós, 2002.)

—(1985): «Philosophy as/and/of Literature», en RAJCHMAN, J.; WEST, C. (eds.): *Post-Analytic Philosophy*. New York. Columbia University Press.

DARLING-HAMMOND, L. (1992): «Educational Indicators and Enlightened Policy». *Educational Policy*, 6(3), pp. 235-265.

DARLING-HAMMOND, L.; ANCESS, J.(1993): «Authentic Assesment and School Development», en BARON, J.B.; WOLF, D.P. (eds.): *National Society of Education Ninety-Third Yearbook.* Chicago. University of Chicago Press.

DELILLO, D. (1985): *White Noise.* New York. Viking Penguin.

DEWEY, J. (1916): *Democracy and Education.* New York. Macmillan. (Trad. cast.: *Democracia y educación. Introducción a la filosofía de la educación.* Madrid. Morata, 1995.)

—(1929): *The Quest for Certainty.* London. Allen & Unwin.

—(1931): *Philosophy and Civilization.* New York. Minton, Balch.

—(1934): *Art as Experience.* New York. Minton, Balch.

—(1954): *The Public and Its Problems.* Athens, Ohio. Swalow Press, 1954. (Original publicado en 1927.)

DICKINSON, E. (1960): «The Gleam of an Heroic Act», en JOHNSON, T.H. (ed.): *The Complet Poems.* Boston. Little, Brown. (Escrito en 1887 y publicado en 1914.) (Trad. cast.: *Poemas.* Madrid. Cátedra, 1987.)

DOCTOROW, E.L. (1975): *Ragtime.* New York. Random House. (Trad. cast.: *Ragtime.* Barcelona. Grijalbo, 1982.)

DONOGHUE, D. (1983): *The Arts Without Mistery.* Boston. Little, Brown.

DOSTOIEVSKY, F. (1945): *The Brothers Karamazov.* (C. Garnett, trad.). New York. Modern Library. (Original publicado en 1880.) (Trad. cast.: *Los hermanos Karamazov.* Madrid. Atenea, 1927.)

D'SOUSA, D. (1991): *Illiberal Education: The Politics of Race and Sex on Campus.* New York. Free Press.

DU BOIS, W.E.B. (1982): *The Souls of Black Folk.* New York. New American Library. (Original publicado en 1903.) (Trad. cast.: *Las almas del pueblo negro.* León. Universidad de León, 1995.)

ECO, U. (1983): *The Name of the Rose.* (W. Weaver, trad.). Orlando, Fla. Harcourt. (Trad. cast.: *El nombre de la rosa.* Barcelona. Lumen, 1987.)

—(1984): *The Open Work.* (A. Cocogni, trad.). Cambridge, Mass.

Harvard University Press. (Trad. cast. *Obra abierta: forma e indeterminación en el arte contemporáneo.* Barcelona. Ariel, 1965.)

ELIOT, G. (1964): *Middlemarch.* Hardmonsworth, England. Penguin. (Original publicado en en 1871-1872.) (Trad. cast.: *Middlemarch, un estudio de la vida de provincias.* Madrid. Cátedra, 1993.)

ELIOT, T.S. (1958): «Four Quartets» ("East Coker"). *The Complet Poems and Plays.* Orlando, Fla. Harcourt. (Original publicado en 1943.) (Trad. cast.: *Cuatro cuartetos.* Madrid. Cátedra, 1995.)

ELLISON, R. (1952): *Invisible Man.* New York. Signet Books. (Trad. cast.: *El hombre invisible.* Barcelona. Lumen, 1966.)

—(1964): *Shadow and Act.* New York. Signet Books.

ELMORE, R.F. y otros (1990): *Restructuring Schools: The next Generation of Educational Reform.* San Francisco. Jossey-Bass.

FAULKNER, W. (1946): *The Sound and the Fury.* New York. Modern Library. (Trad. cast.: *El ruido y la furia.* Barcelona. Planeta, 1972.)

FINE, M. (1987): «Silence in Public Schools». *Language Arts,* 64(2), pp. 157-174.

FISCHER, M.M.J. (1986): «Ethnicity and the Post-modern Arts of Memory», en CLIFFORD, J.; MARCUS, G.E.: *Writing Culture.* Berkeley. University of California Press.

FITZGERALD, F.S. (1991): *The Great Gatsby.* New York. Simon & Schuster. (Original publicado en 1925.) (Trad.cast.: *El Gran Gatsby.* Madrid. Unidad Editorial, 1999.)

FOUCAULT, M. (1972): *The Archaelogy of Knowledge and the Discourse on Language* (A.M. Sheridan Smith, trad.). New York. Pantheon Books. (Trad. cast.: *Arqueología del saber.* Madrid. Siglo XXI, 1971.)

—(1973): *The Order of Things.* New York. Vintage Books. (Trad. cast.: *El orden del discurso.* Barcelona. Tusquets, 1973.)

—(1977): «Intellectuals and Power», en BOUCHARD, D.F. (ed.): *Language, Counter-Memory, Practice* (D.F. Bouchard y S.

Simon, trad.). Ithaca, N.Y. Cornell University Press.

—(1980): *Power/Knowledge* (C. Gordon, L. Marshall, J. Mepham y K. Sop, trad.) New York. Pantheon Books.

—(1982): «The Subject and Power» (M. Foucault y L. Sawyer, trad.). Comentario a DREYFUS, H.L., RABINOW, P.: *Michel Foucault: Beyond Structuralism and Hermeneutics.* Chicago. University of Chicago Press. (Trad. cast.: *Michel Foucault: más allá del estructuralismo y la hermenéutica.* México. Universidad Nacional Autónoma de México, 1988.)

—(1984*a*): «The Means of Correct Training» (R. Howard, trad.), en RABINOW, P.: *The Foucault Reader.* New York. Pantheon Books.

—(1984*b*): «Polemics, Politics, and Problemizations: An Interview» (L. Davis, trad.), en RABINOW, P. (ed.): *The Foucault Reader.* New York. Pantheon Books.

FOX-GENOVESE, E. (1986): «The Claims of a Common Culture: Gender, Race, Class, and the Canon». *Salmagundi,* Fall 1986, 72.

FREEMAN, J. (1994): *Picasso and the Weeping Women.* Los Angeles. Los Angeles Museum of Art.

FREIRE, P. (1970): *Pedagogy of the Opressed* (M.B. Ramos trad.). New York. Herder & Herder. (Trad. cast.: *Pedagogía del oprimido.* Madrid. Siglo XXI.)

—(1987): «The Importance of the Act of Reading», en FREIRE, P.; MACEDO, D.: Literacy : *Reading the Word and the World.* South Hadley, Mass. Bergin & Garvey. (Trad. cast.: *Alfabetización: lectura de la palabra y lectura de la realidad.* Barcelona. Paidós, 1989.)

FREIRE, P.; MACEDO, D. (1987): *Literacy : Reading the Word and the World.* South Hadley, Mass. Bergin & Garvey. (Trad. cast.: *Alfabetización: lectura de la palabra y lectura de la realidad.* Barcelona. Paidós, 1989.)

FREUD, S. (1953): *Civilization and Its Discontents.* New York. Hogarth Press.

FROST, R. (1972): «The Road Not Taken», en LATHAM, E.C.; THOMPSON, L.: *Robert Frost: Poetry and Prose*. New York. Holt.

GADAMER, H.G. (1975): «Hermeneutics and Social Science». *Cultural Hermeneutics, 2.*

—(1976): *Philosophical Hermeneutics*. Berkeley. University of California Press.

GARDNER, H. (1983): *Frames of Mind: The Theory of Multiple Intelligences*. New York. Basic Books. (Trad. cast.: *Estructuras de la mente: la teoría de las múltiples inteligencias*. México. Fondo de Cultura Económica, 1987.)

GATES, H.L. Jr. (1991): «Goodbye, Columbus? Notes on the Culture of Criticism». *American Literary History*, 3(4), pp. 711-727.

—(1992): *Loose Canons: Notes on the Culture Wars*. New York. Oxford University Press.

GEERTZ, C. (1983): *Local Knowledge*. New York. Basic Books. (Trad. cast.: *Conocimiento local: ensayos sobre la interpretación de las culturas*. Barcelona. Paidós, 1994.)

GILMOUR, J. (1986): *Picturing the World*. Albany. State University of New York Press.

GOODMAN, N. (1976): *Languages of Art*. Indianapolis. Hackett. (Trad. cast.: *Los lenguajes del arte: aproximación a la teoría de los símbolos*. Barcelona. Seix Barral, 1976.)

GORZ, A. (1980): *Ecology as politics*. Boston. South End Press. (Trad. cast.: *Ecología y política*. Barcelona. Viejo Topo, 1980.)

HABERMAS, J. (1971): *Knowledge and Human Interests*. Boston. Beacon Press. (Trad. cast.: *Conocimiento e interés*. Madrid. Taurus, 1982.)

—(1984): *Theory of Communicative Action*. Boston. Beacon Press. (Trad. cast.: *Teoría de la acción comunicativa*. Madrid. Taurus, 1988.)

—(1987): «Philosophy as Stand-In and Interpreter», en BAYNES, K.; BOHMAN, J.; McCARTHY, T. (eds.): *After Philosophy: End or Transformation?* Cambridge, Mass. MIT Press.

HÁVEL, V. (1983): *Letters to Olga* (P. Wilson, trad.). New York. Holt (Trad. cast.: *Cartas a Olga: consideraciones desde la prisión.* Barcelona. Galaxia Gutenberg, 1997.)

HAWTHORNE, N. (1969): *The Scarlet Letter.* New York. Viking Penguin. (Original publicado en 1850.) (Trad. cast.: *La letra escarlata.* Barcelona. Mateu, cop. 1957.)

HEIDEGGER, M. (1962): *Being and Time* (J. McQuarrie y E. Robinson, trad.). New York. HarperCollins. (Trad. cast.: *El ser y el tiempo.* México. Fondo de Cultura Económica, 1962.)

—(1968): *What Is Called Thinking?* (J.C. Gray, trad.). New York. HarperCollins. (Trad. cast.: *¿Qué significa pensar?* Buenos Aires. Editorial Nova, 1958.)

—(1971): *Poetry, Language, and Thought.* New York. HarperCollins.

HIJUELOS, O.(1989): *The Mambo Kings Sing Songs of Love.* New York. Farrar. Straus & Giroux. (Trad. cast.: *Los reyes del mambo tocan canciones de amor.* Barcelona. Siruela, 1990.)

HIRSCH, E.D. Jr. (1987): *Cultural Literacy.* Boston. Houghton Mifflin.

HORKHEIMER, M.; ADORNO, T.W. (1972): *Dialectic of Enlightenment.* New York. Seabury Press. (Trad. cast.: *Dialéctica de la Ilustración: fragmentos filosóficos.* Madrid. Trotta, 2001.)

HOWARD, V.R. (1982): *Artistry: The Work of Artists.* Indianapolis. Hackett.

HUGHES, R. (1992): «Art, Morality and Mapplethorpe». *New York Review of Books.* Apr. 23, 1992, p. 21.

HUSSERL, E. (1962): *Ideas* (R.B. Gibson, trans.). New York. Collier/Macmillan.

HUXLEY, A. (1950): *Brave New World.* New York. HarperCollins. (Original publicado en 1932.) (Trad. cast.: *Nueva visita a un mundo feliz.* Buenos Aires. Editorial Sudamericana, 1960.)

ISER, W. (1980): *The Act Of Reading.* Baltimore. Johns Hopkins University Press. (Trad. cast.: *El acto de leer: teoría del efecto estético.* Madrid. Taurus, 1987.)

JAMES, H. (1984): *The Portrait of a Lady*. New York. Viking Penguin. (Trad. cast.: *El retrato de una dama*. México. Universidad Nacional Autónoma de México, 1975.)

JAMES, W. (1912): «The Dilemmas of Determinism». *The Will to Believe and other Essays*. New York. Holt. (Original publicado en 1897.) (Trad. cast.: *La voluntad de creer y otros ensayos de filosofía popular*. Madrid. Daniel Jorro, 1922.)

—(1950): *Principles of Psychology*. 2 vols. New York. Dover Books. (Original publicado en 1890.) (Trad. cast.: *Compendio de psicología*. Madrid. Daniel Jorro, 1916.)

KEARNEY, R. (1988): *The Wake of Imagination*. Minneapolis. University of Minnesota Press.

KIERKEGAARD, S. (1940): «Stages on Life's Way», en BRETALL, R. (ed. y trad.): *Kierkegaard*. Princeton, N.J. Princeton University Press.

KINCAID, J. (1990): *Lucy*. New York. Farrar. Straus & Giroux.

KINGSTON, M.H. (1989): *China Men*. New York. Vintage International Books.

KOZOL, J. (1991): *Savage Inequalities*. New York. Crown.

KUNDERA, M. (1984): *The Unbearable Ligthness of Being* (M.H. Heim, trad.). New York. HarperCollins. (Trad. cast.: *Insoportable levedad del ser*. Barcelona. Tusquets, 1986.)

KUSPIT, D. (1990): *The Aesthetic Dimension*. Boston. Beacon Press.

LASCH, C. (1984): *The Minimal Self*. New York. Norton.

LE GUIN, U.K. (1989): *Dancing at the Edge of the World*. New York. Grove Press.

LEIRIS, M. (1988): «Faire-part», en OPPLER, E.C.: *Picasso's Guernica*. New York. Norton.

LEVERTOV, D. (1984): *Oblique Prayer*. New York. New Directions Press.

LEVI, P. (1988): *The Drowned and the Saved* (R. Rosenthal, trad.). New York. Summit Books. (Trad. cast.: *Los hundidos y los salvados*. Barcelona. Muchnik, 1995.)

LYOTARD, J.F. (1987): «The Post-Modern Condition», en BAY-

NES, K., BOHMAN, J.; MCCARTHY, T. (eds.): *After Philosofy: End or Transformation?* Cambridge, Mass. MIT Press.

MACINTYRE, A. (1981): *After Virtue.* Notre Dame, Ind. Notre Dame University Press. (Trad. cast.: *Tras la virtud.* Barcelona. Crítica, 1987.)

MADISON, G.B. (1988): *The Hermeneutics of Postmodernity.* Indianapolis. University of Indiana Press.

MALRAUX, A. (1936): *Man's Fate* (H.M. Chevalier, trad.). New York. Modern Library. (Trad. cast.: *La condición humana.* Buenos Aires. Sur, cop. 1936.)

MANN, T. (1950): «Tonio Kröger», en ANGELL, J.W. (ed. y trad.): *The Thomas Mann Reader.* New York. Knopf. (Original publicado en 1903.)

—(1955): *Confessions of Felix Krull, Confidence Man* (D. Lindley, trad.). New York. Signet Books. (Trad. cast.: *Confesiones del aventurero Felix Krull.* Buenos Aires. Siglo Veinte, 1947.)

MARCUSE, H. (1968): *Negations.* Boston. Beacon Press.

—(1977): *The Aesthetic Dimension.* Boston, Beacon Press. (Trad. cast.: *La dimensión estética.* Barcelona, 1978.)

MÁRQUEZ, G.G. (1970): *One Hundred Years of Solitude* (trad. Gregory Rabassa). New York. HarperCollins. (Original en castellano: *Cien años de soledad.* Buenos Aires. Editorial Sudamericana, 1967.)

—(1988): *Love in the Time of Cholera* (E. Grossman, trad.). Nueva York. Knopf,1988. (Original en castellano: *El amor en los tiempos del cólera.* Barcelona. Bruguera, 1985.)

MARSHALL, P. (1981): *Brown Girl,* Brownstones. New York. Feminist Press. (Original publicado en 1959.)

MARTIN, J.R. (1992): *The Schoolhome.* Cambridge. Mass. Harvard University Press.

MARX, K. (1935): *The Communist Manifesto,* en BURNS, E. (ed. y trad.): *Handbook of Marxism.* New York. International Publishers. (Original publicado en 1848.) (Trad. cast.: *El manifiesto comunista.* Madrid. Ayuso, 1974.)

MELVILLE, H. (1981): *Moby Dick*. Berkeley. University of California Press. (Original publicado en 1851.) (Trad. cast.: *Moby Dick*. Barcelona. Luis de Caralt, 1943.)

—(1986): «*Bartleby the Scrivener*». «*Billy Budd, Sailor*» *and Other Stories by Herman Melville*. New York. Bantam Books. (Original publicado en 1853.) (Trad. cast.: *Bartleby, el escribiente, Benito Cereno, Billy Bud*. Madrid. Cátedra, 1987.)

MERLEAU-PONTY, M. (1964*a*): *The Primacy of Perception*. Evanston, Ill. Northwestern University Press.

—(1964*b*): *Sense and Non-Sense* (H.L. Dreyfus y P.A. Dreyfus, trad.). Evanston, Ill. Northwestern University Press. (Original publicado en 1948.) (Trad. cast.: *Sentido y sin sentido*. Barcelona. Península, 1977.)

—(1967): *Phenomenology of Perception* (C. Smiths, trad.). New York. Humanities Press. (Trad. cast.: *Fenomenología de la percepción*. Barcelona. Planeta, 1985.)

—(1967): *The Structure of Behaviour*. Boston. Beacon Press. (Trad. cast.: *La estructura del comportamiento*. Buenos Aires. Librería Hachette, 1953.)

MORRISON, T. (1970): *The Bluest Eye*. New York. Bantam Books. (Trad. cast.: *Ojos azules*. Barcelona. Ediciones B, 1994.)

—(1975): *Sula*. New York. Bantam Books. (Trad. cast.: *Sula*. Barcelona. Ediciones B, 1988.)

—(1987): *Beloved*. New York. Knopf. (Trad. cast.: *Beloved*. Barcelona. Círculo de Lectores, 1988.)

—(1992): *Playing in the Dark: Whiteness and the Literary Imagination*. Cambridge, Mass. Harvard University Press.

—(1985): «The Moving Images». *Daedalus*, Fall.

MUKHERJEE, B. (1989): *Jasmine*. New York. Grove Weidenfeld. (Trad. cast.: *Jasmine*. Barcelona. Ediciones B, 1991.)

MURRAY, C.; HERRNSTEIN, R.J. (1994): *The Bell Curve*. New York. Free Press.

NIETZSCHE, F. (1958): «Thus Spake Zarathustra», en KAUFMANN, W. (ed. y trad.): *The Portable Nietzsche*. New York. Viking Penguin. (Original publicado en 1883-1892.) (Trad. cast.: *Así hablaba Zaratustra*. Valencia. F. Sempere y Compañía, 1910.)

NODDINGS, N. (1992): *The Challenge to Care in Schools*. New York. Teachers College Press.

NORTON, E.H. (1985): «What the Democrats Should Do Next». *New York Times*. Nov. 27, p. A23.

OAKESHOTT, M. (1962): *Rationalism in Politics and Other Essays*. London. Methuen. (Trad. cast.: *El racionalismo en la política y otros ensayos*. Madrid. Fondo de Cultura Económica, 2000.)

OLSEN, T. (1961): «I Stand Here Ironing». *Tell Me a Riddle*. New York. Dell. (Trad. cast.: *Dime una adivinanza*. Barcelona. Alianza, 1984.)

—(1978): *Silences*. New York. Dell/Delacorte.

OZICK, C. (1989): *Metaphor and Memory*. New York. Knof.

PALEY, G. (1986): «Ruthie and Edie». *Later the Same Day*. New York. Viking Penguin. (Trad. cast.: *Más tarde, el mismo día*. Barcelona. Anagrama, 1989.)

PASSMORE, J. (1980): *The Philosophy of Teaching*. Cambridge, Mass. Harvard University Press. (Trad. cast.: *Cien años de filosofía*. Madrid. Alianza, 1981.)

PERCY, W. (1979): *The Moviegoer*. New York. Knopf.

PETERS, R.S. (1975): «Education and Human Development», en DEARDEN, R.F.; HIRST, P.; PETERS, R.S. (eds.): *Education and Reason*. London. Routledge. (Trad. cast.: *Educación y desarrollo de la razón*. Madrid. Narcea, 1982.)

POLAKOW, V. (1993): *Lives on the Edge: Single Mothers and Their Children in the Other America*. Chicago. University of Chicago Press.

PRATTE, R. (1988): *The Civic Imperative*. New York. Teachers College Press.

PUTNAM, H. (1985): «After Empiricism», en RAJCHMAN, J.; WEST, C. (eds.): *Post-Analytic Philosophy*. New York. Columbia University Press.

RAWLS, J.A. (1972): *A Theory of Justice.* Cambridge (Massachusetts). Harvard University Press. (Trad. cast.: *Teoría de la justicia.* Madrid. Fondo de Cultura Económica de España, 2002.)

REICH, R. (1987): *Tales of a New America.* New York. Random House.

RILKE, R.M. (1977): *Possibility of Being: A Selection of Poems.* New York. New Directions. (Original publicado en 1905.)

RORTY, R. (1979): *Philosophy and the Mirror of Nature.* Princeton. Princeton University Press. (Trad. cast.: *La filosofía y el espejo de la naturaleza.* Madrid. Cátedra, 1995.)

—(1991): «Solidarity or Objectivity?», en: *Objectivity, Relativism, and Truth.* Cambridge. Cambridge University Press. (Trad. cast.: *Escritos filosóficos. 1, Objetividad, relativismo y verdad.* Barcelona. Paidós, 1996.)

RUKEYSER, M. (1938): *The Book of the Dead.* New York. Covici-Friede.

—(1992): «Tenth Elegy: Elegy in Joy», en: *Out of Silence: Selected Poems.* Evanston (Illinois). TriQuarterly Books. (Original publicado en 1949.)

SAID, E.W. (1983): «Opponents, Audiences, Constituencies, and Community», en FOSTER, H. (ed.): *The Anti-Aesthetic.* Port Townsend (Washington). Bay Press.

SARRAUTE, N. (1984): *Childhood.* New York. Braziller. (Trad. cast.: *Infancia.* Madrid. Alfaguara, 1984.)

SARTRE, J.P. (1947): *Existentialism.* New York. Philosophical Library.

—(1949): *Literature and Existentialism.* Secaucus (New Jersey). Citadel Press.

—(1956): *Being and Nothingness.* New York. Philosophical Library. (Trad. cast.: *El ser y la nada: ensayo de ontología fenomenológica.* Madrid. Losada, 1981.)

—(1959): *Nausea.* New York. New Directions Press. (Trad. cast.: *La náusea.* Buenos Aires. Losada, 1953.)

—(1963): *Search for a Method.* New York. Knopf.

SCHLESINGER, A.M., Jr. (1992): *The Disuniting of America: Reflections on a Multicultural Society.* New York. Norton.

SCHOLES, R. (1989): *Protocols of Reading.* New Haven (Connecticut). Yale University Press.

SCHÖN, D.A. (1983): *The Reflective Practitioner.* New York. Basic Books. (Trad. cast.: *El profesional reflexivo: cómo piensan los profesionales cuando actúan.* Barcelona. Paidós, 1998.)

SCHRIFT, A.D. (1990): «The Becoming Post-Modern of Philosophy», en SHAPIRO, G. (ed.): *After the Future.* Albany. State University of New York Press.

SCHUTZ, A. (1964a): *Collected Papers,* Vol. 2: Studies in Social Theory. The Hague. Nijhoff. (Trad. cast.: *Estudios sobre teoría social.* Buenos Aires. Amorrortu, cop. 1964.)

—(1964b): «Making Music Together», en: *Collected Papers,* Vol. 2: *Studies in Social Theory.* The Hague. Nijhoff. (Trad. cast.: *Estudios sobre teoría social.* Buenos Aires. Amorrortu, cop. 1964.)

—(1967): *Collected Papers,* Vol. 1: *The Problem of Social Reality.* (2.ª ed.). The Hague. Nijhoff. (Trad. cast.: *El Problema de la realidad social.* Buenos Aires. Amorrortu, cop. 1962.)

SHANGE, N. (1977): *For Colored Girls Who Have Considered Suicide, When the Rainbow Is Enuf.* New York. Macmillan.

SHAUGHNESSY, M.P. (1977): *Errors and Expectations.* New York. Oxford University Press.

SILONE, I. (1937): *Bread and Wine.* New York. HarperCollins. (Trad. cast.: *Vino y pan.* Madrid. Alianza, 1968.)

SIZER, T. (1992): *Horace's School: Redesigning the American High School.* Boston. Houghton Mifflin.

SMITH, B.H. (1988): *Contingencies of Value.* Cambridge (Massachusetts). Harvard University Press.

SMITHSON, R. (1979): *The Writings of Robert Smithson: Essays with Illustrations.* New York. New York University Press.

SPIEGELMAN, A. (1991): *Maus II.* New York. Pantheon Books.

(Trad. cast.: *Maus: relato de un superviviente*. Barcelona. Norma. Muchnik, 1989.)

STEINBECK, J. (1976): *Grapes of Wrath*. New York. Viking Penguin. (Original publicado en 1939.) (Trad. cast.: *Las uvas de la ira*. Barcelona. Planeta, 1951.)

STEVENS, W. (1964): «The Man with the Blue Guitar», en: *The Collected Poems of Wallace Stevens*. New York. Knopf. (Original publicado en 1937.) (Trad. cast.: *El hombre de la guitarra azul y otros poemas*. Puebla. Universidad Autónoma de Puebla, 1998.)

—(1964): «Six Significant Landscapes», en: *The Collected Poems of Wallace Stevens*. New York. Knopf. (Original publicado en 1916.) (Trad. cast.: *Poemas de Wallace Stevens*. Buenos Aires. Bibliográfica Omeba, cop. 1967.)

—(1965): *The Necessary Angel*. New York. Vintage Books. (Trad. cast.: *El ángel necesario: ensayos sobre la realidad y la imaginación*. Madrid. Visor, 1994.)

STIMPSON, C.R. (1984): *The Humanities and the Idea of Excellence*. New York. American Council of Learned Societies.

—(1989): *Where the Meanings Are: Feminism and Cultural Spaces*. New York. Routledge.

«Talk of the Town». New Yorker, Aug. 14, 1989, p. 23.

TAN, A. (1989): *The Joy Luck Club*. New York. Putnam. (Trad. cast.: *El Club de la Buena Estrella*. Barcelona. Tusquets, 1990.)

TAYLOR, C. (1989): *Sources of the Self*. Cambridge (Massachusetts). Harvard University Press.

TOCQUEVILLE, A. de (1945): *Democracy in America*, Vol. 1. New York. Vintage Books. (Original publicado en 1835.) (Trad. cast.: *La democracia en América*. Tomo 1. Madrid. Alianza, 1993.)

TYLER, A. (1985): *The Accidental Tourist*. New York. Knopf. (Trad. cast.: *El turista accidental*. Barcelona. Lumen, 1989.)

UNGER, R.M. (1984): *Passion: An Essay on Personality*. New York. Free Press.

WALDMAN, D. (1989): *Jane Holzer.* New York. Abrams.

WALKER, A. (1982): *The Color Purple.* New York. Washington Square Press. (Trad. cast.: *El color púrpura.* Esplugues de Llobregat (Barcelona), 1984.).

—(1983): I*n Search of our Mothers' Gardens.* Orlando (Florida). Harcourt.

WALZER, M. (1987): *Interpretation and Social Criticism.* Cambridge (Massachusetts). Harvard University Press. (Trad. cast.: *Interpretación y crítica social.* Buenos Aires. Nueva Visión, 1993.)

WARNOCK, M. (1978): *Imagination.* Berkeley. University of California Press. (Trad. cast.: *La imaginación.* México. Fondo de Cultura Económica, 1981.)

WELTY, E. (1984): *One Writer's Beginnings.* Cambridge (Massachusetts). Harvard University Press. (Trad. cast.: *La palabra heredada: mis inicios como escritora.* Barcelona. Montesinos, 1988.)

WEST, C. (1989): «Black Culture and Postmodernism», en KRUGER, B.; MARIANI, P. (eds.): *Remaking History.* Port Townsend (Washington). Bay Press.

WHITMAN, W. (1931): «Song of Myself», en: *Leaves of Grass.* New York. Aventine Press. (Original publicado en 1855.) (Trad. cast.: *Canto de mí mismo y otros poemas seguido de Una mirada a los caminos recorridos.* Barcelona. Círculo de Lectores, 1997.)

WIGGINTON, E. (1972): *The Foxfire Books.* New York. Doubleday.

WOLF, C. (1984): *Cassandra.* New York. Farrar, Straus & Giroux.

—(1989): *Accident: A Day's News.* New York. Farrar, Straus & Giroux.

WOOLF, V. (1957): *A Room of One's Own.* Orlando (Florida). Harcourt. (Original publicado en 1929.). (Trad. cast.: *Un cuarto propio.* Madrid. Alianza Editorial, 2003.)

—(1962): *To the Lighthouse.* London. Everyman's Library. (Original publicado en 1927.) (Trad. cast.: *Al faro.* Buenos Aires. Editorial Sudamericana, 1946.)

—(1966): *Three Guineas.* New York. Harvest Books. (Trad. cast.: *Tres guineas.* Buenos Aires. Sur, cop. 1941.)

—(1976): *Moments of Being: Unpublished Autobiographical Writings.*
(J. Schulkind, ed.). Orlando, Fla. Harcourt. (Trad. cast.: *Diario de una escritora.* Barcelona. Lumen, 1982.)

WRIGHT, R. (1940): *Native Son.* New York. HarperCollins.

Índice analítico